吴姐姐讲历史故事

珍藏版 第一辑

吴涵碧◎著

②

西汉·东汉·魏

前 206—265 年

江西教育出版社

JIANGXI EDUCATION PUBLISHING HOUSE

·南昌·

　　东方朔（前154—前93年），字曼倩，汉武帝时汉赋大家，却以滑稽多智名垂青史。他以炫目的自介获得汉武帝接见，又以恶作剧得到汉武帝另眼相看，并因此位列朝班。一次朝廷分肉，分肉官员久久未至，东方朔就自顾自割肉回家，武帝命他自辩，东方朔声称："我拔剑割肉，如此豪壮；割肉不多，何其清廉；以肉奉妻子，多有情义。"武帝大悦。图为东方朔拔剑割肉，清任熊绘。

——见《滑稽有趣的东方朔》

　　苏武牧羊，清代年画。苏武奉汉武帝命出使匈奴，匈奴见他忠勇，派人劝降，苏武抵死不从，匈奴便让他在北海牧羊，称"公羊生小羊"，才放他回汉。后来李陵兵败降匈奴，告诉他已然家破人亡，又对他说："人生如朝露，何必如此自苦？"苏武也不为所动。后来终于回到汉朝。苏武在匈奴前后凡十九年，去时方当壮盛，归时白发苍然。苏武并不知自己会名垂青史，他只是本着自己的良知，去爱自己的国家。

——见《苏武的故事》

　　昭君出塞，清倪田绘。王昭君，名嫱，汉元帝宫人，生性高傲，不愿以财货贿画工，画工毛延寿为昭君画像时，故意丑化，昭君因此未能得到元帝宠幸。匈奴请求和亲，昭君自请嫁匈奴，临行时，元帝召见，见到昭君绝代风华，又悔又怒，杀毛延寿泄愤，但昭君出塞已然不能挽回。此图题为"一望关河萧索"：一身胡服穿戴的昭君，伫立旷野，举首凝望南归雁阵，神态黯然。此一去，昭君终老匈奴，再未能回到故里。

——见《正史中的王昭君》

　　刘秀（前5—57年），佚名绘。字文叔，东汉开国皇帝，汉高祖九世孙，南阳郡蔡阳县（今湖北枣阳）人。刘秀才兼文武，豁达又大度，长于用兵，每能以少胜多，出奇制胜。王莽末年，与长兄在家乡起兵，后加入绿林军，在昆阳之战中以弱当强，尽破王莽主力。后奉绿林军首领更始帝命，巡行河北，破河北各路势力，废王莽苛政，河北因之粗定。更始三年（25年）称帝，定都洛阳，平灭绿林、赤眉及各路豪强，于建武十二年（36年）统一中国。

——见《更始皇帝刘玄》

　　文姬归汉，南宋陈居中绘。蔡文姬即蔡琰，东汉著名学者蔡邕的女儿，幼聪敏，通音律。蔡琰所处年代正值东汉末年，中原大乱，蔡琰为匈奴所掳，在胡地十二年，嫁胡人，育胡儿，后被曹操重金赎回。蔡琰归中原后，作《悲愤诗》，将生平悲苦幽愤，注于其中，言辞感人至深，是中国文学史上了不起的叙事诗。蔡琰是大纷乱时代悲惨的牺牲者，是"覆巢之下无完卵"的沉痛注脚。图为蔡琰回到中原时的情形。

　　　　　　　　　　　　　　　　——见《一代才女蔡文姬》

　　三顾草庐，明戴进绘。东汉末，刘备驻兵新野，听当地士人说诸葛孔明有经天纬地之才，便与关羽、张飞前往探访，直到第三次方才见到。见面后，刘备恳切求教，诸葛亮也以平生所学，为刘备廓开大计，给他后来的发展指明方向，并在刘备再三恳请之下，出山相助，终于助刘备开一代帝业，也成就一段君臣奇缘。图为刘、关、张三人第三次探访诸葛亮的情形。

——见《诸葛孔明"隆中对"》

目　录

目录

吕后吓傻了自己的儿子

　　吕后是汉高祖刘邦的皇后,汉高祖平定天下之后,这时的吕后年老色衰,而且性情刚烈,脾气暴躁,渐渐得不到高祖的宠爱了。

　　碰巧这时的汉高祖,找到一位新的妃子——戚姬,她不但年轻貌美,而且知书达礼,歌唱得动听,舞姿也特别曼妙,很得汉高祖的欢心。

　　戚姬为汉高祖生了一个儿子,名叫如意,被封为赵王,非常聪明。汉高祖很疼他,也很想让如意代替吕后所生的刘盈成为太子——汉高祖认为太子盈太过软弱,将来不能做个好皇帝。然而,朝廷的群臣都反对无缘无故更换太子,此事只好作罢。吕后固然松了一口气,但从此对戚姬更加愤恨。

　　戚姬知道更换太子不成的事后,哭得眼泪汪汪,她一边抹泪一边哽咽地说:"我并不是一定想这么做,完全是因为我们母子的性命都捏在皇后的手里。"

　　汉高祖也很难过,他安慰戚姬:"朝臣全都反对,就是勉强更换太子,对如意来说更加危险,我慢慢再想办法,绝不会让你吃亏。"

　　事实上,汉高祖也想不出什么妥当的办法,烦闷的时候,与戚姬一起抱头痛哭。汉高祖虽然贵为皇帝,有许多事情也没有办法控制啊。当他在世时,吕后当然不敢怎么样,可是一旦汉高祖归天了,吕后岂能放过戚姬?

汉代舞女俑，西安市白家口出土。

不久，汉高祖死了，太子盈即位，是为汉惠帝。吕后当然做了太后，惠帝软弱无能，政治大权都被操控在吕太后手里。

汉高祖过世不久，吕后立刻派人把戚姬漂亮的满头乌发拔光，让她穿上囚犯穿的红色囚衣，把她关在一个小房间里，强迫她舂（chōng）米。娇滴滴的戚姬，哪里吃得了这种苦，她一面舂米，一面哭着，并且唱道："子为王，母为虏。终日舂薄暮（傍晚），常与死为伍。相隔三千里，谁当使告女（汝）。"

意思是说，希望她远在赵国的儿子如意，能知道母亲正在遭受折磨。

戚姬自怨自艾的低唱传到了吕后耳里，吕后大为不高兴，她冷笑道："这死人还想靠儿子吗？呸！"于是，用计把赵王如意骗到了京城。

汉惠帝心肠好，性情仁厚，和吕后大不相同，看见戚姬日夜舂米受苦，非常同情。他心里想，赵王如意到了京城，还有命吗？因此，惠帝不等吕后的命令，亲自乘车到郊外接这同父异母的弟弟。

吕后看到了赵王，恨不得立刻下个命令："推出去斩了！"但是碍于惠帝在旁，不便当场发作，只好等机会再下毒手。

到了惠帝元年（前194年）十二月的一天，惠帝早上起来想去打猎，看到如意睡得正甜，嘴旁还有一丝笑意，想来正在做好梦。惠帝不忍心叫醒弟弟，一个人独自去了。回来一看，如意已死在床上。

惠帝抱着尸体哭得天昏地暗，有人说如意是被勒死的，也有人说是被灌了毒药。惠帝心里有数，这幕后主使人正是母后，所以也不能调查追究。

吕后为了要惠帝晓得自己的厉害，有一天，她派一个太监带惠帝去看人彘（zhì）（彘，猪的别名）。太监领他到厕所一看，哇！好恐怖！只见一个人的身体，没有手，没有脚，眼睛里也没有眼珠，剩下两个血肉模糊的黑窟窿，身子还能动，嘴张得大大的，却发不出声音。

惠帝看了，吓得用手蒙住眼睛缩回来，他问太监："这是什么？"

原来是戚姬被吕后斩掉了手脚，挑出了眼珠，熏聋了耳朵，用药弄哑了喉咙以后丢进厕所的半死的躯体，就是所谓的"人彘"。

惠帝不禁失声叫道："好一位狠心的母后！"说完，泪珠点点滴下，默默走入卧房，躺在床上，从此不吃不睡，又哭又笑，后来吃了许多药才清醒过来。自此，惠帝的身体一天比一天虚弱。吕后很后悔派人带他看人彘，但她认为害死戚姬母子的事，是理所当然的，因此后世的人都骂吕后阴狠。

"萧规曹随"的由来

汉朝初年，萧何为相，他在临死以前，推荐曹参继任为丞相。

曹参和萧何一般，同样是汉高祖刘邦在沛县的老部下，作战很英勇，曾经受伤七十多次。因此，在汉高祖平定天下以后，许多将领都以为曹参该居功首位，但是汉高祖却把萧何的位置排在曹参上面。曹参心里酸溜溜的，很不是味道，极不情愿地去当齐相。

他听到萧何去世的消息，立刻教手下人收拾行李，定做新衣。手下人问他要去哪里，他自信地说："我要到京城当丞相去了。"

手下人都不相信，因为人人都知萧何与曹参不合，但也不敢不为他准备。果然过了不久，朝廷派使者来了，大家都很惊异曹参料事如神，同时也为萧何顾全大局，不计较个人恩怨而赞美不已。

曹参当初为齐相时，就把齐国治理得井井有条，他还曾特别召集齐国一百多位儒生，询问他们对治理政事的看法，结果各说各话，叫他大伤脑筋。

后来听说在胶西地方，有个叫盖公的老先生，学问很好，曹参差人备了一份厚礼去请盖公。盖公平日专门研究黄帝、老子的思想，他认为治国要采用黄老学说，以清静无为，不扰百姓为原则。

曹参非常佩服盖公，把家中的正房大厅让给盖公住，自己退到一旁的厢房，任何大事都找盖公商量。果然，他做了九年的齐相，个个都夸他是贤相。这会儿他接任全国之相，也依旧准备采用黄老治术。

当时朝臣们都惶惶不安，在他们看来，萧何、曹参既有前怨，曹参一上任，一定会有人事上的大变动，换上一些他自己的心腹。没有想到曹参上任后，一点儿也没有更动，而且还张贴布告说："一切概照前相国旧事办理。"朝臣们看了都宽心不少，纷纷赞扬曹参的度量大。

过了不久，曹参把一些欢喜惹是生非的人免职，调派老成持重，不喜多言的人担任，他自己则一天到晚喝酒作乐不理政事。

有几个部下看不顺眼，想提出建议，曹参便拉着他们喝酒，把他们灌醉，一提到政治，他就巧妙地闪开话题，不肯再谈下去，久而久之，朝臣们也学他的样儿，成天饮酒作乐，喝得醉了，又跳又唱，嘻嘻哈哈的。

从此，丞相府的后花园时时传出阵阵的酒香。曹参非但不禁止，还带头喝酒。

汉惠帝晓得了这件事，当然气得不得了。他正因为母亲吕后干涉过多，凡事不能做主而闷闷不乐，便对曹参的儿子曹窋（zhú）说："你父亲天天喝酒，是不是故意讽刺我这个做皇帝的无能，天天只晓得喝酒。你问问你父亲，他成天半醉半醒的，如何处理国家大事？

曹参，选自《历代名臣像解》。

可别说是我要你去问的。"

曹窋问了曹参之后，曹参大发雷霆，拿起板子便狠狠打了他两百大板说："你晓得什么？要你多嘴。"

曹窋挨打了，立刻跑去报告汉惠帝，惠帝第二天便问曹参："你为什么要打曹窋，是我叫他去问你的。"

曹参跪在地上一再谢罪，然后仰起脸问："陛下自觉比得上先帝（汉高祖）吗？"

汉惠帝说："我哪儿敢比？"

曹参又问："陛下看我比萧何如何？"

汉惠帝说："你似乎差远了！"曹参接着说："既然如此，我们只要依照前人的规章去做便可以了，何必想其他的花样。"汉惠帝这才了解曹参的用心。

一个有为的政府，绝不可存着"多做多错，少做少错，不做不错"的消极态度，正如一个有出息的人也要时时求进步。然而，汉初人民久经战乱，很想过平安无事的生活，只要政府不找麻烦，便千谢万谢感恩不尽了。所以，曹参当了三年丞相，没有丝毫建树，民众却很称赞他，这就是成语"萧规曹随"的出典，却不是做事应有的态度。

杰出的外交家——陆贾

陆贾是西汉时代的外交家，也是一个大思想家。

陆贾是楚国人，他是汉高祖刘邦手下一名年轻的将官。汉朝建立不久，南越王赵佗起兵作乱。由于老百姓连年苦于战乱，刘邦不想再出兵，便派遣陆贾到南越去谈判。

南越王赵佗原本是河北真定（治今河北石家庄北）人，担任南海郡的龙川令，趁着秦末大乱，赵佗造反，并吞了桂林郡、象郡，自立为南越武王，嚣（xiāo）张得不得了。

赵佗对汉使陆贾的到来，虽然没有公开拒绝，却也不多加理睬。他大模大样地坐在堂上，头上不戴冠，身上不系腰带，又开两只脚，像个粗人般怒视着陆贾。

陆贾也不跟他行礼，劈头便骂道："你本来是中原人，祖先的坟墓都还在真定。现在你竟然昧了良心，丢下了上国衣冠，还想拿小小的南越与大汉天子为敌，我看你啊，要大祸临头了。"

他一边说，一边摇着头，表示不屑（xiè）的态度，丝毫无畏于赵佗身旁一个个杀气腾腾的侍卫，而且越骂越有劲："你想想看，皇帝在五年之间，平定天下，完全是老天帮忙，你小子自不量力，还自称为南越武王，皇上一火起来，一定派人挖你的祖坟，杀尽你的亲族好友，再派十万大军镇压南越，看你怎么办？"

南越王赵眜印玺，广州市南越王墓出土，刻"文帝行玺"四字。

　　赵佗一开始就被陆贾的声势吓住了，再听他的话也不无道理，因此，乖乖接受刘邦封给他的"南越王"印信，向汉朝称臣纳贡了。

　　陆贾外交的成功，除了伶牙俐齿之外，最重要的是他有深厚的学问基础。有一次，陆贾在汉高祖面前谈到诗书。汉高祖听得很烦，便斥责他："老子是马背上得到的天下，根本用不到什么狗屁诗书。"

　　陆贾立刻顶上一句："马背上得到天下，难道你也要在马背上治理天下吗？"

　　汉高祖一想也有理，由于汉朝的开国功臣多半是屠狗卖布的生意人，缺少学问涵养，时时在朝廷上大吵大闹，发起酒疯来还拔剑砍柱子，简直不成体统。因此，汉高祖就命陆贾记述治乱兴亡的道理，共十二篇。陆贾每奏一篇，汉高祖便连声赞说："妙！"左右大臣也群呼："万岁！"这本书就是历史上有名的《新语》。

　　以后，高祖、惠帝相继死亡，吕后专政，陆贾不问政事，整天与昔日老友饮酒谈天。其实，他仍密切注意朝廷的一举一动。

　　有一天，他去看丞相陈平。由于陆贾是熟客，守门的也未通报，陆贾一直进了内室，发现陈平在低头叹气，他开口问道："丞相有何忧思？"

　　陈平突然惊起，抬头一看是老朋友，才放心地请陆贾坐下道："你说我有什么心事啊？"

　　陆贾不慌不忙地答道："你位居上相，食邑三万户，享尽了富贵，还不免于忧愁，恐怕是为了太后专政吧！"

陈平急忙用食指在唇上比划道："嘘，小声一点！"然后说，"你猜得不错，敢问有何妙计能使天下转危为安？"

陆贾答道："天下安，注意相；天下危，注意将。只要将相和，何事不成？"

陈平面有难色，原来这时朝廷的大将绛侯周勃与他有前怨，两人不和已久。现在听了陆贾的话，陈平决意与绛侯重新修好。陈平又命人准备了车马五十乘，奴婢百人，钱五百万缗（mín）送给陆贾，使他能在公卿间活动，秘密结合。凭着陆贾的游说，果然策动了许多朝臣，共同为保卫汉朝政权而努力。

吕后死后，外戚吕氏家族的败亡，陆贾也有很大的功劳。

汉文帝仁孝英明

吕后病死后，陈平与周勃发动兵变，扫除了吕家的势力。那么，应该由谁来继承王位呢？

由于吕后所立的王，都不是汉高祖的后代，没有资格做皇帝，最后大家公推代王刘恒。因为：一、他是汉高祖的儿子，年纪虽然比较大，但为人十分宽厚；二、他的母亲薄氏一家人都很善良，对政治没有兴趣，不会发生类似吕后干政的祸事。

代王恒接到消息以后，虽然觉得是一件自天而降的大喜事，却也不敢急忙动身。他先召集手下商量后，又去拜见母亲薄氏。薄氏当年在宫里吃过很多苦，深知宫廷内幕黑暗重重，不怎么赞成儿子当皇帝，但也不便阻碍儿子的前程，于是答应了。

薄氏并非汉高祖宠爱的妃子，竟然老来交运，母以子贵。尤其代王特别孝顺，母亲生病时，亲自侍奉汤药，日夜不眠，大家都夸薄氏苦尽甘来。

代王入宫以后继位为汉文帝。说也奇怪，薄太后的遭遇是出于意外，而汉文帝的继后——窦氏也是反祸为福。

窦氏是赵地观津（治今河北武邑东）人，父母很早便去世了，只有两个兄弟相依为命，哥哥叫长君，弟弟叫少君。由于受到兵灾，没法维生，正好朝廷挑选秀女，窦氏长得很美，一应征立即入选，被召进皇宫伺候吕后。

不久，吕后分发宫女给各诸侯国国王，一国派五个。窦氏家乡在观津，因此她希望被分到附近的赵国，于是拜托太监帮忙。太监答应，没想到临时忘掉了，把她改派到代国去。窦氏上路后才知道，一路上哭得天昏地暗。

没想到窦氏到了代国以后，却很受代王宠爱。后来代王王妃去世，她就继为王妃；代王这会儿又当了皇帝，立窦氏的儿子启为太子，窦氏便成为正宫皇后娘娘了，还把哥哥长君接到长安来。

窦氏与长君谈起小弟少君的事，长君哽咽地说小弟逃难时被人抢走，生死不明，兄妹两人都很难过。没料到，有一天她忽然收到一封信，是少君写来的，信中提到小时候和姊姊一起去采桑叶，不小心从树上跌下来的往事。

窦氏一回想，果有此事，连忙请求文帝派人把少君找来。文帝仔细盘问他的身世，当他说到"我和姊姊分手的时候，姊姊向邻舍讨了一点米汤，自己舍不得吃，一匙一匙地喂我，又帮我洗了个头"，窦氏一把抱住了少君说："你真是我的弟弟，可怜啊可怜，竟被人卖了当奴隶。"

汉文帝心地善良，看到他们姊弟抱头痛哭的景象，鼻子也酸酸的，赐给他们一家人许多钱财好好过日子，又为他们请了好师长，教导做人处事的道理。由于文帝一家人都是好心肠，因此对老百姓特别的好，而且处事公平。

汉文帝，选自《历代古人像赞》。

有一回，汉文帝到花园里去玩，看到园子里有许多禽兽，他把园子里的管理人员找来，问他："这儿共有多少禽兽？"管理员一下被问住了，答不上来，倒是旁边一个小吏对答如流。汉文帝称赞道："这才叫负责任。"

　　回去以后，汉文帝便把那个小吏提升为上林令。有个侍从告诉汉文帝："能做事的不一定会讲话，会讲话的不一定能办事。"汉文帝听了觉得很有道理，就撤销了提升的命令。

　　由于汉文帝勤政爱民，又能采纳忠言，因此形成了后世所称道的"文景之治"。

少年才子——贾谊

　　贾谊是洛阳人，从小就有天才儿童的美誉，十八岁的时候他写的文章就已经远近知名了。汉文帝听说贾谊读书多，有才干，特意请他到京都去担任博士。

　　这个时候，贾谊才二十余岁，朝廷的官员中数他最年轻。当时随同汉高祖起兵的老臣都是草莽（mǎng）粗人，长于上马杀敌，叫他们在朝堂上文绉绉地讲话应对，还真是困难。因此，每当上朝商讨国事，老先生们难以开口时，贾谊便为他们一一写奏章，满朝文武都夸贾谊是青年才俊，汉文帝更是赏识他，不过一年的工夫，提升他为太中大夫。

　　贾谊又向汉文帝提议了许多事情，文帝也很赞成，本来还想拔擢（zhuó）他为公卿的，没想到丞相周勃强烈反对，他曾批评贾谊"年少初学，经验不够，专想弄权，挑拨是非"，对贾谊的才能很嫉妒，更不能忍受贾谊的风头太健。文帝只好把贾谊派到长沙去当长沙王的太傅。

　　文帝派贾谊到长沙还有一个用意，他不能让诸侯们发现他想实施贾谊的"强干弱枝政策"，所以故意谪贬贾谊的官。

　　当时的汉朝建立了很多的藩国，这些藩国的力量都相当强大，时时准备造反，贾谊认为这种现象，是"汉朝像个生重病的病人，躯体衰弱，四肢浮肿，肿得脚胫（jìng）和腰一般大，手指和大腿一般粗"。四肢、手指比喻诸侯藩国，身体比喻汉天子。必须"强干弱枝"，国家才有希望，因此他主张削弱地方的力量。

贾谊不晓得这是汉文帝为用他的政策而放的烟幕弹，他很伤心地到了长沙，一直郁郁不乐。有一天，贾谊在书房里看书，忽然一只鹏（fú）鸟（小如鸡，像猫头鹰，古时认为是不祥之鸟）飞进了他的寓所，瞪着贾谊，样子十分安闲自在。江南人的迷信，认为这是一个不吉祥的征兆。从此，贾谊更不开心，觉得寿命将尽，写了一篇《鹏鸟赋》宽慰自己。

直到他被贬以后的第五年，汉文帝由于想念他，才把他从长沙召回。

贾谊，选自《历代名臣像解》。

贾谊到了首都，恰好汉文帝祭过神，静静坐在宫室之中，等贾谊行过礼以后，就跟他谈起有关鬼神的事情。贾谊一开口便滔滔不绝，说得头头是道，汉文帝听得入神了，直到三更半夜才回宫歇息。回到寝宫后，汉文帝自言自语道："好久没看到贾谊了，以为他的学问不及我，现在才晓得我还是差得远哩！"过了两天，派贾谊为少子梁王的老师。

贾谊满腔爱国的热忱，满肚子国计民生的大计，但是汉文帝一点儿也没问到，只谈些祭鬼神的事，贾谊很是失望。一直到千百年以后，唐朝的大诗人李商隐还为他叹息道："可怜夜半虚前席，不问苍生问鬼神。"

一个有责任感的知识分子，不论是否有机会施展抱负，总是想为国家贡献一份心力的。贾谊虽然没有被重用，仍然很恳切地写了一篇《治安策》(又名《陈政事疏》)献上去，说国家现在诸侯难制、匈奴侵略是应该流泪的两件事；太过奢华，上下没有礼节，不重礼义廉耻等，是应该叹息的大事。这一篇《治安策》，写得有内容，又有感情，是我国文学史上古今传诵的宝典。

　　文帝的第十一年，梁王入朝拜见文帝，不小心从马上摔下来而死。贾谊身为梁王的老师，自怨没有尽到职责，整天以泪洗面，不久便去世了，死时才三十三岁哩。贾谊虽然很早便死了，但他的爱国热情永远值得青少年们学习。

缇萦救父

在汉朝初年的时候，有个很有名的医生叫淳（chún）于意。他住在临淄（zī）城里，曾经跟一个叫做阳庆的人学医，把黄帝、扁鹊脉书及五色诊病诸法，都了解得一清二楚。由于医术高明，无论什么疑难杂症，经他一治，都很快痊愈。因此，前来求诊的人愈来愈多。

淳于意当初学医的时候，打定了主意悬壶济世，他不但不会乱敲病人竹杠，甚且有时遇到贫苦的病人，连医药费都全免了，所以日子过得很清苦。

他也曾做过一任太仓令，因为生性淡泊，不习惯官场生活，没过多久便退隐，依旧过着朴实的生活。

由于他医术高超，收费又很低廉，附近的民众都称他为神医，而且到处宣传，因此，很远地方的患者也千里迢迢来求医。可是，淳于意的诊所太小，人手也不够，他从早到晚忙得饭也不能吃，觉也没有办法睡，还是应付不了络绎不绝的病人。

淳于意的小女儿缇萦（tí yíng），眼看着父亲再忙下去就要病倒了，好心地劝淳于意说："爸爸，你出去几天散散心吧，否则真要累垮了。"淳于意也实在吃不消繁重的工作了，于是出门去旅行。

没想到就在淳于意外出的时候，有个病人大老远地前来治病，没碰到医生，不幸病重死掉了。

病人的家属心情恶劣，也很不讲理，硬说是淳于意不肯医治，延误病情，一状告上去，说他"借医欺人，轻视生命"。地方官是一个糊涂的县太爷，也没有问清楚案情，就判他一个"肉刑"。

由于淳于意做过县令，依法不能随便判刑，一定要上报皇帝，汉文帝便下令把他押往长安审讯。

淳于意受了不白之冤，心里难过极了。他沉痛地说："这年头，真是好人难做，也怪我倒霉，一连生了五个女儿，没一个儿子，到了紧要关头，拿不出一点办法。"他的五个女儿听了非常难过，忍不住泪如雨下，尤其是平时淳于意最疼的小女儿——缇萦，更是哭得眼睛都睁不开了。

缇萦陪着父亲到了长安，她一路上都在想淳于意的这句伤心话，也在

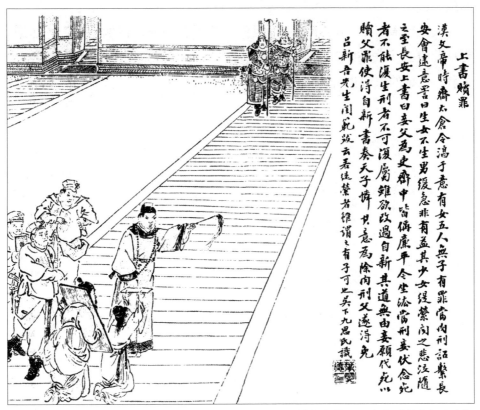

缇萦上书救父，选自《吴友如画宝》。

想可怕的"肉刑"。

根据汉朝的法律，肉刑有三种：第一种叫"黥（qíng）"——在脸上刺字，让别人一看便知道这是犯人；第二种叫"劓（yì）"——割掉鼻子；还有一种叫"断左右趾"——把足趾割去。不论哪一种都相当恐怖。有一天晚上，缇萦梦见父亲被割去了鼻子，哭丧着脸拖着脚步走来，吓得她跳起来大喊救命。

于是缇萦在情急之下，冒着生命的危险上书汉文帝，信上说："我父亲当过县令，齐国人都称赞他廉洁、公平。现在，因为被判犯了法，要受到肉刑的处分。我很痛心，人死了不能复生，受刑人不能再恢复原来的模样，就是想改过自新，也没有法子。我愿意做你的官婢，使我父亲有自新的机会。"

汉文帝看了后非常感动，不但免了淳于意的罪，召他到宫中问医道，更从此废去了残酷的肉刑。一个弱小的女子，凭着她的孝心，竟使天下人蒙利，而她的事迹也流传万古。

汉文帝中了新垣平的诡计

我们时常听到人家说，某一个乩（jī）童很灵验，或是某个算命的特别准。其实，这种事一点儿也不稀奇，都是骗人的把戏，远在古代便有了。

汉朝采用黄老学说，以清静无为，不扰百姓为原则。汉文帝一生都抱持这个主张，却也使一些骗子有了可乘之机。

在鲁国地方有个叫公孙臣的，他给汉文帝上了一篇报告，说依照金木水火土五行来看，汉朝是土德，不久会有黄龙出现。因此，请求改正朔，更换衣服的颜色为黄色。

汉文帝接到报告，拿给丞相张苍看。张苍说："不对，不对，汉朝应该是水德。"汉文帝也就没有再提。

不料到了汉文帝十五年（前165年），陇西地方纷纷传说有黄龙出现，虽然谁也没有亲眼看见，但传说得很厉害，一直传到了京城。

汉文帝竟然信以为真，把公孙臣看做异人，说他能够预知未来，实在太了不起了。马上召他为博士，并且更换衣服的颜色，还命令礼官准备郊祀大典，办得轰轰烈烈。从此，丞相张苍被冷落一旁，公孙臣愈来愈得宠。

出了一个公孙臣，自然有人看得眼红，不多久，第二个"公孙臣"出现了。

当时，赵国有个叫新垣（yuán）平的人，非常乖异，专门骗人，听说公孙臣正走红，也想去凑上一脚。他去学了几句术语，跑到长安城，求见汉文帝。

汉文帝已经被这种事迷得昏昏沉沉，听说又有方士到了，马上请入皇宫。新垣平见过礼后，眼睛瞪着前方很严肃地胡扯："我远远看见一股瑞气，特地来向陛下道贺的。"

"噢，你看见了什么？"汉文帝听说有喜事，立刻很有兴趣地追问。

新垣平假装正经地回答："长安东北角的上空，听说是东北神明居住的地方。现在忽然有五色云彩出现，一定是五帝显灵保护，陛下应该在东北方造一座庙宇，让五帝居住，这样就可常保瑞气。"

汉文帝立刻派新垣平主持办理这件事。庙宇建在哪儿才合适呢？无所谓，反正是新垣平自己胡乱编造的。他出了东北门，走到了渭阳，装神弄鬼，装模作样地对天上望了半天，又对着天空自言自语讲了许多莫名其妙的话。然后，突然跳起来，朝空地一指："就是这里！"

庙盖好了以后，汉文帝亲自前往五帝庙祭祀。祭祀时，举起烟火，直冲云霄，新垣平就喊着说："你们看，瑞气！瑞气！"

汉文帝听了龙心大悦，回宫以后，请新垣平担任上大夫，并且还有优厚的赏赐哩！有一天，汉文帝坐车子经过长安门时，远远看到有五个人站在道路的北边。他正想看个仔细，忽然这五个人从五个不同方向走远消失了，他们穿的衣服是青、黄、红、赤、白五种颜色。汉文帝暗吃一惊："老天爷，我该不是遇见五帝了吧？"连忙把新垣平喊来问话。新垣平一听马上下跪："恭喜皇上，贺喜皇上。"对自己的计策得意极了。

文帝立刻赶工建筑五帝坛，对空遥祭。新垣平又怪里怪气地嚷道："有宝玉之气。"果然，话没有说完，便有一个人捧着玉杯前来，上面刻有"人主延寿"四个字，说是上天赐下给皇帝的。文帝看了高兴得不得了，很小心地捧回宫中藏好。

正在兴奋的时候，有人上奏新垣平弄神捣鬼，欺骗皇上。汉文帝倒也不是个昏君，派人日夜跟踪，发现新垣平果然是个骗子。查明以后，立刻砍了他的脑袋瓜子，从此再也不迷信了。

下棋竟酿成了大战

你喜欢下棋吗？下输了会不会生气？以下我们要讲一个跟下棋有关的故事。

汉高祖曾封功臣为王，但又怕他们各据土地，势力太强，因而在国基稳定以后，陆续诛（zhū）除异姓诸王，只封刘姓子弟为王。但是不久以后，刘姓诸王也渐渐跋扈（bá hù）起来，形成对中央的威胁。

其中有个叫刘濞（bì）的被封为吴王，是汉文帝的堂兄弟，镇守东南地方好些年。吴国有铜山可以铸钱，有海水可以煮盐，因此国家非常的富强。汉文帝当了十年皇帝，吴王还没有入朝去觐（jìn）见过一次。

有一回，吴王的太子贤到京师去。汉文帝唤出太子启与他相见，两个堂兄弟年纪都不大，一见面便玩得很开心。玩了几天以后，愈来愈熟悉，也就渐渐随便了。

作为一个太子是很寂寞的，难得有了玩伴，太子启很兴奋，拉着贤东奔西跑：喝酒、赌博、下棋，玩得最多的便是下棋了。

有一次，两个人又在一块儿下围棋，皇太子启的侍臣和陪吴王太子贤来京的师傅在一旁观看，帮忙出主意。

下了几盘以后，双方各有胜负，两个人心里都不痛快。皇太子启是堂堂太子，从小备受父皇的宠爱，平时读书没有同学竞争，连作业写错了，也是由太监代他受罚，这辈子还没有输过，因此气呼呼地说："不好玩，我不玩了！"

"再来一盘吧!你是不是怕了?"吴国太子贤还要下,他看不出皇太子启不高兴,就是看出了,他也不晓得皇太子是不能得罪的,因为在吴国谁看到太子贤不畏惧三分?

"好,下就下,我还怕你不成。哼!"皇太子启不甘示弱,卷起袖子便落子。两个人越下越紧张,到了生死关头,皇太子启误下了一着(zhāo)棋,牵动全局,眼看着便要输了。

皇太子启立刻把棋抽回来说:"这一着不算。"

"怎么可以不算?"吴国太子贤气得大叫,他的师傅脾气暴烈,打抱不平地说:"你将来要当皇帝的人,怎么可以赖账?"非要把棋子抢回来,拉

下围棋,选自《吴友如画宝》。

拉扯扯纠缠不清。

皇太子启是储君，从小就没受过委屈，心里一火，顺手提起棋盘，便往吴国太子贤掷去，贤没有防备，闪避不及，立刻脑袋开花，小命归天。

汉文帝得知后大吃一惊，但也不好加罪皇太子，只是把他狠狠训了一顿。然后，把吴国太子的师傅传去，一面用好话劝慰，一面厚殓吴国太子贤，命吴国太子的师傅护送灵柩（jiù）回到吴国。

吴王濞看到爱子竟躺在棺木里被运回来，问清楚事实后，悲愤极了。他不肯收下棺木，生气地说："他既然死在长安，就把他埋在长安算了，干什么又搬回来？"于是，派人把棺木又运回长安。汉文帝无可奈何，只好把吴国太子贤埋葬了。

从此以后，吴王濞对汉朝中央政府极为不满，每次朝廷派使者到吴国来，他都是爱理不理的，既骄傲又无理。汉文帝知道他是因为死了儿子难过，也就原谅他三分，并且派人请他到京师，打算当面劝劝他，重修旧好。

哪知吴王濞不领这个情，说什么也不肯到长安去，推说自己病重无法远行。等到汉文帝打发人探病时发现，吴王濞精神健旺，毫无病容。汉文帝简直气坏了，但因为怕吴王造反，还是采取安抚政策，并且赐给吴王一根拐杖，说吴王年纪大了，走路不方便，特准他不必入京朝见。

后来，汉文帝去世了，皇太子启即位，是为汉景帝。汉景帝听信晁错的话，准备消灭各诸侯国的兵力，吴王濞首先发难，这便是历史上有名的吴楚七国之乱。

其实，下棋难免有输有赢，人生的战场上也一样，要输得起才打得赢，可不能学汉景帝。

皇帝也会被挡驾?

在我国古时候，皇帝握有无限权力，他们除了受到自己的观念、想法与良心限制之外，几乎不受任何拘束。同时，中国自古也从没有听说过任何法律是用来约束帝王的。但是，汉文帝有一回竟然接二连三遭到部下呵斥，这究竟是怎么一回事？

在汉文帝时代，汉朝仍然采取和亲政策对付匈奴，每年送给匈奴大批金帛，并且派遣宗室女子下嫁单（chán）于。本来倒也相安无事，后来有人从中挑拨，向单于说汉朝的女子个个长得娇美如花，而且汉朝地大物博，要什么有什么，汉朝送上来的，实在比不上自己抢来的丰盛。单于听得垂涎（xián）三尺，便在汉文帝后元六年（前158年），分两路出兵进攻。

边防的将领已多年未用兵，过着逍遥自在的清闲日子，忽然听说匈奴大举进犯，惊慌得举起烟火，忙乱地开始准备，一个个晕头转向，以为自己在做噩梦。

汉文帝接到报告，大吃一惊，立刻派了三名大将，分作三路去抵抗。又派了河内太守周亚夫驻兵细柳，宗正刘礼驻兵灞上，祝兹侯徐厉驻兵棘门。

由于汉文帝很不放心，过了几天，他亲自出马去劳军。他先到了灞上，然后又到了棘门。两次都是直入军营，没有预先通报，所以刘礼和徐厉都是直到汉文帝进了营门，才慌慌张张率领部下赶来，"扑通"一声跪倒在地:"未曾远迎,请陛下恕罪。"汉文帝随便慰问他们几句便离开了。

这一次,汉文帝来到了细柳营,还没有进门,已经发现气氛大不相同:守营的甲士无论是持刀的、拿戟(jǐ)的、张弓的,都是表情严肃,仿佛随时要与敌人一决生死似的。

汉文帝从没有看过这种情形,心中觉得很奇怪,便差人传令:"皇帝驾到!"

可是,那些卫士竟然毫无动静,既没有急忙迎接,也没有派人通报,甚且汉文帝正要驱车进入时,有个卫士大吼一声:"站住!"汉文帝一时之间,简直不相信自己的耳朵。那卫士接着说:"军营之中只听将军的命令,不听皇帝的命令。"

汉文帝只好拿出符节(皇帝的信物),交给守营门的卫士,叫他进营去通报。

周亚夫得到消息,下令打开营门欢迎皇帝,汉文帝的车子才刚刚驶入,没有想到没走多远,又冲出一个卫士喝道:"停住。"

汉文帝有点冒火,他问:"又是哪儿不对啦?"

原来,周亚夫规定:"军营之中车子不能快驶。"于是,车夫只好拉着马缓缓前进。

周亚夫在军营给汉文帝行军礼,选自《马骀画宝》。

进了军营大门，这才见到了周亚夫。他全副武装，披甲佩剑，看到汉文帝也不下跪，只长长作了一揖，从容不迫地说："末将着军装不能跪拜，只行军礼，请陛下勿责。"

汉文帝微微点头答礼。左右的人说："皇帝是特地前来慰劳将军的。"周亚夫便率领兵士，恭敬地站立两旁鞠躬（jū gōng）答谢。

道谢完毕，汉文帝要回去了，周亚夫也不送文帝出营门，汉文帝的车子刚走，"咔嚓"一声，军营大门立刻关上，森严极了。

马车"吱呀吱呀"往前走，汉文帝回头看看细柳营，深深地叹了一口气道："这才是真将军！灞上和棘门的将士，简直像儿戏，敌人摸进来砍了主将的脑袋，恐怕他们还在睡大觉哩。"

过了些时日，汉文帝年纪大了，他临死以前，拉着太子启的手说："儿啊，周亚夫很不错。将来如果遇到变乱，可以叫他掌兵权，不必多疑。"

后来太子启即位，就是汉景帝，他平定吴楚七国之乱所用的大将，便是周亚夫。

周亚夫找不到筷子

上一篇说到汉文帝临终时，告诉儿子景帝："万一国家有乱时，要重用周亚夫，他是真正的大将军！"

果然，在汉景帝即位不久，由于他削夺各个王侯的封地，引起吴楚等七国的叛乱，幸亏靠着太尉（官名）周亚夫的神机妙算，乱事很快便被平定了。

从此以后，中央的权力加强，汉代政治逐渐形成中央集权的局面，这很大一部分功劳要归于周亚夫。因此，丞相退休后，周亚夫当上了丞相。

这个时候，汉景帝和新得宠的妃子——王夫人感情好得不得了，因此他想把太子废掉，改立王夫人的儿子为太子。周亚夫听说这件事，立刻去劝景帝："千万不可以随便更换太子。"景帝不理会，反而觉得周亚夫自以为有功劳，什么事都要管，十分讨厌。

王夫人的儿子当上了太子，她也摇身一变成为皇后。哇！这下可神气了，走到哪儿都有人巴结。只有周亚夫不理这一套，甚且当王皇后想封哥哥王信为侯时，周亚夫马上站出来说："不可以，不可以！当年汉高祖立下了规矩，不是姓刘的不可以为王，没有功劳的人不可以封侯。如果有人违反，全天下的人都能攻击他。"

当初汉高祖为了避免大权落入外人手中，确实曾说过这样的话。汉景帝无可奈何，只好不封王信为侯，心里却气得痒痒的，直怪周亚夫多事。

恰好这时匈奴有六个人来投降汉朝，汉景帝很高兴，准备给他们官做。周亚夫又有意见了，他的看法是："这些人背叛他们的主人投降陛下，这根本就是不忠。这种不忠的人陛下不处罚，反而奖励他们，那么，将来陛下如何能要求朝廷的臣子对您忠心？"

　　汉景帝被他顶得哑口无言，又想起周亚夫当年把他父亲挡在军营外的事，以及以后种种烦人的举动，再也不能忍耐了！火冒三丈地说："丞相的意见不合时宜，不能采用。"

　　周亚夫碰上了一个大钉子，知道自己不受欢迎了，第二天便提出辞呈，不干丞相，景帝也不挽留。

周亚夫，选自《历代名臣像解》。

　　周亚夫性情耿直，凡事只问是否对国家有利，其他一概不管，所以得罪了很多人。这些人跑到景帝身旁咬耳朵，说他骄傲、自大、跋扈，不把皇帝放在眼里。

　　古时候的皇帝自命为天子，就是上天的儿子，最怕别人看不起他，尤其对周亚夫这种会带兵的将领，又爱又怕，既要将领保卫国家，又担心他们会造反，那种感觉像背上长了一根刺，非常不舒服。

　　于是有一天，汉景帝想试探一下周亚夫的忠心，便请周亚夫进宫吃饭，桌上摆了一壶酒，盘子里有一大块肉，却没有筷子。周亚夫心里想，这八成是汉景帝故意戏弄他，火大极了，向旁边的侍卫喊道："拿筷子来!"

摆酒席的人早已受过嘱咐，一动也不动，呆若木鸡。

周亚夫很愤怒地瞪着侍卫，正要再喊。

汉景帝说："怎么，这样子你还不满意?"

周亚夫听了皇帝的口气，知道是不满意自己，便不敢再说话，不得已离开座位下跪道谢。景帝目送他离去时，恨恨地说："哼! 瞧他还不服气似的。"

后来，周亚夫的儿子拜托主管皇帝用品的官员，买了五百副甲盾，准备在周亚夫死后出殡时护丧用。周亚夫的儿子想省点钱，没付工人搬运费，工人一气之下打了小报告，说周亚夫偷买违禁品，有造反的嫌疑。

周亚夫不晓得这件事，因此不能答辩，被关入大牢。在开庭审问时，法官问他："你为什么要造反?"

"这是我儿子买来给我出殡用的，怎可诬赖我造反?"

"你就是不想在地上造反，也想到地下造反，你不必多说了。"

"人死了还能造反吗?"周亚夫闭起眼睛，懒得再说。直到他死，他都心安理得，而且千秋万世都景仰他的一片忠心。

滑稽有趣的东方朔

　　我国的文学自古便非常优美,《诗经》就是一部上乘的文学作品。到了汉朝,有一种半诗半文的混合体——汉赋出现,与后代的唐诗、宋词并称。这一回,我们讲个很有趣的汉赋大家——东方朔的故事。

　　东方朔,字曼倩,平原人,小时候就喜欢读书,爱讲笑话。他二十二岁的时候,听说汉武帝在征求人才,也想去试试看,便到了长安。

　　长安城里有个机关叫公车,由卫尉管理,凡是四方征求的名士,都可以乘坐公家车子来往,用不着自己出车钱,读书人如果要上报告给皇帝,也由公车转送。东方朔就写了个报告,请公车令转呈汉武帝。

　　这个报告写得相当自负,他说:"我从小没有父母,由兄嫂抚养长大,十二岁学书,十五岁学剑,十六岁学诗书,背了二十二万言;十九岁学孙子兵法,也背了二十二万言。我今年二十二岁,眼睛像明珠般闪亮,牙齿像贝壳般漂亮,勇敢如孟贲(bēn),敏捷如庆忌,廉洁如鲍叔,守信如尾生,我这么优秀的人才,可以为天子大臣也。"

　　倘若遇到老成持重的皇帝,看到这种报告,一定会说:"胡闹!"然后把它扔掉。但是,汉武帝是个有雄才大略的君主,很欣赏东方朔的才气,教他在公车等候命令。

　　东方朔知道皇帝有意重用他,很高兴地在公车等消息。谁知道等了很久,却没有下文,从公车领的米钱,只够一宿三餐,他眼巴巴看着带来的钱快用光了，心里很着急。

　　有一天，他出外游玩，看见一群武帝养的侏儒（发育不全的小矮人），东方朔吓唬道："你们死到临头，还在玩？"

　　侏儒们大惊，问："为什么？"

　　"我听说朝廷找你们去，名义上是要你们伺候天子，其实是要找个机会把你们杀掉。你们不能做官，不能做农夫，不能当兵，白白浪费国家的粮食，留着干吗？不如杀掉，节省粮食。"东方朔说着，还比划了一个砍头的手势。

　　侏儒们吓得嚎啕大哭，东方朔说："等会儿皇上出来，你们赶快磕头赔罪，若是皇上问起来，尽管往我身上推。"

　　一会儿，武帝来了，一群侏儒抱着皇帝的脚又哭又喊，把武帝搞得莫名其妙，因为他根本没有杀小矮人的意思啊！他立刻派人传见东方朔。

　　东方朔耍了一计便能见到皇上，自然很开心，他不慌不忙地说："我活着要讲，死了也要讲。矮人们不过三尺高，一进京便向公车令领一袋米，两百四十钱；我呢？堂堂九尺高，也领一袋米，两百四十钱，侏儒饱得要胀死，我是活活要饿死，你要是不用我，放我回家乡吧！"

　　武帝一看，东方朔果然有三个侏儒高，觉得很好

东方朔拔剑割肉，清任熊绘。

笑，就给他一个官做。由于东方朔聪明绝顶，讲话幽默，善于猜谜语，文章更是写得呱呱叫，武帝对他很有好感。

在夏天时，照规矩朝廷要分肉给大臣们，负责分肉的是大官丞，大官丞摆臭架子，害得大家在太阳下等到了黄昏还不见人影。东方朔不耐烦，拔出佩剑，割了一块肉说："天气这么热，该早点回家去。况且再不拿走，肉都要发臭了。"

其他的人没有这么大胆，依旧不敢动手。一直等到晚上，大官丞来了才分肉。大官丞发现肉少了一块，问明是东方朔割的，认为这是东方朔存心不把他看在眼里，立刻到武帝面前告了东方朔一状。

汉武帝对东方朔说："你自己责备自己吧！"

东方朔站起来，敲自己的脑袋说："东方朔啊，东方朔，你不等皇上下命令便私自把肉拿走，为何如此无礼？你拔剑割肉，实在豪壮！割肉不多，何其廉洁！拿回去给老婆，真有情义！你敢说你有罪吗？"

武帝一面听，一面笑："我叫你责备自己，怎么全在夸自己？"便赐东方朔酒一石、肉百斤。由于他才思敏捷、机智，文章也写得快、写得好，而且滑稽有趣，很能代表他的个性。他在中国文学史上有一席之地。

司马相如与卓文君

　　司马相如与卓文君，是我国历史上有名的一对夫妻。

　　司马相如字长卿，蜀郡成都人，从小喜欢读书，也学过剑术，他因为景仰战国时代的蔺相如，所以改名为相如。

　　蜀郡太守文翁为了普及教育，把地方上天资聪敏的孩童送到长安去念书，司马相如便这样到了长安。长大以后做了武骑常侍，由于他兴趣不在武职，不久托病辞职。

　　司马相如很有才气，他写的《子虚赋》全国轰动，人人争读。虽然他名声日渐响亮，他的生活却大成问题。

　　有一天，司马相如想起可以去找老朋友王吉。王吉在临邛（qióng）县当县令，曾经对司马相如拍着胸脯说过："小兄弟，哪一天你混不下去了，来找我！"

　　司马相如来到临邛找到了王吉。王吉想了一着妙计，司马相如听了频频点头称妙。

　　从此以后，王吉天天到客栈找司马相如，而相如总是称病拒不接见。好事之徒纷纷传言："一定是来了贵客，否则县太爷何必这样费神？"一时之间全县都在哄传这件怪事。

　　临邛县里的有钱人很多，而其中最有钱的一个要算是卓王孙了，他非常好面子。卓家在战国时代便以冶铁致富，是汉初的一个大财主。他也听说了这件怪事，就通过县令说，无论如何要请到司马相如这位远道稀客。

王吉知道计策奏效了，赶着去告诉司马相如，并且要他穿上贵重的"鹔鹴（sù shuāng）裘"，换上簇新的鞋帽，好好打扮了一番。

一会儿，王吉派了马车、佣人来为司马相如装阔，司马相如还左推右推，一直等到卓家三催四请才慢吞吞地出发。

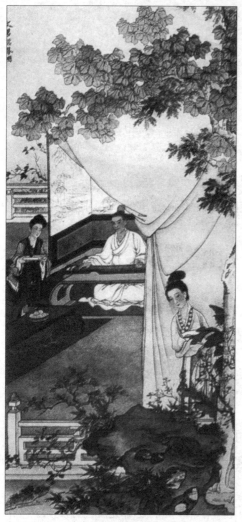

文君听琴，刘凌沧绘。图中司马相如在堂上奏琴，卓文君在帷幕后偷听。

到了卓家门口，早有一大群人伸长脖子等着看热闹。见到司马相如生得唇红齿白，英俊潇洒，风度翩翩，大家赞不绝口。

这一顿饭菜肴非常丰富，主人客人都吃得很开怀。当大家都有三分酒意时，王吉对司马相如说："你何不弹一曲助兴？"

相如谦逊一番后，接过琴来轻轻拨弄，盈盈的琴声缓缓泻出，音韵铿锵（kēng qiāng），好听极了。一曲弹完，全堂喝彩。正准备再弹一曲时，忽然听到有佩玉的响声，司马相如回头一看，嗬！屏风后面躲了一位好漂亮的美人。

她是谁？原来是卓王孙的女儿卓文君，年方十七岁，美貌娇艳，聪明伶俐，琴棋诗画样样精通，不幸新婚未久丈夫便死了，只好回娘家守寡。这一天，听说家里来了一个少年贵客，正在偷看时，不巧被司马相如瞧见，脸一红急急跑开。

　　虽然惊鸿一瞥（piē），司马相如却一见钟情，原已有几分酒意，此时更加醉了。当下便弹了一曲《凤求凰》表达自己的爱慕之情。卓文君早就仰慕司马相如的才华，今日一见，果然一表人才，经他的琴声一挑，芳心动了。

　　当天晚上，卓文君打了一个小包包，带着侍女去叩司马相如的房门，两个人趁着夜色溜走了。

　　第二天清早，卓王孙发现女儿失踪，贵客也一起不见了，大发脾气。王吉原来的意思是想帮司马相如做媒，让他入赘（zhuì）卓家，没有想到他竟会私奔，心里也很不高兴。

　　司马相如和卓文君逃到成都。相如原本很穷，文君走得仓促，没带什

卓文君和司马相如在临邛开酒店，选自《吴友如画宝》。

么值钱的东西，两个人只能靠典当过日子。到后来连皮袍也当掉了，没有办法，只好再回临邛打听消息。

旅馆的人不认识司马相如，老实地告诉他们说："卓王孙几乎气死了，有人劝卓王孙接济女儿一点，卓王孙说，女儿不肖，我不忍心杀死她，让她饿死好了！"

司马相如心想："好，你既然这么绝情，我已走投无路了，索性与你女儿去开个酒店，丢你的脸。"

一不做二不休，司马相如真的穿起店小二的衣服去卖酒了，卓文君也在店里招呼客人。有的酒客认识他们，幸灾乐祸地到处传笑话，吓得卓王孙连门都不敢出。

卓家的亲戚纷纷怪罪卓王孙："你何苦让女儿出丑？况且司马相如也是个人才，只是时运不济。"

卓王孙丢不起这个脸，拨给卓文君一百万钱，一百个仆人，司马相如便回到成都，买田地，盖房子，当起富翁来了。

有一天，汉武帝看到《子虚赋》，非常非常地欣赏，叹口气说："唉，我真恨不能与写这篇赋的人同时。"等到听说是司马相如写的，立刻召他入京，派他做郎官。

以后，司马相如又被派往西南夷，立了不少功劳，卓王孙也觉得很有面子，直夸卓文君有眼光，挑了一个好夫婿。

朱买臣的故事

　　中国自古至今，任何人只要肯上进、肯努力，一定会有所成就，朱买臣便是一个好例子。

　　朱买臣是汉朝初年会稽（kuài jī）人，很喜欢念书，对其他事情都没有什么兴趣。他家里十分穷苦，每天到山上砍些木柴，挑到市场上去卖，勉强过日子。

　　他很会利用时间用功，挑柴的时候，口里仍不断背诵诗文，咿咿唔唔念个不停。他的妻子跟在后面，一句也听不懂，而且越听越心烦，忍不住阻止道："你不要再念了，好不好？"

　　而朱买臣越念越起劲，越读越响，像唱歌一般，快乐得不得了，一提起嗓子，便嗯嗯啊啊没有个完，大老远都能听到他在背诵古书。

　　他的妻子说了又说，始终没有效果，家里头经常有了早餐，就没有了晚餐，到后来实在受不了，吵着要离婚。

　　朱买臣知道他的妻子是个无知的女人，永远不可能了解读书报国的道理，便赔着笑脸安慰道："我到五十岁时一定有出息，现在我已经四十多岁，不久便可发迹了，你已经跟我吃了二十多年的苦了，只剩下短短的几年竟会忍耐不下去吗？等我大富大贵的时候，一定不忘记你的功劳。"

　　他话还没有说完，他的妻子劈头骂道："我跟你吃的苦还不够多吗？你原是个书生，弄到现在靠砍柴为生，也该知道读书无用，为何至今仍不觉悟？还要到处吟唱，惹人心烦。再下去，我非要饿死在阴沟里了！"接着又大哭大叫，闹得不成个样子，朱买臣只好答应离婚。

朱买臣依旧砍他的柴，背他的书。有一回，刚好碰到清明时节的天气，成天阴阴湿湿不见阳光，他背了一捆柴赶下山，忽然遇着一阵风雨，又冻又饿，全身发抖，躲到墓旁去避雨，刚好来了一男一女祭扫坟墓，那个女子不是别人，正是朱买臣的前妻。

这种场面多叫人难堪。因此，朱买臣装成不认识的样子。但是，当他的前妻把祭祀过的酒菜，分给他一点儿的时候，为了要保命，朱买臣也只有含着眼泪吞下去了。

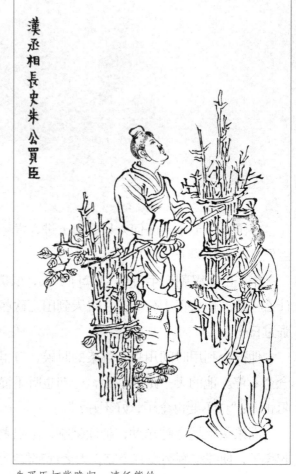

朱买臣打柴晚归，清任熊绘。

转眼之间，又过了几年，朱买臣快五十岁了。

有一次，会稽郡有一位太守要到长安去，朱买臣便以运卒的名义跟了去。

到了长安以后，朱买臣抓住一个机会，见到了汉武帝。汉武帝很赏识他在《春秋》《楚辞》方面的见解，派他做中大夫。以后，他又上了一个对付东越的报告，汉武帝十分高兴，派他回会稽当太守，并且笑着说："富贵不回故乡，就如同穿了漂亮的衣服在黑夜里走，太可惜了，你如今可以衣锦荣归。"

当年被人瞧不起的樵夫，如今可神气了！乡民们夹道欢迎，争看新太守的风采。他远远看到人丛中有一个女子，正是他的前妻，想起在坟墓前的一幕恩情，便把她叫来。

他的前妻又羞又恼又怒又悔，呆若木鸡，说不出一句话。朱买臣顾念旧情，把她和她正在郡太守府当工役的丈夫一块接来，在后花园居住。

这时候，他的前妻真是懊悔到了极点，尤其朱买臣娶了新妻子，穿的是漂亮的新衣服，吃的是山珍海味，她觉得这些都该是自己享受的。最后她实在忍不下这口气，厚着脸皮要求朱买臣再收留她。朱买臣叫人把一盆水泼到地上，对她说："你能把水再收回盆子里，我们便可以再做夫妻。"

他的前妻听了之后，"哇"的一声哭着跑了，不久便上吊自尽了。

李广一箭射进了石头

李广是汉朝初年的大将军，后代的文学家常以他为题材写文章，因为他的一生多彩多姿，真可算是英雄豪杰的代表人物。

李广，选自《历代名臣像解》。

李广是陇西人，武功高强，长于骑射，担任武骑常侍，常跟着汉文帝出外打猎。汉文帝很欣赏他矫健的身手，不止一次地称赞道："你可惜生在太平盛世，没有立功的机会，否则，起码也是个万户侯。"

汉景帝时代，李广在周亚夫旗下出力，平定了吴楚七国之乱，又曾经担任陇西、雁门、代郡等地太守。这些地方都是边区，靠近匈奴，匈奴人很惧怕他。

景帝中元六年（前144年），匈奴入侵，景帝派了使者到前线视察，使者在巡逻的时候，遇到三个匈奴人，这三个匈奴人非常厉害，一箭射中使者，把使者带来的骑兵打得七零八落。

李广接到消息，告诉左右说："这三个匈奴人一定是出来射雕的，所以箭法极佳。"说着，一跃上马。一会儿工夫以后，这三个匈奴人都败在他的手下。正准备回营的时候，忽然间，李广发现四周山头聚满了匈奴兵，少说也有好几千人。

匈奴以为他们是汉朝派来诱敌的骑兵，不敢轻举妄动，拉住马儿的缰绳，远远在山上布好阵势，密切注视着李广。李广的手下们吓得脸色死白，发抖地说："赶快溜吧！"

"走？那么这儿便是你的葬身之地。"李广很沉着地交代，"去，解下鞍来，放轻松点儿。"如此一来，匈奴更认定其中有诈，便按兵不敢动。

呆呆耗在这里也不是个办法啊。不久，李广看到一个骑着白马的匈奴首领出来检阅军队，他立刻跳上马，飞也似的冲出去，一箭直穿匈奴首领的胸膛。然后，回到原地，又解下马鞍，开始休息。匈奴兵对他百步穿杨的本事吃惊不已，更不明白他到底在耍什么花招，一动也不敢动，猜想一定有大批汉兵埋伏在附近，到了半夜

李广射石，选自《马骀画宝》。

来发动猛烈攻击，还是早走为妙。于是匈奴撤军了，李广也潇潇洒洒返回汉营地。

汉武帝元光六年（前129年），匈奴再次入侵，皇帝命李广出驻朔方。这时候他已五十多岁了，是将领中资格最老的一个，这一带地方他又是熟门熟路，总以为没有问题，保证旗开得胜。

哪里晓得匈奴人早领教过他的厉害，这一回派了大队人马沿途埋伏。李广就是有天大的本领，也逃不过天罗地网，终于被逮着了。匈奴人抓到李广，开心得不得了，把他缚在马上，哼着凯歌押回去献功。

李广偷眼一瞧，发现身旁的小胡儿骑的是匹好马，便用力一挣脚，扯断绳索，一跳就跳到小胡儿的马背上，把小胡儿推下马，夺得弓箭，一挥马鞭溜之夭夭。匈奴兵掉转马头追上来，却都被李广一一射死，他又一次死里逃生。

以后，匈奴人给李广取了一个外号，叫"飞将军"，一听到"飞将军"莫不闻风丧胆，何况他不久又干了一件大事。

话说右北平郡一带多老虎，李广日日巡逻，一面瞭敌，一面打虎，他凭着独到的箭术，一连射死了好几只老虎。有一回，走到山麓（lù），远远望见草丛之间，有一只老虎蹲在那儿，他急忙张弓搭箭，凭着他的功夫，果然又一箭命中。

可是，当他走进草丛一看，咦！并不是老虎，而是一块大石头。最叫人奇怪的是，那箭透入石中，约有数寸，上面露出箭羽，手下人要去拔，却跌个四脚朝天。李广再射，却也射不进去了。

从此，他更声名远播，人人都说他的箭有入石的神力，血肉之躯还想跟石头拼吗？所以他在任五年，匈奴不敢蠢动。

张骞出使西域

汉初，匈奴强大，汉朝无法对抗，只好处处忍辱求和，汉高祖去世以后，匈奴的单于故意写信向吕后求婚，把她大大羞辱一番。这真是国家的耻辱！

经过了几十年的隐忍和休养，汉朝的基础稳固，财力有余，士马强盛，汉武帝决心雪清耻辱，消除国家的大患。

据汉武帝所知，在西域有个叫大月氏的国家和匈奴有深仇大恨，匈奴曾把大月氏的国王杀掉，把他的脑袋当做溺（niào）盆，作为胜利的象征。武帝心生一计：何不联络大月氏夹攻匈奴？

但是，大月氏远在西域，和汉朝从来没有来往，如何联络呢？汉武帝下令征求出使番邦的人才。

一听说要远赴蛮夷之邦和杀人不眨眼的酋长打交道，朝廷的官员个个缩着头，生怕被选中。

却在此时，有个不怕死的英雄好汉挺身而出，他便是张骞（qiān）。汉武帝见张骞仪表堂堂，口才锋利，讲起话来有条有理，很赞赏地说："嗯，派这样的外交官出去，正可代表泱（yāng）泱大国之风。"

在汉武帝建元二年（前139年），张骞带了一百多人上路了。不幸的是，刚到陇西，张骞一行人便被匈奴逮住了，而且他的汉节（节是代表政府的信物）以及给大月氏的玺书都一并被搜出。匈奴单于讥嘲地说："大月

《张骞出使西域图》，初唐壁画。画中汉武帝为张骞出使西域送行，右侧汉武帝坐于马上，左侧张骞跪拜辞行，张骞身后是持节的随从。

氏在我们的北方，你们怎么会笨到想经过我们去联络他们呢？如果我想穿过汉朝领土联络南方的越国，你们会答应吗？真是笑死人了。"

从此以后，张骞在匈奴一住便住了十几年，娶了匈奴女子为妻，还生了一个小孩子，衣食不缺，单于对他也很礼遇。张骞表面不动声色，似乎颇满意眼前的生活，内心却从来没有忘记国家交付的使命。

机会终于来了，有一天早上，张骞趁着匈奴守卫在打瞌睡，骑上快马便往北方奔去，在沙漠里走了十几天，白天热得发昏，夜晚冷得颤抖，又饿又渴又累，吃尽了千辛万苦，好不容易到了西域的大宛（yuān）。

大宛国王早就仰慕汉朝的富庶繁荣，现在听说汉朝特使远来，受宠若惊。张骞告诉国王："如果你帮助我到大月氏，汉朝皇帝一定会重重酬谢你。"大宛国王满口允诺。

张骞历经艰难终于到了大月氏。这时候，大月氏的太子已即位，并且吞并了肥沃的大夏，没有兴趣报仇，而且抱着一种"只要我表明立场不与匈奴为敌，匈奴应该不会与我开战"的鸵鸟想法。完全是逃避现实的苟安心理。

张骞没有办法，只好束装回国。回国途中，很倒霉地，又被匈奴逮着，再关了一年多。后来，匈奴发生内乱，他才带了妻、子逃回长安。

汉武帝听说张骞回来，十分高兴，任命他为中大夫。张骞虽然没有完成结交大月氏攻打匈奴的使命，但他带回许多有关西域的资料。他说，西域有一种水果，甜甜的，酸酸的，芳香扑鼻，好吃得不得了，叫葡萄；有一种草，叫苜蓿（mù xu），青翠美丽。大宛有一种千里马，全身红得发亮，有一丈多长，两丈多高，跑起来像飞一般快。听了这些个新奇事，汉武帝心动不已，封张骞为博望侯，开始注重西方边疆的开发。

到了元鼎元年（前116年），张骞再度西使，率领随从三百余人，分赴大宛、乌孙、康居、大月氏、大夏、安息等国，为汉朝打通了西域的外交、经济、文化的关系。由于张骞的努力，西域的东西如石榴、胡瓜、胡豆、胡琴等陆续传入中原，中原文化因而更为光辉灿烂。

主仆变成夫妇——卫青不平凡的经历

西汉时因攻打匈奴立下大功而名垂千古的两个大将军是卫青和霍去病，卫青正是霍去病的舅舅哩！卫青其实应该叫郑青，这句话怎么说？

卫青的母亲卫媪（ǎo），本来是给汉武帝的姊姊——平阳公主当婢女。后来嫁给了卫氏，生下一男三女。卫氏短命，很早就去世了，卫媪只好再到平阳府里当佣人，她的小女儿卫子夫长得很漂亮，歌声更是如出谷黄莺，在平阳公主家中当歌女。

有一次，汉武帝突然游兴大发，痛痛快快出去玩了一天，回宫的时候，路过平阳府，顺道进去休息休息。

平阳公主看见贵客临门，慌慌忙忙搬出家中最上等的酒菜，并且召来一班歌女陪酒。汉武帝一眼便看上了妩媚动人的卫子夫，尤其对她那把黑油油、光滑滑的秀发梳拢成的发髻着迷不已，直盯着不放。

弟弟的心事，姊姊当然知道，平阳公主当场就把卫子夫送给了汉武帝。汉武帝笑得开心极了。

汉武帝本来有个很得宠的皇后陈阿娇，他曾对人说过："我要是能娶阿娇为妻，要为她盖一个金屋。""金屋藏娇"的成语，就是这么来的。现在有了卫子夫，陈阿娇便失宠了。后来阿娇被废，生病死了，卫子夫当上了皇后。

卫子夫就是卫青同母异父的姊姊。她母亲卫媪和平阳府中一名工人郑季要好，生下了一个小男孩，取名郑青，他被带回郑季老家抚养。

郑季的妻儿非常愤怒，合力对付郑青，可怜的郑青小小年纪饱受虐待，身上经常青一块紫一块的，遍体鳞伤。

受老天爷保佑，郑青居然还能长大成人，没有被郑家欺负死，真是幸运。他实在没有办法再忍下去了，跑去找生母，请她想个办法。

卫媪领着郑青去求平阳公主，平阳公主回头一看，发现这个彪形大汉倒是相貌堂堂，就派他去当骑奴。每当公主出门，他就骑马跟在后头。

如此，虽然还是佣人，可比在郑家强多了。所以郑青改名为卫青，表明与郑家一刀两断。

卫青很知上进，平阳公主家中的差事非常轻松，空下来的时间他勤读书，练身体，一心一意研究兵法。

他当了两年的骑奴，认识了几个朋友，朋友介绍他到建章宫做事。

武帝建元二年（前139年），张骞出使西域、夹攻匈奴的计划失败后，双方关系正式破裂，此后四十年间，汉军采取主动攻击策略，九次出塞，都予匈奴以重大的打击，汉朝的主帅正是卫青。自从李广失败，卫青反而胜利

卫青，选自《历代名臣像解》。

-47-

后，他一路扶摇直上，河南的收复，河西的经略，漠北的远征，都有辉煌的战果，达成了雪耻的愿望，巩固了北部的边防，扩大了汉朝的领域。

卫青过去的女主人平阳公主，因为丈夫死了，想再嫁人，问手下："列侯之中谁最贤？"下人们齐声道："当然是卫大将军了。"平阳公主说："这怎么可以呢？他以前是我的骑奴，是伺候我骑马的佣人。"手下又回答道："如今比不得从前了，他已身为大将，他的姊姊又是皇后娘娘，除了皇帝以外，谁能比他更尊贵？"

平阳公主想想也有道理，就央求卫子夫做媒，和卫青欢欢喜喜结成了夫妻。

卫青出身卑贱，但他并没有因此而自暴自弃，勇敢地闯出了锦绣前程，英雄不怕出身低，卫青是个好例子。

青年才俊霍去病

卫青原是平阳公主的骑奴，后来成了她的夫婿，而卫青的同母三姊卫子夫嫁了汉武帝，成为卫皇后。

霍去病的父亲霍仲（zhòng）孺（rú），是平阳公主家中的小职员，和卫青的同母二姊卫少儿感情很好，生下了霍去病。

因此霍去病的舅舅是卫青，他的三姨妈是皇后，姨父便是汉武帝。这个关系似乎很复杂，静下来想一想便明白了。总而言之，由于有了这层亲戚关系，霍去病十八岁的时候，便开始担任侍中的官，做了汉武帝的侍卫。

霍去病固然因为得天独厚的国戚关系，年纪轻轻登上了高位，但他的本事也的确不含糊。在元朔六年（前123年），卫青出兵攻打匈奴时，霍去病要求跟着去。卫青让他担任校尉，选了八百名壮士。到了塞外，霍去病率领部下往北攻去，一路上看不到一个胡人，他继续向北深入，丝毫都不害怕。

一直走了好几百里，霍去病看到匈奴的营帐了，一挥手杀了过去。匈奴怎么想也想不到汉人会跑这么远，由于没有一点儿防备，两个大头目被抓。霍去病得到了"冠军侯"的美誉。

从此以后，他不再跟在舅舅卫青的身后，开始独当一面了。

元狩（shòu）二年（前121年），霍去病十九岁，他以骠（piào）骑将军的名义，率领了一万骑兵，从陇西出发，获得大捷，把从金城（兰州）

吴姐姐讲历史故事

到盐泽（罗布泊）一带四万多匈奴人完全肃清。汉武帝在这儿设了武威、张掖、酒泉、敦煌四个郡，隔断了匈奴与羌（qiāng）人的联络，打通了西域的道路，解除了来自西北的威胁。

经过了这一场战役，匈奴人领教了霍去病的厉害，不敢与他交手。在祁（qí）连山与焉支山一役后，匈奴人编了一首歌谣：

> 亡我祁连山，使我六畜不蕃（fán）息；
> 失我胭脂山，使我妇女无颜色。

焉支山又名胭脂山，所以匈奴人这么说。这首歌翻山越岭传到内地，霍去病的名声更响亮了。

霍去病为人沉默寡言，成熟稳重，有勇气，敢担当。汉武帝曾经叫他去研读孙吴兵法，他回答："做大将军的要随时用计谋，何必受古法的约束？"武帝要为他盖个漂亮的大房子，他笑着推辞道："匈奴未灭，无以家

霍去病，选自《马骀画宝》。

为也。"这句话的意思是说，匈奴还没有消灭，成什么家？直到今天，我们还时常沿用霍去病的话，表示一个好男儿在国家未太平之前，没有工夫考虑自身的事。

霍去病小时候不晓得父亲的名字。因为霍仲孺早已离开平阳公主家，回到家乡河东，另外娶妻生了一个儿子名叫霍光，与平阳公主不再联络。等到霍去病长大成人，当了官，才知道父亲的名字。他在北伐回京的路上，经过河东，查出霍仲孺还健在，派人去迎接，父子团圆。

霍光年纪虽小，但聪明伶俐，霍去病很喜欢，待他像亲弟弟一般，把他带到长安，找老师仔细教导。以后，霍光辅佐昭帝、宣帝，成为历史上有名的一代贤臣，这也算得上霍去病在沙场以外的另一贡献。

苏武的故事

在汉武帝天汉元年（前 100 年）的春天，日暖草肥，武帝正想北伐匈奴时，忽然有人报告，路充国从匈奴回来了。

路充国是汉朝的使者，被匈奴扣留了相当长一段时间。他告诉汉武帝，现在匈奴新君且鞮（dī）侯单于继位，对汉朝十分恭顺，且鞮侯单于曾经说过："我是汉朝的儿子，汉天子是我的长辈。"不但把汉朝的俘虏一律放回，而且求和。

原来在这以前，匈奴经常扣留汉朝的使者，汉朝也时常把匈奴的使者关起来以为报复。如今，既然匈奴有心求和，汉武帝也就本着宽大为怀的精神把匈奴的使者放回去，并且指派苏武护送。

苏武带着大批绫罗绸缎、金银财宝到了匈奴。没有料到且鞮侯单于并不是真心讲和，尤其是看到大批金帛以后，认为汉朝惧怕匈奴，不由得骄傲起来，对待苏武等人十分不客气，苏武也不便斥责且鞮侯单于礼貌不周，反正他的任务已完成，收拾行装就准备回朝了。没有想到这时候发生一件意外的事。

当时在匈奴，有两个汉朝的降臣卫律、虞常，相处得很不融洽，虞常想暗杀卫律，同时把单于的母亲阏氏抢过来，投奔汉朝。刚好苏武一行到此，虞常央求苏武的副使——张胜参与阴谋，张胜瞒着苏武秘密筹划起事。

有一天，且鞮侯单于外出打猎，虞常等人以为有机可乘，集合党羽七十多人发难，偏偏其中一个人竟然偷偷地跑去告密，结果虞常等人被捉下狱。

后来，单于追查这件事，派人下令不准苏武回国，并且传他接受审讯。苏武悲痛地说："我们奉皇上的命令出使匈奴，如今受到这种耻辱，还有什么面目回汉朝？"拿起佩剑便往脖颈子上抹，卫律慌忙抢救，但苏武的颈上已经刺了一个洞，鲜血流了一身。医生赶来时，苏武已昏过去。幸好匈奴的医生本领不错，把苏武一条命捡了回来。单于也很钦佩苏武的忠勇。

当苏武痊愈后，单于不肯放他走，反而派卫律劝他投降。

卫律讨好地说："苏武，你看我，自从背弃汉朝来到匈奴，不但封了王，拥有几万部众，而且漫山遍野尽是我的牲畜，有享不尽的荣华富贵。你今天投降，明天便和我一样了，多好！"

苏武牧羊，清代年画。

苏武紧闭着嘴，咬着牙，默不作声。卫律又换了一副脸孔。这次他恶狠狠地说："你不听我的话，明天你想看我都看不到了。"

无论卫律用软的，来硬的，苏武都不动心，反而骂道："你不顾道义，背叛国家，甘心投降夷狄，简直无耻！我根本不屑见你。你明明晓得我不会投降，却故意来威胁我，存心在匈奴惹出大祸，你以为你还活得下去吗？"

卫律被骂得抬不起头，把这一番话原原本本地告诉了单于。单于大为赞赏，更想使苏武投降。单于下令把苏武关在地窖中，不给他食物，只给他一条毛毯。苏武饿得发抖，将毛毯混着冰雪吞下肚去，竟然没死。单于以为苏武有神助，就派苏武去北海牧羊，放的都是公羊，却对他说："等你的公羊生了小羊，你便可以回去了。"

北海气候严寒，苏武冻得皮肤皲裂，淌出鲜血。没有食物，只捉点野鼠充饥，被折磨得不像个人样。然而，他始终带着那支代表汉朝使者的汉节。

如此过了一段时间，武帝派李陵攻打匈奴，李陵兵败，被迫投降匈奴，被封为王。李陵和苏武原来认识，他来探望苏武，对苏武说："我来的时候，你母亲、大哥、三哥都死了，嫂夫人已改嫁，你妹妹、儿子、女儿下落不明。哎，人生有如朝露，何必如此自苦？你哪一天死掉了，别人也不晓得你的忠心。"

苏武摇摇头："为国牺牲，我死也甘心。"

以后，汉朝与匈奴讲和，汉朝要求把苏武放回，匈奴人骗说苏武早死了。幸亏有个叫常惠的想了一个计谋，对匈奴人说："有一回汉天子打猎时，射到一只北方飞来的雁，雁脚上绑有苏武写的信。"这是一句谎话，匈奴人却信以为真，同意释放苏武，苏武才得以返回汉朝。

苏武去国十九年，回来时已成了白发苍苍、蹒跚跛行的老翁。其实，他做梦也没有想到可以回国，更没有想到会名垂青史。他只是本着良知，勇敢地、坚决地在做自己应该做的事——爱自己的国家。

可敬的牧羊人——卜式

在汉武帝时代，河南山区里，住着一位牧羊人——卜（bǔ）式。

卜式原先住在山脚下，家里有一大片田，还畜（xù）养了不少牛羊。后来，卜式的父母亲相继去世，留下了卜式与卜式的弟弟。

卜式是个好哥哥，他为了帮助弟弟成家立业，把卜家所有的田产完全给了弟弟。自己仅仅带了一百多头羊，迁居到山里。

养羊也是一门大学问，卜式研究方法，给羊群最好的照料，没过多久，一百多头羊已经繁殖到千头以上，附近的牧羊人家，无不钦佩卜式，称他为养羊专家。

卜式卖了一部分羊，在山里盖了一栋小房子，准备常隐山中，过着单纯而宁静的牧羊生活。

不料，卜式的弟弟不成才，与哥哥完全不像，贪吃懒做，游手好闲，没过几年，竟然把家财挥霍得干干净净。听人家说，卜式这几年经营得有声有色，于是，卜式的弟弟赶到山上向哥哥求援。

卜式见到弟弟的狼狈模样，心里十分生气，他愠（yùn）怒道："当年我上山之前，交给你的家产足够你吃一辈子的。"

弟弟不吭声，低着头，一脸惭愧的表情。卜式心肠软，也不忍心多说，不但用丰盛的一顿好好招待他，并且大方地把财产分了一部分给弟弟，同时叮咛道："这一回你可得用点心。"

"我一定不辜负兄长的教诲。"

弟弟捧着钱，千恩万谢地下了山。

话是说得漂亮，奈何江山易改本性难移。弟弟拿了白花花的银子，出手更加阔绰（chuò），挥金如土。

没过多久，弟弟又宣告破产，又厚着脸皮往山上跑。

这日，旁边的邻人见到，不以为然地对卜式说："你的钱赚得不容易，风吹雨打，日晒雨淋，人都变得如黑炭一般。你老弟却吃香喝辣，只晓得伸手要钱，莫非把你这个哥哥当摇钱树不成？"

卜式叹一口气："没把弟弟教育成才，我这个哥哥也有责任。我总不能眼睁睁见死不救，毕竟手足情深。"

于是，卜式又分了一些财产给弟弟。乡里的人都看不起弟弟的厚颜贪财，也不约而同赞美卜式的大度大量。

卜式虽然身居深山，对国家大事却十分关心，他一直是忧国忧民的爱国人士。当时，汉武帝派遣卫青、霍去病率领大军讨伐匈奴，卜式心想，打仗要花不少金钱，覆（fù）巢之下无完卵，他愿意尽一分力量。

因此，卜式上书汉武帝，愿意把自己财产的一半捐出来，让政府拿来抵御外侮。

汉武帝看了卜式的上书傻了眼。天下竟然还有这样热心的人吗？当时的人不习惯纳税，尤其是商人，总是想出种种办法，能逃则逃，哪有如卜式一般的？何况，卜式一半的财产，一千多头羊再加上房屋四座，虽算不上大富，数目也颇可观。钱总是不嫌多的，莫非卜式有什么要求，不方便在上书之中讲明白？

汉武帝相当好奇，他马上派了使者，前往卜式家中，一探究竟。

使者到了卜式住处，发现卜式家中十分俭朴，里里外外都收拾得干干净净。

使者打开天窗说亮话，他问："卜式，你捐献的数目不少，莫不是希望皇上派你一个官职？"

"不！"卜式笑道，"我一个牧羊人，要官职有什么用？我自小牧羊，也欢喜与羊相处，对畜牧事业，多少也有点心得，我不想当官。"

"噢，这样的话，你一定是蒙受什么不白之冤，希望朝廷为你平反？"使者自以为聪明地推测。

卜式笑了起来："我这个人生性淡泊，凡事不与人争，欢喜赒（zhōu）济乡里，与朋友都相处和乐，哪有什么不白之冤？"

使者清一清喉咙："这也不是，那也不是，你倒是说说看，你平白无故捐出这许多钱，到底希望得到什么报偿？"

卜式助边，选自《马骀画宝》。

"什么报偿我都不需要。"卜式正色道，"皇帝讨伐匈奴，我认为全国上下，应当有钱出钱，有力出力，我希望我们大汉朝繁荣兴盛，其他，我一无所求。"

"我会把你的想法报告给皇上。"使者告退，对卜式深深一鞠躬，"我钦佩你的无私，希望国家能有更多像你一样的人。"

卜式捐出了一半的财产，仍然牧他的羊，他似乎是傻，不过，他想到他也尽了一分力量，觉得自己是个有用的人，有能力回馈（kuì）社会，他忙得更起劲了。

司马迁忍辱发愤写《史记》

中华民族是一个最重视历史的民族，远在西周以前，中国人就懂得历史记载的重要性，常由政府特置的史官来专管这项工作。那些史官是专业的，同时也是世袭的。司马氏一家，便一直担任史官的职位。而司马迁更是中国历史上最伟大的历史学家之一。

司马迁的父亲——司马谈也是一位渊博的学者，他很重视小孩子的教育，希望司马迁将来能继承自己的工作与理想，完成一部比孔子的《春秋》更伟大的历史巨著。因此，当司马迁十岁的时候，司马谈就请当时的名学者孔安国教他《尚书》，董仲舒教他《春秋》。

除了"读万卷书"，司马迁又在父亲的鼓励下"行万里路"。他在二十岁那年，骑马乘舟游历各地，考察史迹，访问遗老，搜集历史资料。

在江苏淮（huái）阴，他听当地父老讲着韩信从一个无赖的胯下爬过去，惹得众人耻笑；到沛丰听说刘邦曾一文不名去赴宴，在酒席上却嚷着自己出一万钱，这种阔气，使得主人吕公当场把刘邦收为女婿。

往西走到了湖南，在沅（yuán）湘之间，这里的土人祭神时仍唱着屈原作的《九歌》，司马迁特地去看了看屈原投水的汨（mì）罗江，他伤感地哭了；同时长沙也是天才少年贾谊不得志作《鹏鸟赋》的地方，司马迁忍不住又叹息起来。

再往北走，他到了山东孔子讲学的地方，参观孔庙里摆列的各种车服礼器，以及儒生们讲礼习乐的情形，他尽情地感受着文化的遗泽。这些对他历史知识的充实，文章气势的培养，都有很大的帮助。

司马迁从远方游历回来，先补为博士弟子员（优等的成绩），第二年因岁试得中高第，做到郎中。

这时，他的父亲司马谈病重，临死之前，司马谈握紧儿子的手，流着泪说："我希望你能完成一部伟大的史书，扬名后世，那我这做父亲的也会感到无比的光荣。"

三十二岁的司马迁，正一心一意完成不朽的著述——《史记》时，发生了一件大事，扭转了他一生的命运。

读者们还记得射箭穿石的"飞将军"李广吗？这时他的孙子李陵已长大成人，也长于骑射，谦和仁爱，汉武帝很喜欢他，派李陵出兵攻打匈奴。

李陵率五千步兵，深入匈奴一万多里，杀伤敌人数万。朝廷的大臣们争相举起酒杯，向汉武帝祝贺，个个都说："李陵勇敢！""李陵就和他祖父一样神奇！"

没过几天，李陵被部下出卖，中了匈奴的计，兵败如山倒，最后投降了。满朝大臣们看到汉武帝铁青的脸，大家嚷着："李陵有罪！""李陵该下地狱！""灭他的族！"

司马迁，选自《历代名臣像解》。

司马迁晓得李陵勇敢、善战、爱部下，只要李陵一句话，士兵们都愿流着泪，带着伤，拿着没有箭的弓，去和敌人拼命的。因此，虽然他和李陵没有深交，很少来往，当汉武帝问他的意见时，司马迁很坦诚地说："现在许多人讲李陵的坏话，只是因为他平日少与人应酬，做人不周到，不会巴结。其实，李陵绝不会输于古代任何名将，他现在虽然失败了，但一定是想将来找机会报仇。况且，无论如何，他已杀了那么多匈奴人，对国家很有贡献。"

没有想到，汉武帝大发脾气，认为司马迁不但在为李陵讲情，更在讽刺这次功少的李广利（李广利是武帝所爱的李夫人的哥哥）。因此，立刻把太多情、太热心、太有正义感的司马迁关到牢里去了。

照当时的规矩，出钱可以赎罪，但是司马迁为人正直廉洁，怎么拿得出五斤黄金呢？又因为骨头硬，一向不屑逢迎有钱有势的大官；而和他要好的人，又怕惹麻烦，不敢出面援救。武帝误信谣言，以为李陵（其实是李绪）在帮匈奴练兵，一怒之下，把李陵的母亲、太太、儿子全杀光了。同时，使司马迁受了腐刑——便是和太监一般。

司马迁受到这种奇耻大辱，悲愤得想要自杀。这时候，他父亲司马谈的遗言在他耳边响起，他跳起来说："对啊，死有重于泰山，有轻于鸿毛。自古以来，只有最不凡的人，才能忍辱偷生，发愤著作，永垂不朽。周文王被关在羑（yǒu）里推演了《周易》；孔子在陈蔡绝粮写成《春秋》；屈原在被放逐而作《离骚》；左丘明瞎了眼睛而写成《国语》；孙膑被弄残双腿而写成《孙膑兵法》。"

从此他发愤写作，以广博的学识，锐利的眼光，丰富的体验，雄伟的气魄，写下了一百三十卷的《史记》。这是中国历史上最伟大的史书之一，也是后代正史的蓝本，更是了不起的文学著作。这是祖先留给我们的宝贵遗产。

汉武帝与巫蛊案

西汉初年是中国历史上光辉灿烂的大时代，文治武功都十分兴盛，像司马迁、司马相如的文章；卫青、霍去病的功业；苏武、张骞的外交，都是千古流传的不朽盛事。而促成这一切的，是汉朝的象征人物——汉武帝。

汉武帝是汉景帝的儿子，十几岁开始执政，统治汉朝超过半个世纪。他从小好奇、浪漫、爱冒险。在即位三年后，经常穿着平民服装出外打猎，自称为平阳侯。有一回住在别人家里，被人误以为是小偷，差一点儿被灌了一嘴的尿。

在汉武帝以前，汉朝一直采用屈辱的和亲政策，送财物、嫁公主以讨好匈奴。他即位以后，积极消除外患，开拓疆土，使大汉声威远播各地。同时，采纳董仲舒的建议，崇（chóng）尚儒学，设置五经博士。

打仗要花很多钱，因此，汉武帝十分重视经济，设立均输和平准法，避免不法商人操纵市场和做投机买卖。可以说，汉武帝对付汉朝的"经济犯"很有一套办法。

雄才大略的汉武帝，在求仙炼丹方面颇受后世的批评。在汉武帝二十五岁的时候，有一个叫李少君的，说自己通长生不老之术，曾经吃过一种枣，枣大如瓜，灵得不得了。

有人问李少君："您多大了？"

李少君永远慢吞吞地回答："七十。"别人也猜不透他到底多大年纪。

有一次，在大庭广众之下，李少君和一位九十岁的老头儿谈起老头儿祖父的事，大家都惊奇万分，算算看，李少君起码有好几百岁了。

从此以后，汉武帝开始向东海求仙，希望和李少君一般长生不老，永远享受当皇帝的荣华富贵。

元狩四年（前119年），有个文成将军，自夸能招鬼神，武帝信以为真。文成将军说杀牛可得奇书，书上会有长生不老的方法。武帝把牛宰了，果然看见牛肚子里有书，书上有字，但汉武帝一眼认出这是文成将军的字迹，知道受骗，当场把文成将军杀了。这样，武帝应该觉悟了吧。可是偏不，他像上瘾一般，时时会瘾发。由于武帝的迷信，到了他的晚年，爆发了一宗悲惨的巫蛊（gǔ）（毒害人的东西叫蛊）案。

征和元年（前92年），有一天，汉武帝在睡午觉，忽然梦见有无数个木头人，手里拿着木棒，从四面八方向他打来，汉武帝吓得从梦中醒来，出了一身冷汗，衣服都湿透了。刚好江充来问安，汉武帝便把这个梦告诉了江充。

江充一听，马上脸色一变，很严肃地说："糟糕，这是宫中有蛊气，非常危险，恐怕对皇上不利。"

"噢，有这种事？那你赶快去查，要快、快、快！"武帝吓得心惊肉跳，

汉武帝，选自《三才图会》。

气喘不停。

原来，汉代社会里，流行一种巫术，那些巫师们教人埋木偶，当做报仇消恨的方法。武帝最怕被人暗算，因此时时担心有人用邪术诅咒他，闹得身体非常虚弱。

江充呢，是个大坏蛋，他派人到处埋木偶，然后再派人把木偶掘出，诬赖屋主，强迫屋主认罪。武帝很相信他，官民因而被害的，有数万人之多。

江充和太子刘据感情很差，太子据为人宽厚，看不惯江充的胡作非为，江充害怕将来太子即位，对他不利，决定利用巫蛊加害太子。

汉武帝既然叫江充负责查巫蛊，江充带领一批人到处刨木偶，他跑到皇后和太子的宫中去掘地，刨到后来，连放床的位置都没有了。他告诉汉武帝说，木偶最多的不是别人，就是太子，并且他还拿出刨到的帛书，上面尽是骂武帝的词句。

太子据吓坏了，先发制人，领兵把江充杀掉了。江充被杀以后，武帝更一口咬定太子据有心造反，派兵攻打太子据，太子据被杀。

以后，武帝查明此事，心里很是难过，造了一座思子宫，里面有望思台，以凭吊太子。

汉武帝是一代名主，尚且免不了被神棍欺瞒，可见迷信的可怕，不可不慎。

汉武帝的爱情故事

中国古代的皇帝后宫都有三千粉黛、七十二妃嫔，这些美人虽然享尽人间的荣华富贵，受到天下人的羡慕，其实过得并不快乐。

大家也许还记得，汉武帝曾娶陈阿娇为皇后，这是"金屋藏娇"成语的由来，以后爱上卫青的姊姊卫子夫。美人禁不起老，因此汉武帝到了晚年，又有几件有名的风流韵事。

有个戏子李延年，音乐的造诣很高，他的妹妹也喜欢歌舞，生得姿容秀美，而且举手投足，体态轻盈。汉武帝一见就爱上了她，纳为妃子，称为李夫人。

汉武帝与李夫人过了一段快乐的日子，可惜红颜薄命，李夫人不幸染上重病，武帝召遍了名医诊治，还是挽不回她的生命。

到了病危的时候，汉武帝殷勤地再三探病，李夫人却用枕头、被子挡住脸，不肯见皇帝的面，推说："我容貌未修饰，不敢见皇上。"

汉武帝坚持要见李夫人，动手就要揭被子，没想到李夫人竟然扭转身，硬是不肯见皇帝，汉武帝气得一甩袖子便走了。

武帝走后，李夫人的姊妹们纷纷责怪她太固执，惹得汉武帝不高兴。

李夫人抽噎（yē）地哭道："皇帝爱我，是因为我长得漂亮；我现在快死了，既丑又难看，皇帝见了必然嫌恶（wù），还不如让他留下一个完美的印象，也会对你们好一些。"

众人一听，方才了解李夫人用心之苦。不久李夫人死了，汉武帝哀痛不已，时时在梦中恍恍惚惚见她在跳舞。

汉武帝伤心过一阵子以后，马上又找到尹夫人、邢夫人两位美女。

古代后宫一向争宠争得很厉害，常常因此发生惨案，彼此明争暗斗，互不相让。汉武帝为免得麻烦，不叫她们相见。

然而，尹夫人很是好奇，不断吵着要见邢夫人。汉武帝拗不过她，找了一位宫女假扮成邢夫人。

尹夫人一见便摇摇头："这是假的。"因为武帝的标准很高，普普通通的宫女根本看不上眼。

武帝只好把真的邢夫人找来，邢夫人的衣着（zhuó）很普通，但是气质脱俗，惹人怜爱。尹夫人一见之下，先是目瞪口呆，然后，头一低，两行泪水缓缓流下。原来她自知比不过，心酸加上怄气，只有眼泪汪汪了。

邢夫人笑笑，胜利地走了。尹夫人哭得是肝肠寸断，从此两人避不相见。所谓"尹邢避面"的成语，便出自此处。

后来，有一回汉武帝北巡通河，听说一件怪事。

有个赵家少女，生得美艳绝伦，叫人不敢正视，却生了一种怪病，两只手始终紧紧握着拳头，怎么也打不开。

汉武帝觉得很有趣，派人

邢夫人，选自《马骀画宝》。图中题款为：六宫粉黛总如尘，宠爱端宜在一身。谁道靓妆能夺目，故衣还愧尹夫人。

钩弋夫人，选自《马骀画宝》。

去帮她张开，费了很大力气，依旧徒劳无功。于是汉武帝亲自召见，奇怪的是，赵家少女一碰汉武帝的手，拳头自然伸开来，里头握着一支玉钩。汉武帝大为惊奇，就把她带入皇宫，为她建了一座钩弋（yì）宫，封为钩弋夫人，也叫拳夫人。不多时，生下一子取名弗陵。

自从太子刘据被害死以后，武帝一直在积极找寻适当的继任太子人选，弗陵聪明伶俐，武帝十分疼爱这个小儿子，有意立为太子。

有一天，汉武帝与钩弋夫人正在有说有笑，武帝忽然脸色一沉，大发雷霆，钩弋夫人莫名其妙，不知哪儿得罪了皇帝，慌慌忙忙摘下发簪谢罪，没有想到汉武帝竟然说："去！去！你休想活了！"当天晚上就下诏赐死。

一代红颜便这样去了！武帝问手下："外边的人对此有什么看法？"左右道："大家都说，陛下要立钩弋夫人的儿子为太子。何苦先杀掉她？"武帝回答："主少母壮，是祸乱的开始，你没听过吕后的故事吗？"

原来汉武帝唯恐自己去世后，钩弋夫人扶植娘家势力，大权旁落外戚之手，才出此下策。

上面的故事虽有些残酷，然而武帝不过贪图后宫佳丽的美色，彼此之间并没有真正的感情，所以也不足为奇。这真是"以色事人"的悲哀。

五岁大的皇后

在上一篇《汉武帝的爱情故事》中，说到武帝生怕钩弋夫人太年轻，当了太后会专权，便先赐死她，再立弗陵为太子。

不久，汉武帝便去世了。太子弗陵即位，是为汉昭帝。武帝临死之前，把八岁大的昭帝托付给霍光，所有的政事由霍光代理。

霍光是大将军霍去病的弟弟，很有才干而且忠心耿耿。由于汉昭帝年纪太小，饮食起居要人照料，霍光请了昭帝的姊姊——盖长公主入宫帮忙，顺便处理后宫中琐碎的杂事。

盖长公主年纪轻轻就当了寡妇，她有一个情人丁外人时常入宫，这件事霍光也晓得，但又不便干涉，只希望她一心一意照顾昭帝。

昭帝始元四年（前83年），昭帝十二岁时，霍光的女儿嫁给上官桀（jié）的儿子上官安，生了一个女儿，模样挺逗人喜爱的，刚刚满五岁。上官安突发奇想，希望把女儿送入后宫，成为汉昭帝的皇后。

上官安很得意自己的奇妙安排，但是霍光却浇了一盆冷水："不可以，不可以！她才五岁，怎么可以进宫？真是开玩笑。"

上官安依旧不死心，他认为反正皇帝也是个小皇帝，配一个小皇后有何不可？而且如果事情成功，自己便成为皇帝的岳父，那该有多么神气！

于是，上官安便跑去央求丁外人，丁外人也乐得卖个顺水人情。不多时，由盖长公主出面，宣召上官安的女儿入宫为婕妤（yú），紧接着，立为皇后。

五岁的小女孩，什么也不懂，竟然成为皇后娘娘，这也是天下少见的怪事。霍光虽然觉得不安，但外孙女当了皇后，也蛮光彩的，便也不再反对。

　　上官安对丁外人的大力助成，心里非常感激，总想找个机会好好地谢一谢他，于是积极活动，好让丁外人封个侯什么的。

　　然而，任凭上官安在霍光面前把丁外人捧到天上，说得天花乱坠，霍光始终打定主意，不肯就是不肯。

　　上官安回家请父亲上官桀以亲家的身份说情。上官桀对霍光说："这样吧，封侯你不愿意，就封个光禄大夫如何？做人也不要做得太绝了，是不是呢？"

　　霍光一听这话，拍着桌子大骂道："丁外人无功无德，凭哪一点可以封官爵？这件事，以后不必再谈了。"

汉昭帝弗陵，唐阎立本绘。

　　上官桀碰了一鼻子灰，气得直跳脚。自从上官安的女儿当上皇后，他神气活现，有时入宫喝酒归来便大吹法螺（说大话）："今天和我孙女婿喝酒，非常快乐，我孙女婿的服饰可漂亮哩，可惜我家里的器物太寒酸了。"说着动手就要烧房子。像这样一个得意忘形的人当然不能体会霍光公正无私的胸怀。

于是，以上官桀为首，纠合盖长公主、丁外人及一批不满霍光铁腕作风的人，酝酿一次阴谋。他们以燕（yān）王的名义弹劾（hé）霍光。

但是，昭帝看到报告只是笑笑，没有表示。

霍光有些害怕，跪在地上等候发落。

昭帝说："你放心吧，朕知你无罪。"

"陛下怎么知道？"

"报告是趁你去广明校（jiào）阅时送上来的，你一来一去不过十天，燕王怎么算得这么准？可见得有人搞鬼。我虽然只有十四岁，还不至于这么愚笨。"

霍光一听此话，两行热泪滚滚而下，一片忠心总算皇帝知道。从此，更是一心为国，造就了太平盛世。

后来，上官桀一不做二不休，竟然企图先干掉霍光，再废去昭帝，然而事迹败露，没有成功。

由此可见，一个正直的人要面面俱到，是绝不可能的，霍光固守原则，不肯袒护丁外人，甚至得罪亲人亦在所不惜。这种识大体、不苟且的精神，值得我们效法。

荒唐的刘贺

汉昭帝在元平元年（前74年），忽然得了一种怪病，不多久便去世了。死时只有二十一岁而已。才十五岁的上官皇后没有生孩子，大汉江山的帝位该由谁来继承呢?

霍光和大臣们商议的结果是，决定由昌邑王刘贺继立。刘贺是汉武帝的孙子，算起来是昭帝的侄儿，便作为昭帝的过继儿子。

刘贺五岁便继承了他父亲昌邑王的爵位，平日最喜欢打猎、沉迷酒色，中尉王吉、郎中令龚遂经常劝他，他不听，总是用双手掩着耳朵逃到房间里去，照旧我行我素。

当朝廷的使者前来之时，已是三更半夜，因为事关重大，使者直接进入王宫，宫中的侍臣把刘贺叫醒，刘贺起来接过上官皇后的命令，才看了几行，马上手舞足蹈地大叫："哇! 我要当皇帝了，我要当皇帝了! "高兴得快要发疯了。

他这么一喊，把宫里的厨子、看门的全部吵醒了，大家纷纷跪在地上磕头、道喜、喊万岁，并且要求刘贺带他们入皇宫。刘贺正在兴头上，一概答应："好，好，没有问题。"便忙着上路了。

刘贺自己骑了一匹马走在前头，人逢喜事精神爽，他猛挥马鞭向前奔驰，追风逐电，一口气跑了一百三十多里。

到了定陶，刘贺往背后一看："怎么人都不见了? "只好在驿站等候。

等了好一会儿，他手下的三百人才气喘吁吁地赶到，个个都说："马不行，马太糟了，根本跑不动。"

原来，各驿站的马匹有限，都以为王爷进都，了不起带个几十人，谁晓得刘贺竟然带了三百人之多，哪儿有这么多好马呢？只好以坏马充数，坏马不耐长途跋涉，纷纷倒地死去，龚遂看不过去，建议削去一半随从，刘贺也赞成。然而，那些随从个个都想攀龙附凤，都说自己是亲信，不肯折回，弄得刘贺左右为难，折腾了半天才挑了五十个人上路。

第一天到了济南，济南有两样土产大大有名，一种是叫起来声音拉得长长的长鸣鸡，一种是竹子做的拐杖——积竹杖。刘贺对此很有兴趣，嚷着："停下来，停下来，多买一些。"其实，他到宫中以后，根本不需要这两样东西，但是他不管，一买就是一大堆。

过了不久到了弘农，刘贺发现沿途有许多美女，兴奋极了，暗地里派人把漂亮的女子送到驿站里去。手下为了讨好新皇帝，沿街搜索，凡是略有姿色的都难逃厄运，一把抢拉上车，送往驿站。

龚遂听说这件荒唐事，连忙去问刘贺，刘贺死也不肯承认，龚遂于是做主把这些吓坏了的女子放掉。

一路上吵吵闹闹，做尽了荒唐事，终于到了长安门外。根据礼节，奔丧时望见城门便应该痛哭流涕。刘贺

霍光，选自《历代名臣像解》。

想着马上就要当皇帝了，一颗心高兴得发抖，哪儿挤得出眼泪呢？推说："我喉咙痛，没有办法哭。"勉强干嚎了两声，意思意思。

霍光接到沿途官员上的报告，知道皇帝是这样一个花花大少爷，十分忧虑。他和大司农田延年商量这件棘手的事。

田延年说："你既然知道刘贺不配当皇帝，何不告诉太后，换一位皇帝，总不能让汉朝败在他手上。"

霍光有些为难地说："古代有没有这样做过？"

"有啊，以前伊尹当宰相的时候，曾把太甲软禁在桐宫，后代称之为圣人。"

霍光把刘贺的种种劣迹告诉了上官太后，刘贺到手的帝位便这样飞了。

据史书记载，昌邑王刘贺只当了二十几天皇帝，但在这二十几天中，竟做了一千一百二十七件错事，这个记录实在惊人，他几乎每分钟都在做错事。可惜，史书中并没有把这些错事的内容记下来，所以我们不知道昌邑王怎么做了那么多错事。

上官太后本是霍光的外孙女，当然同意外公的主意，于是，用太后的名义，下令废昌邑王的皇位。

在监狱里长大的皇帝

汉昭帝去世以后，新任的皇帝刘贺荒唐无知，被霍光做主给废了。那么，由谁来继承皇位呢？

朝廷里的文武百官为这件事伤透了脑筋，大家讨论来又讨论去，始终提不出适当的人选，足以挑起领导全国人民的重担。

这个时候，光禄大夫丙吉向霍光提出了一个建议。他说，汉武帝的曾孙病已，由宫廷抚养，如今已有十八岁了，从小研读《诗》《书》《论语》《孝经》，节俭朴素，仁慈爱人，可以立为皇帝。

霍光听了以后，询问大家的意见，太仆卿杜延年说："对，我也听说病已人品不错。"其他人也没有反对，病已正式继任为汉朝的皇帝，是为汉宣帝。

病已的童年，有一段曲折离奇的故事。

他是汉武帝太子刘据的孙子，刘据起兵杀江充，武帝派兵杀死刘据，家里的人受到了牵累都被处死，当时病已刚刚出生不久，还在襁褓（qiǎng bǎo）之中，虽然免去一死，却也被关进了监狱。

那个时候，恰好廷尉丙吉奉命查监，他看到这个尚在襁褓中的小男孩，蜷缩在牢中一角，哭个不停，眼睛里涌满了泪水，伤心又无助地望着四周，可怜得要命。

丙吉走过去，一把抱起了病已，哄着他："乖乖，不要哭，不要哭。"

说也奇怪，这小婴儿竟然破涕为笑，机灵灵地望着丙吉，也不怕生。

丙吉摸摸病已的嫩脸孔笑说："这个娃娃长得好可爱，你们看看，眼睛多亮啊。"说完，又长叹一声，"真可怜，没有爸爸，没有妈妈，又关在牢里，怎么活下去？"仁慈的丙吉，命令两个女犯，一个姓赵，一个姓胡，轮流喂病已奶，他自己每天还亲自去察看一下。如此，病已这条小命才保住了。

后元二年（前87年），汉武帝在五柞（zuò）宫养病，听术士说，长安的监牢里有天子气，非常危险。古代皇帝最害怕有人篡（cuàn）位，因此，武帝下了一道命令，把长安监牢里的犯人，不论年纪大小，一律处死，以绝后患。

丙吉，选自《历代名臣像解》。

使者奉了命令来到监牢，丙吉不让使者进去，对他说："怎么可以滥杀无辜呢？何况牢里还关有皇帝的曾孙。"使者跑去告诉汉武帝，武帝说："这真是天命了。"接着下了一道赦（shè）免的命令，所有狱中的罪犯，一律免死。

病已渐渐长大了，但他身子弱，时常闹病，每次都是丙吉请医生诊治，才没有事。丙吉觉得，一个小孩子在牢里长大，实在不适宜。

在病已八岁的时候，丙吉把病已送到他的外祖母史贞君处抚养。史贞君年纪虽然大了些，但是看到外孙，又怜惜又爱宠，就小心翼翼抚养他长大。汉武帝临终时，想起还有这么一个曾孙，遗命交给朝廷收养，病已又回到了京师，由掖庭令张贺照顾。

谁也没想到当年在监牢里嗷嗷待哺的孤儿，有朝一日竟然当上了皇帝，这不能不归功于丙吉当年的救命之恩。但是丙吉为人深沉敦厚，从来不提这件事，病已当时年幼，也不记得丙吉，只对张贺有印象。

这时，有个叫则的女人，曾在宫里当女佣，后来嫁给一个老百姓，上书给宣帝，说自己有抱养宣帝的功劳，并且说御史大夫丙吉知道得很详细。

掖庭令带着则与丙吉当面对质。丙吉说："不错，我还记得你，你是抱过皇帝，不过当时你粗心大意，笨手笨脚，常挨我的责骂，怎么能算有功呢？真正有功的，是给皇帝喂奶的渭城胡组、淮阳赵征卿。"

宣帝这才知道丙吉是大恩人，以及其行善不欲人知的德行，拔举他当丞相，并且赐钱给姓胡的及姓赵的两个女子的后代。

由于宣帝自幼生长在民间，身世坎坷，深深了解百姓的疾苦；即位以后，信赏必罚，增加国家力量，尤其重视地方吏治，地方官吏政风良好的，不轻易更换官吏。宣帝在位期间，国家太平，人民幸福，是汉朝的黄金时代。

许皇后遇害

　　自从宣布病已为皇帝以后，霍光的太太霍显一心一意想把女儿成君送入宫中，做一个现成的皇后。在霍显看来，霍家财大势大，连汉宣帝也是霍光一手扶上帝位的，谁还比成君更够资格当皇后？何况成君长得楚楚动人，人见人夸。

　　偏偏天不从人愿，汉宣帝竟然立他在做平民时就结婚的妻子许平君为皇后。平君是个织染工的女儿，曾和别人定过亲，没想到对方病死了，改嫁给宣帝。而她的父亲还犯过罪，被判了刑。霍显认为，这样的一个女子，实在不配当皇后，因此非常失望，成天长吁短叹，满怀不平。

　　汉宣帝本始三年（前71年）的春天，许皇后怀孕了，眼看着就要分娩，忽然身体不舒服，吃不下饭，也睡不好觉。

　　汉宣帝非常着急，找了许多御医会诊，并且宣召女医生入宫，以便日夜在旁照顾。

　　其中，有一个掖庭户卫淳于赏的妻子淳于衍，略通一些医道，被征召入宫。衍常去霍家走动，和霍显的私交不错。

　　赏曾对衍说："你有便就去求求霍显，请她帮忙在霍光面前说一说，让我换一个安池监（jiàn）做，那可比现在的掖庭户卫要强得多。"

　　衍趁着要入宫伺候许皇后之前，把丈夫的请求转告了霍显。霍显一听，眉毛一挑，努努嘴，左右都知趣地离开了。

"来!"霍显亲热地拉着衍的手,走到了一个秘密的小房间,说,"坐下,我们慢慢儿谈。你丈夫的事情,绝没有问题,你放心好了。不过,我也有一件事想麻烦你,不知道你肯不肯。"

衍没有料到这么容易便办妥了丈夫交代的事,正想着回去以后,一家人不晓得有多欢喜,感激地笑道:"夫人的命令,哪儿有不肯的呢?"

"那就好!"霍显满意地点点头正色道,"霍光大将军最疼四女儿成君,希望她享受荣华富贵。"

衍心想,每一个做父母的,都希望儿女过得好,这是人之常情,但和自己有什么关系呢?衍狐疑地望着霍显,不好意思地笑笑:"我不懂夫人的意思。"

霍显附在衍的耳旁悄悄地说:"女人生产很危险,九死一生,现在皇后要生产了,你正好可乘机把她毒死。她一死,成君便有希望了。到时候,我会好好报答你的。"

衍一听,呆若木鸡,脸色死白,愣了好一会儿以后,才双手乱摇道:"药是医生配好的,吃药之前,还要先经别人品尝,我恐怕帮不上忙。"

"哼,只要你肯,怎么会没有办法?现在霍将军掌管天下,谁敢多言?除非是你不愿意帮忙。"说着,霍显塞了一包毒药在衍的手里。

不多时,许皇后顺利生下一个女孩子,只是产后身体虚弱,需要调养,御医配了一服药,衍乘机把毒药掺进去。许皇后吞下后气喘如牛,转身问衍:"我头好疼,好疼!快要裂了,莫非药里有毒?"衍答道:"怎么会呢?"问御医,御医也不知什么原因。只见许皇后额上直冒冷汗,两眼一翻,一命归天了。幸好,她在此前已生下一个儿子奭(shì),就是后来的汉元帝。

霍显母女狼狈为奸

汉宣帝听说许皇后死了，大为震怒，下令彻查。

刚做过亏心事的淳于赏的妻子淳于衍一进家门，就被捕吏逮个正着，关进了大牢，眼看着要供出背后的主使者。

霍显接到消息，吓得花容失色，手心直冒冷汗，硬着头皮把事情的经过告诉了霍光。

"什么，竟然是你派人干的？"霍光一听又气又怒，狠狠地把霍显臭骂了一番。为了保全身家性命，霍光跑去找汉宣帝。

"陛下，许皇后崩逝，一定是命中注定的，如果一定要把过失加在医生头上，未免有伤皇帝的仁慈，谁有这个胆子毒害皇后呢？"

汉宣帝认为霍光分析得有理，下令将医生们一律释放，赏的妻子衍被放出来以后，以泄漏此一秘密为要挟，不断地勒索霍显：盖房子，雇佣人，买田产，霍显也只有依着她。

许皇后过世后，霍显立刻着手为女儿成君拉拢的事，宣帝也答应了，封她为霍皇后，小两口非常恩爱，霍显总算如愿以偿。

宣帝地节二年（前68年），此时霍光已年老病死。宣帝以为储君未立，有碍国本，下令立许皇后所生的儿子奭为太子。

泼辣的霍显为此气得吐血，滴水不进，她又着腰骂道："呸！这个小孩是皇上在没有当皇帝以前在民间生的，怎么可以当皇帝？而且他当了皇帝，那以后我女儿生的儿子岂不是只能封王了吗！天下哪有比这个更不公平的事？我费尽心机才为女儿抢到皇后的位置啊，天啊！"

于是，残忍的霍显又重施下毒的伎俩，她塞了一包毒药给霍皇后，悄悄地说："找个机会把太子干掉，知道吗？"

从此，霍皇后对太子爽疼爱得不得了，不是喂他吃饭，便是命令厨房做小点心，准备把毒药掺在里头，拔除自个儿的眼中钉。

怪的是汉宣帝似乎早有预感，他派了一个保姆跟在小太子的身后，寸步不离。太子喝的每一滴水，吃的每一口饭，都要先由保姆尝过以后，太子才吃。霍皇后没有法子下手，气得牙齿吱吱咯咯作响，恨不得下个命令把保姆杀了。

汉宣帝冷眼旁观，发现霍皇后虽然表面上疼爱太子，其实呢，只要宣帝一走，霍皇后立刻换了一副嫌恶的脸色。他心中疑云大起，开始回忆许皇后去世时的细节，如今想来，不无可疑之处……

经过汉宣帝的仔细调查，发现霍显嫌疑最大，难脱关系。

于是，宣帝渐渐疏远霍家的人，当时霍光的儿子霍禹，霍光的侄孙霍山、霍云都在朝廷担任要职，他们也感到宣帝开始不信任他们。

不久，宣帝把霍家的子弟们逐渐调离中央去做地方官，霍显和霍禹、霍山、霍云见霍家的权势日渐没落，常常相对哭泣。

有一天，霍显等人又聚在一起，霍山说："最近朝廷上许多人都在指摘大将军（霍光）的过失，批评我们霍家，皇上显然渐渐相信他们的话，更可怕的是近来民间传说我们霍家的人毒杀了许皇后，哪有这种事？真是胡说八道，岂有此理。"

听了霍山的话，霍显脸色惨白，知道事态严重，便把自己如何主使女医毒杀许皇后的事全部说了出来。霍禹、霍山、霍云听到霍显的自白，一个个大惊失色。

"竟有这样的事，为何不早告诉我们？"霍禹说，"这是大事，如果被揭发出来，那我们霍家就完蛋了，该怎么办？"

大家商量的结果是：准备谋反。

这时，霍禹、霍山家里常闹鬼怪，霍家的人都很忧虑。霍山设计，欲让太后设宴邀丞相与大臣入宫，乘机埋伏军队杀掉丞相与重要大臣，并且废去皇帝，立霍禹为皇帝。

霍家的计划被家奴听到，家奴立刻告密，宣帝下诏逮捕霍家的人，霍显、霍禹被处死，霍山、霍云自杀，霍家的亲戚朋友受到牵连的多达一千多人，有些被杀，有些坐监牢，有些被免官。霍皇后也被废，打入冷宫，十多年以后，霍皇后在冷宫中自杀身亡。

正史中的王昭君

"王昭君……闷坐在雕鞍（diāo ān）……思忆汉皇……"一听到这首哀怨动人的歌曲，我们眼前立刻会浮现王昭君抱着琵琶边唱边哭的情景。但是，事实上王昭君的故事和一般传闻的并不完全相同。吴姐姐要告诉大家王昭君真正的故事：

汉宣帝在位二十五年去世，由太子奭即位，是为汉元帝，国势逐渐衰弱。像任何一个朝代一样，国力弱的时候，四夷外族渐渐不服，蠢蠢欲动。

元帝竟宁元年（前 33 年），匈奴王呼韩邪自请入朝，要求做汉朝的女婿。元帝当然不敢不答应。

和亲政策始创于西汉初年，刘敬向汉高祖建议，让皇帝的亲生女儿嫁给匈奴单于，并备有丰厚的嫁妆，使匈奴单于在"名分"上成为皇帝的女婿，又有嫁妆之"利"可得。在名利双重诱惑之下，不致与汉朝敌对。不过，汉高祖并没有把真正的公主嫁给单于，以后成为一种惯例，将宗室女子嫁给单于，求取短暂的和平。

在汉武帝时代，汉武帝东征西讨，扬威异域，没有所谓的和亲政策。到了汉元帝，他是一个比较差劲无能的君主，为了讨好呼韩邪单于，准备找一个后宫女子嫁过去。

主意已定，汉元帝便吩咐："来啊，把宫女图给我取来。"拿来以后，他随意翻了一下，提起御笔点选了一人，然后拣选吉日，采办嫁妆。

等到佳期已到，宫女前来辞行，汉元帝不看还好，一看之下，发现竟是一个绝代美人，削肩细腰，粉颊绯红，体态身材无不动人，尤其是双眉微蹙（cù），眼中似有无限哀怨，只见她轻轻拜倒，娇滴滴地说道："臣女王嫱（qiáng）见驾。"

王嫱字昭君。王昭君这么一呼唤，把汉元帝的魂都勾住了！他停了好一会儿，倒抽了一口气才结结巴巴地问："你，你什么时候进宫的？"

一问之下，才知道原来王昭君已进宫好几年。"奇怪，宫中有这么一个美人儿，我竟然不知道，白白便宜了胡人，哼！"

汉元帝赶忙把宫女图拿来一一核对，只见图上的王昭君是草草描成的，毫无生气，看起来是个呆头呆脑的笨女人。再把以前选中的宫女的图画打开看，倒是花容月貌，比本人要强上三分。汉元帝大发雷霆，在朝廷上咆哮："这到底是怎么一回事？"说着，把宫女图狠狠摔在地上。

原来，这是画工毛延寿搞的鬼，他是历史上极有名的画家，善于写生，只是为人卑鄙，看准了每个宫女都巴望能

昭君出塞，清倪田绘。

得到皇上的宠幸。因此，只要是送了红包的，毛延寿从画笔上添加几分风韵，丑女也能变成美人儿。

至于王昭君，她知道自个儿长得美，又生性奇傲，不屑去贿赂毛延寿，因此一直被冷落在后宫。

汉元帝自从见过王昭君以后，日夜难安，连做梦也都是王昭君的俏模样。王昭君也看得出皇帝对她有情，但是势已至此，又能如何呢？

于是，王昭君满心不愿意地上路了。她走的时候，其实并没有怀抱琵琶；抱着琵琶在马背上唱歌的，是在王昭君之前的乌孙公主。这一段故事，只是后人因怜惜她而加上去的。

不过，据说王昭君在去匈奴的路上作了一首怨歌，这首歌流传至今，内容描述途中景色和思念父母的心情，相当凄凉，但不是我们今天熟悉的《王昭君》这首流行歌曲。

匈奴呼韩邪单于迎得美人归，欣喜欲狂，称王昭君为宁胡阏氏，对昭君十分宠爱。由于爱昭君，呼韩邪单于对汉朝特别恭顺，上书给元帝表示愿意为朝廷看守北方疆土。从此，匈奴成为汉朝的附庸。

王昭君到了匈奴以后，也并没有因为思念汉皇，不从胡礼，服毒自尽。这都是后人凭空臆造的。根据正史记载，王昭君生了一个儿子，叫伊屠智牙师。呼韩邪单于死后，她被呼韩邪单于的大儿子（不是王昭君所生）强占，生下两个女儿须卜居次、当于居次。在匈奴，做儿子的在父亲死后，娶后母为妻是很平常的事，叫做"烝（zhēng）报"，已成为一种习惯。

王昭君一生坎坷，老死塞外，成为和亲政策之下的牺牲品，而和亲政策只是一剂短暂的止痛剂，并没有实质上的效果。不论古今中外，国家弱小，注定要受外人欺负。

赵飞燕与温柔乡

从汉元帝开始，汉朝的国运一天不如一天，元帝懦弱无能，没有魄力，因此大权旁落，朝廷之中全是宦（huàn）官、小人用事。他在位十六年去世，由太子刘骜（ào）即位，是为汉成帝。

成帝十九岁登上帝位，他是一个糟糕的新君。翻开中国的历史，我们

汉成帝，佚名绘。

可以发现，创业帝王都奋发有为，励精图治，而愈到朝代末期，愈多昏庸的君王。这是因为：一方面后代子孙未必继承先辈的聪明才智；另一方面，自小生长在宫中，养尊处优，难以了解民间疾苦，成天吃喝玩乐，不好好读书，也没有远大的理想，国势就衰弱了。

同时，宫中总难免有些不务正业的王公贵族引诱着皇帝去做坏事。汉成帝喜爱玩乐，禁不起怂恿，时常偷偷换上轻衣小帽，骑着一匹快马出去找乐子：斗鸡、走狗，当然也不免找漂亮的女子。

有一天，他到了阳阿公主家，发现了一个女郎，身材纤瘦，弱不胜衣，跳起舞来，裙带飘扬，好像要乘风飞去，仿佛凌波仙子下凡来。

汉成帝看呆了，一问之下，知此女名叫宜主，由于身轻如燕，体态轻盈，当时的人都称她为飞燕。后人有一个成语"环肥燕瘦"，形容美女体态不一，各有千秋。"环肥"指的是唐明皇（玄宗）的宠妃杨贵妃（玉环），她是个胖美人；"燕瘦"指的就是赵飞燕。

赵飞燕有一个妹妹赵合德，也是个绝代美人，很得汉成帝的欢喜，还封她一个号——温柔乡。汉成帝曾经叹息道："我愿意终老此乡，何必去学什么汉武帝？"

赵飞燕，选自《马骀画宝》。

为了讨好美人，成帝不惜花费巨金装修宫殿，他以黄金为槛，白玉为阶，墙壁的横木之中，嵌入蓝田璧玉，再镶上明珠翡翠，此外，一切布置都玲珑巧妙，光怪陆离，还有奢丽的百宝床、九龙帐、象牙簟（dān）、绿熊席，全都是世间罕有的珍奇。

汉成帝自从得到这对姊妹花以后，事事听她们摆布。赵氏姊妹品德不好，贪婪奢侈，弄得人们怨声载道，汉成帝倒很快乐地沉醉在温柔乡之中，封赵飞燕为皇后，赵合德为昭仪。

光禄大夫刘向看得忧心忡忡，搜集古代诗书中所记载的贤妃贞女的资料写成《列女传》，献给汉成帝，希望成帝轻色重德。成帝看了，连连点头称"写得好"，但是看完以后，顺手一扔，仍旧过着骄奢淫逸的放荡生活。

由于汉成帝不问政事，因此，国家大权都落到太后王政君娘家的人手里。他把一切政事托给舅舅王凤，更在一天之内连着把五个舅舅——王谭、王商、王立、王根、王逢时，一股脑儿统统封为侯爵，人称"王氏五侯"。以后王莽能够篡汉，实在是成帝一手造成的后果。

在汉成帝在位的二十六年之中，黄河泛滥，盗贼四起，朝廷之中反对王氏当权的一概被陷害，汉成帝却始终沉醉在奢靡（mí）的、腐化的温柔乡里。

以后，汉成帝去世，因为没有儿子继承皇位，迎立侄儿刘欣继位，是为汉哀帝。

王莽的故事

在汉成帝时代，政权逐渐地落入成帝的母亲——王政君娘家的人手里。

成帝的舅舅王凤做到大司马大将军，成为朝廷中最有权力的人物。王凤有兄弟八人，河平二年（前27年），成帝在同一天内封王凤的弟弟王谭为平阿侯、王商为成都侯、王立为红阳侯、王根为曲阳侯、王逢时为高平侯，世人称之为一日五侯，可见王家的权势真是显赫极了。

由于王家财大势大，因此，王姓子弟个个衣着光鲜照人，出手大方，常常彼此竞争谁最够排场，最花得起钱。

在一众奢侈豪华的王姓子侄之中，只有一个人最为俭朴，他便是王莽，王政君哥哥王曼的儿子。

王莽的父亲很早就去世了，他侍奉母亲及守寡的嫂嫂非常孝顺，对待叔叔、伯伯、亲戚朋友礼貌周到，勤俭而好学，很得乡里的称赞。

由于王莽的父亲去世得早，所以王莽没能封侯。对于这件事，王政君太后及当时辅政大臣王凤（王莽的伯父）都非常难过，一直觉得对不起王莽。

刚好这个时候，王凤生了一场大病，王莽日夜守候病榻（tà）旁，不眠不休，亲尝汤药，一连几个月下来，王莽形容憔悴，满脸胡子，蓬首垢（gòu）面，看来比亲生儿子还要孝顺，还要体贴。王凤感动极了，在临终之前，哽咽地叮嘱王太后及汉成帝："千万要照顾王莽，他太好了！"

在王凤的大力推荐，以及许多读书人的共同赞扬之下，王莽被封为新都侯，不久，官拜骑都尉，紧接着升为光禄大夫，官位节节升高，继而成为辅政大臣。地位愈高，他表现得愈谦虚恭谨，而且经常捐钱、献田，周济贫民，博得朝廷内外一致的赞美。

有一次，王莽的母亲病了，公卿大夫们都派自己的夫人前去慰问，这些官太太平日穿着很讲究，彼此争奇斗妍，她们到了王莽家，王莽的妻子出来接待客人，竟然衣不着地，破破烂烂。要知道，当时一般女子都是衣裙长得可以曳（yè）地的，难怪她们都误以为王莽太太是王家的一个女佣呀。

同时，王莽家中待客的茶点，只有寒酸的一两色，似乎也和王莽的身份不太配。所以，这些夫人们回去以后，当做一件大新闻似的到处传播，都说大司马家里节俭极了。

不久，汉成帝去世，哀帝即位。哀帝是个昏庸的君主，他用母亲（丁氏）、祖母（傅氏）的亲戚主政，王莽和傅家的人有过冲突，所以辞职回到了乡里。

长裙曳地的西汉贵族妇女，陶俑，陕西兴平县西吴乡齐家坡出土。

汉哀帝真是悲哀，在位仅仅六年便一命归天。这时候王政君已当了太皇太后，她又把王莽召回宫。

王莽的所作所为真像个君子，王政君对他非常欣赏，事事委托于他，王莽复职后第一件大事，就是迎立汉平帝为帝。为什么挑中汉平帝呢？

因为他才九岁，不能亲政，国家内外大权，都由王莽一手包揽。

王莽为了巩固大权，演了许多把戏，他靠着太皇太后王政君的帮忙，官爵步步高升，最后，被封为安汉公。王莽的许多举动，让人们觉得他像是一个圣人。

王莽为了拉拢读书人，特别注重学校教育，京师里的太学办得很好，让全国的士人都觉得王莽是他们的导师。

汉代是一个迷信的时代，人们十分相信鬼神和符瑞。所谓符瑞就是平时很少见到的事物，而这事物被认为代表吉祥。王莽掌权之时，出现了大量的符瑞，人们相信那是王莽的恩德感动了天地。于是上自王公大臣，下至贩夫走卒，纷纷上书给皇帝，歌颂王莽的功德。有一年，朝廷要赐田给王莽，王莽不肯接受，就有四十八万七千五百七十二人上书给朝廷，请求朝廷要赏给王莽更多的田地。

平帝十二岁时，有人建议可以为皇帝立皇后了。王莽想维持自己的权位，在大臣们的安排之下，把自己的女儿嫁给平帝。

皇帝结婚是一件大事，朝廷送了大量的聘礼给王莽，王莽退回了大部分，只收了五分之一，而且把收下的聘礼转送给贫困的人，这更让人们感觉到王莽的高超人格。

王莽的改革和失败

平帝渐渐长大了，对王莽的作风很不满意，也逐渐露出"不想再当傀儡（kuǐ lěi）"的态度，王莽也感觉到了，于是"怒从心上起，恶向胆边生"……

在冬季腊月里，王莽趁着一次宴会上酒的时候，偷偷把毒药羼（chàn）在酒中，献给平帝。平帝一喝下去，立刻肚子疼得像火烧一般！他大声地喊叫："王莽要杀我了！"

王莽立刻用别的话岔开，而且故意讲得很大声，好让别人听不到平帝的哀嚎。不久，可怜的平帝，咽下了最后的一口气。

毒死平帝以后，王莽发现，九岁的皇帝还是太大，以后该找一个更小的。他千挑万选，居然选了两岁大的刘婴。他还装腔作势地抱着两岁大的孺子婴举行郊祭，祈祷国家太平。

两岁的小皇帝当然不能掌理朝政，于是文武大臣和百姓们又纷纷上书，请求王莽代理皇帝。这时，在陕西武功县发现了一件符瑞——在一口井中吊出了一块白色的石头，石头上有几个红色的字——"告安汉公莽为皇帝"，当然，这块石头很快被送到长安。

王太皇太后并不相信这块白石是符瑞，她想到那是有人故意刻的。但在当时强大的民意要求之下，真是左右为难。

太保王舜对王太皇太后说："事已如此，无可奈何，你要挡也挡不住。

幸好王莽没有太大的野心，他只是要代理皇帝，来加重权势而已。"王太皇太后不得已，只好下诏书任命王莽代理皇帝。王莽在祭祀天地宗庙时自称"假皇帝"，"假"就是代理之意；臣民称王莽为"摄（shè）皇帝"，"摄"也是代理的意思。

不久，王莽利用政治权力与民意，强迫小皇帝让位给自己，王莽还表示谦让，小皇帝则一再歌颂王莽的功德，一定要让位。最后，王莽只好接受小皇帝的禅让，登基成了真正的皇帝，改国号为"新"。

王莽接受小皇帝的让位，在形式上好像是尧舜的禅让，但是，实际上，小皇帝不过是四五岁的幼童，哪里懂得"让贤"？这明明是王莽在抢皇位，但是，王莽不肯背上"抢夺"的恶名，才自导自演地演了一出"禅让"的戏。

王莽即位做皇帝以后，便推行一连串的改革，许多官名改了，许多地名改了，更重要的是将土地收归国有，称为"王田"，不准私人买卖；已有的奴婢制度仍然保存，称为"私属"，但是，不准买卖；把汉朝通行的五铢（zhū）钱改为新货币，这新货币定为钱、金、银、龟、贝、布六类，每类货币又分为几个等级。

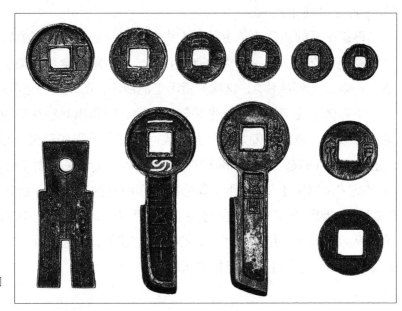

王莽统治时期的新朝钱币。

例如，钱这类货币也称泉，又可分为六种，小泉、幺泉、幼泉、中泉、壮泉、大泉。这六种泉以小泉为基本单位，假如小泉的价值是一，幺泉便是十，幼泉是二十，中泉是三十，壮泉是四十，大泉是五十。贝这类货币分为五种，按照贝的长短大小而有不同的价值，也可以与泉、布互换。

王莽的改革，最后是失败的。最主要的原因是不合时宜。王莽的改革用意也许是很好的，可是由于不合时宜，人们不但不感激他，反而全怨恨他。

譬（pì）如王莽规定土地全部归国有，不得私自买卖，用意是要防止有钱人兼并土地，但是许多有土地的人有时家里有急用，想卖掉一块土地来应急。结果，王莽规定不许卖，真不知道怎么办。又有些人辛勤工作赚到一些钱，想买块土地作为家产，却买不到，当然也会抱怨。

又譬如王莽规定不准买卖奴婢，这是尊重人权，但是王莽没有设置救济机构，也没有给（jǐ）予人民职业训练，如有一个人穷得走投无路，在古代社会最后一条路就是卖身为奴，还可以活下去。但是，王莽规定不准买卖奴婢，这些穷人既得不到政府救济，又无谋生的一技之长，连卖身为奴的路子都断了，要他们怎么活下去呢？他们非但不会感激王莽，反而会咒骂王莽绝了他们的生路。

再说王莽的货币改革更是一大失败，货币愈简单明了愈好。但是，王莽的新货币有五类，每一类又有好几种，人们除非拿着各类货币换算对照表，否则，一定弄不清，这样的货币怎能使用，所以人们怨声载道。

王莽做了几年皇帝，首先是匈奴不服，时常出兵骚扰边境。原来，王莽即位以后，遣使到匈奴和四夷去收回汉朝赐给那些四夷的印绶（shòu），更换新印。匈奴的文化水准较高，匈奴单于发现汉朝原先给他们印刻的文字是"匈奴单于玺"，而王莽给的新印所刻的文字是"新匈奴单于印"。"玺"与"印"含义不同，玺是天子诸侯用的，印是文武百官所用的，匈奴单于认为王莽无异把他降了级，心中大为愤怒，便起而作乱，其他外族也就跟着作乱，于是王莽自己招来了外患。

更始皇帝刘玄

　　王莽灭掉西汉，建立新朝以后，由于好大喜功，加上不择手段地变法改制，天灾人祸相继而来。在地皇二年（21年），发生大规模的蝗虫灾害，王莽派了使者前往灾区，教老百姓把草根、树皮剁一剁煮来吃，名叫"酪（lào）"。

　　老百姓吃了这种难吃得要命的酪以后，非但不能充饥，反而一个个都生了病，加上兵役的残酷，刑法的迫害，逼得饥民们只有一个办法——造反。

　　当时，有两股最大的势力：绿（lù）林与赤眉。

　　在绿林山上（治今湖北当阳县）的一支，当时被称为"绿林贼"。后来通常称土匪为绿林好汉，正是出自这个典故。

　　另外一股叫赤眉，他们为了与官兵区别，把自己的眉毛染得红红的。

　　同时在舂陵（治今湖北枣阳市）有刘縯（yǎn）、刘秀（刘秀正是日后的东汉光武帝）兄弟揭竿起事。刘秀本是一个读书人，出身于太学生，当他哥哥刘縯准备起事以后，他也换上了军装，戴上了大冠，左右街坊看了都很惊异："咦，他是拘谨敦厚的人，怎么也这般装束？"于是人们领悟到，如果再不起来反抗，只有死路一条，纷纷加入了军营。

　　势单力薄难以成事，所以刘氏兄弟与绿林联合在一块儿共同起事。起事以后，一连打了好几场大胜仗，其中就以刘縯的功劳最大。

　　这十几万人的乌合之众，军队系统复杂，群龙无首，乱成一团，纪律很差，于是大家都认为，非要选举一位领袖不可，而且要是姓刘的。因为当时经过王莽的暴政，普天之下人心思汉，而汉朝姓刘。但又不能选一个太能干的，最好是个庸庸碌碌的笨蛋。

这是为什么呢？因为王莽失去了民心，就像丢掉了一只鹿在原野上奔窜，每个英雄好汉都想夺得这只鹿，登上皇帝的宝座，这便是"逐鹿中原"。

可是，在天下大势未定，"鹿死谁手"还未知，人人有机会掌握政权之时，倘若推选了一个最厉害的，那旁人岂不没有出头的机会了吗？所以刘缤不可能被推为首领。

选来选去的结果，找到一个胆子很小的刘玄当皇帝，改元更始，称为更始帝。他坐上了皇帝位，面对着群臣，吓得满头大汗，只会举起手来"啊，啊啊"，一句话都说不出口。

刘秀，佚名绘。

刘缤、刘秀兄弟的威名一天比一天盛，绿林诸将心怀猜忌，向刘玄进言道："此二人一日不除，必为后患！"刘玄本是个不识好歹的人，听他们一说也就心动了。

一天，刘玄看到刘缤身上挂着一把佩剑，故意说："咦，这剑看来十分奇特，借我仔细瞧瞧。"

刘缤是一个性情豪爽的人，立刻拔剑出鞘交给刘玄，刘玄拿着剑在手中玩了半天。按照预谋，刘玄应该一剑刺入刘缜胸膛的，但是刘玄怕得发抖，又把剑交还了刘缜。

左右绿林诸将不肯就此罢休，又设计了一个圈套。

那时，刘缜手下有个大将刘稷（jì），勇冠三军，当刘玄称帝时，他曾愤怒地说："哼，这次起兵讨莽贼，全是刘缜、刘秀兄弟的功劳，更始算什么，凭什么可以称帝？"刘玄听说了，特别授刘稷为抗威将军，刘稷不肯受命，惹怒了刘玄，派了几千人把刘稷捉来，不待他开口便喝道："推出去斩了！"

刘缜为了保全爱将，便挺身力争，刘玄又没有了主意，低着头跌坐在帝位上。

绿林诸将走到刘玄附近，左牵右扯，暗中示意，逼着刘玄说出两个字："拿下！"然后十余名武士绑住了刘缜，把他和刘稷一同斩首。

此时，刘秀正在昆阳大破莽军，他胜利而归后，竟然没有去找刘玄理论为何杀刘缜。官员们去迎接吊丧，刘秀也没有表示对刘玄的不满，只淡淡地说："原是我哥哥的不对。"甚且不为刘缜服丧，谈笑风生，一如往常。有人问起昆阳战事，他也不自夸，只谦虚地说："这都是将士们通力合作的结果。"

刘玄原本以为刘秀归来后，一定会怒气冲天跑来算账，没想到竟这般不动声色，心里觉得怪不好意思的，特拜刘秀为破虏大将军，封武信侯。

其实呢，刘秀每天晚上哭得枕头湿了一大片，但他知道轻举妄动只会坏事，含着眼泪忍了下来，以后他能创建东汉，都是靠着"忍"的功夫。

坐失皇位的刘玄与刘盆子

王莽末年天下大乱，各地势力纷纷起来造反，经过昆阳之战，刘秀把王莽的主力击溃，使得刘秀等拥立的更始帝能一路势如破竹，攻进了长安。王莽被汉兵杀死，刘玄登上帝位，海内豪杰都响应来归。

刘玄本来是一个懦弱无能的人，一旦即帝位，住进了长乐宫，上朝的时候，文武百官整整齐齐排列在下，他一看："哇，这么多人！"吓得低着头说不出话。

后来几个将领跟着进宫，刘玄鼓足了勇气，迸出的第一句话是："大家好，你们抢了多少东西啊？"到底是土匪出身。左右侍官很多都是老资格的官吏，听得目瞪口呆，彼此面面相觑（qù），惊奇万分。

对于这一批强盗出身的将领，刘玄没法子驾驭（yù），朝廷中的新贵，大半是不学无术的市井流氓，许多厨子屠夫也都穿起锦服绣衣，大摇大摆。长安城中的父老，看得又好气又好笑，就编了一首歌谣讽刺他们："灶下养，中郎将；烂羊胃，骑都尉；烂羊头，关内侯。"形容这些不像样的新官儿。

更始帝刘玄日日夜夜都在后宫与宫女们鬼混，喝得醉醺（xūn）醺东倒西歪的，臣子们有事要禀报皇帝，更始帝就派了一个人坐在帷（wéi）后装成自己下圣旨，臣子们听出这不是更始帝的声音，也拿他没办法。

因为更始帝的无能，这个新起的政权又立刻被推翻了，取而代之的是赤眉。赤眉由琅邪（láng yá）人樊崇在莒地起兵，拥立了刘盆子为帝。刘盆子是何许人也？这儿也有一段有趣的故事。

刘盆子本来是一个放牛的牧童，当赤眉大军过式县时，把刘盆子和他的两个哥哥刘恭、刘茂捉进了军营中，刘恭以后投奔了更始帝，刘茂和刘盆子则当了牛吏，专门管牧牛的事。

因为当时人心思汉，所有起事的都要设法和汉朝本姓——刘姓攀点儿关系，用以号召人心，有人不姓刘，也假冒姓刘。赤眉在军队之中逐一检点之后，发现只有刘茂、刘盆子以及一个叫刘孝的人和皇帝血缘最近。

于是赤眉弄来一个竹筒，做了几根签当符命，按年龄的大小分别去抽，刘盆子年纪最小，才十五岁，轮到最后一个抽，他一抽之下竟然得中，赤眉的将领全体下拜高喊："皇帝！"

刘盆子披头散发，光着脚丫子，衣服敞开着，满身臭汗，一副狼狈相，他看到人人都跪在地上向他朝拜，吓得要哭。刘茂对他说："你要好好藏着这个符命。"

"什么符命，我不要当皇帝！"刘盆子把符命咬烂，丢在地上，一溜烟似的跑了。

跑了也没有用，这事由不得他；刘盆子只有很痛苦地被赤眉加上了黄袍，当起了皇帝。他始终不习惯，时时换了服装，偷偷跑去跟牧童玩儿，觉得这样倒自在些。

后来，赤眉兵攻占了长安城，打倒了更始，控制了中央政府，他们个个自以为有大功，常常在宫殿上为争功而起冲突，甚且动刀弄枪闹个不停。刘盆子坐在皇帝宝座上吓得魂不附体，晚上连睡觉都要拉着一个小太监壮胆才能入睡，根本就没有能力处理政事。

此时的刘秀，在河北逐渐建立了自己的力量，他的军队纪律严明，一举一动合乎礼节，制服整齐，当时的人看了，都啧啧称奇道："没想到今天我们还能看到汉官威仪。"不久，刘秀进兵长安，刘盆子投降。刘秀是个宽厚的君主，他封刘盆子为赵王郎中。甚至对有杀兄之仇的刘玄，刘秀也封他为侯。

刘玄、刘盆子相继被拥立为皇帝，但因为没有能力，白白丧失了机会。

董宣的脖子很硬

东汉光武皇帝刘秀，讨平群雄，重建了汉朝，是为东汉。史称"光武中兴"。

经过了王莽的苛政，加上近二十年的动乱，老百姓亟（jí）需舒一口气。光武帝来自田间，了解民生疾苦，非常爱护人民。他重视地方官吏，也注意法治精神。

光武帝的姊姊湖阳公主家里有个奴才，大白天杀了人，然后逃回湖阳公主家里。

当时的洛阳令董宣到处捉拿凶手都找不到人，心里很气愤。而这个奴才自以为有公主在背后撑腰，胆子非常大，公主出门，他也肆无忌惮（dàn）跟着去。

碰巧，董宣在路上看到了那个奴才，他"嘿"地大喝一声，率领一批卫士涌上，狠狠地用刀划来划去，发出难听刺耳的声音，并且严厉地指责公主："怎么可以窝藏要犯？"

公主被他突如其来的举动吓呆了，满脸通红说不出话来，眼泪一滴滴地流下来，心里一遍又一遍地说："哼，看你这个凶狠样子，待会儿告诉我弟弟去！"

于是，湖阳公主快马加鞭赶到了汉光武帝处，一把鼻涕一把眼泪地哭诉。因为她哭得太伤心了，光武帝也听不清楚怎么回事，只知道公主受到了董宣的侮辱，便把董宣叫来问话。

问明始末之后，光武帝"哈哈"仰天一笑："你做得好，赏你三十万钱奖励你的执法精神。"

"不过，你用这种态度对公主是不对的，来来来，向公主叩个头，道个歉，便没有事了。"说着，便向公主招手。

公主满怀委屈地坐下，等着董宣叩头。没想到，董宣脾气很硬，怎么都不肯磕头。光武帝只好叫宦官去按他的头。董宣看到宦官走近了，把头抬得更高，满脸不屈服的神情。

"好了，算了！算了！"光武也不想为难董宣，笑着说，"你真是个强项令！"项，便是脖子。

光武帝最为人所称道的是他表彰气节，敬重读书人。他本身就是个太学生，有鉴（jiàn）于王莽时代阿谀（ē yú）拍马的不良风气盛行，光武帝特别注重人格的培养。许多在王莽时代不屑为官，托病辞职的风骨人士，光武帝都特别予以褒（bāo）赏。

他在求学时，有个好朋友名叫严光，学问品德都很好，光武帝非常敬重他。因此，光武帝在得到天下以后，想请严光出来做事。然而，严光对做官没兴趣，隐姓埋名，和光武帝大玩捉迷藏，光武帝遍访海内，始终没有找着严光。

"天下无难事，只怕有心人。"光武帝凭着记忆，命画工绘成了

董宣宁死不肯向湖阳公主磕头认罪，选自明刊本《帝鉴图说》。

严光的肖像，到处寻访。

不多时，果然有人奏报，在齐国境内发现有个身披羊裘的男子，常在泽中钓鱼，面貌看来与肖像相似。光武帝大喜过望，立刻派人前往齐国礼聘。

严光还是不肯承认身份，他对使者说："朝廷误征，你们弄错了。"这二三十名使者，不由分说地把严光拥进车中飞驰洛阳。

光武帝听说严光来了，高兴万分，一大早赶到严光住处，而严光明明醒来了，故意赖在床上不肯起来。光武帝走进卧房，拍拍严光露出来的肚子说："老朋友了，不肯帮我治理天下吗？"严光仍闭着眼睛不吭声。

严光，选自《历代名臣像解》。

过了半晌，严光才张开眼睛道："以前，唐尧时代，尧请许由出来做官，许由听说了，急忙到水边洗耳朵，怕这话沾染了自己。人各有志，你何苦为难我呢？"

光武帝拍着手大笑说："好，好！"晚上，与严光共眠，严光睡到半夜，把腿压在光武帝的肚子上，鼾声如雷，光武帝也不介意。以后，严光始终没有做官，依旧耕田、钓鱼，终老山中。

光武帝重视读书人的美德，也就流传千古。不过像严光这种隐士，不问世事，自以为超人一等，充其量只能"独善其身"。一个有抱负的知识分子，无论做不做官，本应当贡献所学，造福大众，发光发热，"兼善天下"。这才是我们读书求学的真正目的！

老当益壮的马援

中国历史上有几个相当有名的成语，"聚米为山""马革裹尸""穷当益坚""老当益壮"，都是马援留下来的。马援是襄助汉光武帝建立中兴大业的功臣。

马援字文渊，他是战国中期名将赵奢的后代，由于赵奢被封为马服君，所以一部分子孙姓马。虽然他的祖先是西汉世家，但世代清廉，家中并不富有，尤其马援自十二岁时父亲去世之后，生活更显得拮（jié）据。

少有大志的马援，曾经想放弃学业去边疆开垦，他的大哥也答应了，并且对他说："你是我们马家最有希望的人，当会大器晚成。"可是不久，马援的大哥因病而死，马援为哥哥服孝而留下来，他对寡嫂非常孝顺，很得乡里的称赞。

后来王莽当政，马援到了边区垦田、畜牧，拥有牛、马、羊数千头，有几百户人家受他指挥，算是个创业有成的大商人了。但马援不以此为满足，他常常说："丈夫为志，穷当益坚，老当益壮。"意思是说：一个男子汉大丈夫，愈穷愈要有骨气，愈老愈要强壮勇敢。他可不愿做个守财奴，因此把赚来的钱统统散给兄弟故旧，自己依旧穿羊裘着皮裤，两袖清风地在田野垦牧。

后来马援投效光武帝刘秀，协助他平定群雄。此时，羌人作乱，朝中大臣多半主张放弃羌县以西，免得朝廷为了辽阔的边区耗损国力。

马援却独排众议，认为不可轻言放弃国土，畏首畏尾将遭致更大的祸患，因而率领大军，猛扑羌人，赢得光荣的胜利。然后，劝导农耕、兴办水利，人民得以安居乐业。

有一回，邻县的百姓听说羌人又在作乱，也不管消息真假，急急忙忙请求马援关闭城门，发兵平乱。马援正在与宾客喝酒，接到消息大笑道："你们回去好好把官舍守住就是了，要是害怕的话，可以躲到床底下去。"果然，地方上平静如昔。

马援当了六年太守，回到了京里官拜虎贲中郎将。他在京里，欢喜讲故事给人家听。由于他须发清朗，眉目如画，身长七尺五寸，蔼然可观，

马援，选自《历代名臣像解》。

口才出色，因此上自皇太子，下至闾（lú）里少年，都爱听马援讲故事，个个听得聚精会神，津津有味，从故事中学到许多做人做事的道理。马援还精通兵法，每回论起调兵遣将的道理，汉光武帝都很佩服，常常说："伏波〔建武十七年（41年），光武帝封马援为伏波将军〕论兵，与我意合。"

此后，马援南征越南，大获全胜，回都以后，匈奴正在边境为患。这位报国心切的英雄，又不顾一切地请求出征，

他拍着胸脯说："男儿要当死于边野，以马革裹尸还葬耳，何能卧床在儿女手中耶？"他始终认为，男子汉大丈夫要死在战场才光荣，躺在病床上靠儿女服侍算什么！

马援最后一次出征，是建武二十四年（48年），他听说汉军深入蛮夷很久不得平定，又跃跃欲试，请求光武帝派他出征。光武帝看着他，不忍心让他再去打仗，摇摇头，正准备说话，马援已穿戴起甲胄（zhòu），一跃登上马鞍，雄赳赳，气昂昂，顾盼自得，双目炯炯有神，虽然头发已花白，但那雄伟的气势，那威武的精神，使人一看便要敬畏三分。光武帝也不禁赞道："好一个矍铄（jué shuò）的老翁！"还是让他去了。

不服老的马援又亲领大军去攻五溪蛮人去了。他冲锋陷阵，战绩辉煌，最后不幸染上疫疠（lì），病死于军中，完成了马革裹尸的壮志。

由于马援性情耿直，得罪了小人，所以他自交趾带回的一车薏（yì）米被说成了一车明珠宝贝，而朝廷一般大臣认为："好啊，你带回一车珠宝，竟然也不分给我们一点，太小气了。"于是纷纷举发马援贪污，使得光武帝大怒。马援的家人不敢把他迎归埋葬，许多宾客故人连吊丧都不敢去哩。

马援一生光明磊落，国家太平时，他垦荒畜牧，厚植国力；国家动乱时，效命沙场，保国卫民。他永远积极、乐观、奋斗、进取，为国家献出一切。尽管最后被人诬陷，倘使他地下有知，当也不以为意。因为真正的英雄豪杰，是对自己的良心负责的！

班超深入虎穴

班超是中国历史上了不起的英雄。他的父亲班彪，哥哥班固，妹妹班昭，都是著名的文学家、史学家，可以说得上是一门四杰。班彪晚年，想效法司马迁撰写一部前汉史，可惜不久便去世了。班固继承父亲遗志继续写下去，是为《汉书》。

在班固撰（zhuàn）写《汉书》期间，家里一贫如洗，班超只好在官署里补了一名书记的缺，替公家写文书，维持全家人的生活。

官署里的同事都是胸无大志的小职员，每天不是东家长便是西家短，以搬弄口舌、挑拨是非为乐。班超最看不起他们，而这些同事愤恨班超不与之为伍，经常在背后批评班超："哼！摆什么臭架子，有什么了不起！"然后，哄堂大笑。

有一回，班超抄写了一整天，对这"机械式"的工作厌烦不已，摔掉毛笔叹气道："大丈夫应该效法张骞，扬名异域，为国效命，哪里能够长久在笔砚中讨生活呢？"旁边的同事听到了，马上交头接耳，窃窃私语，一面用眼睛斜看着班超，一面嗤嗤地笑，不怀好意地说："凭他，也想学张骞？哼，做梦！"

班超实在按捺不住了，推开桌子，大声地说："小子安知壮士志哉？"（你们这群庸庸碌碌的小人，哪里能够了解我的大志呢？）说着，大踏步走了出去。

后来，在永平十六年（73年），班超随窦固出击匈奴，窦固见班超有勇有谋，派他为假司马，率三十六名随从，前往西域，要从匈奴手中夺回这片地带的控制权。

班超第一站到了鄯（shàn）善，鄯善王看到大汉使者驾临，客气得不得了，给予最优厚的待遇，每天还亲自前来请安。

过不了几天，鄯善王的态度忽然转变，爱理不理的，班超觉得很奇怪，怀疑是不是匈奴的使者也来了。

班超投笔从戎，选自《马骀画宝》。

于是，班超召来一个鄯善的侍者，劈头便问："匈奴的使者来了好久了，怎么没有看见人？"那侍者冷不防班超有此一问，吓住了，眼睛睁得大大的呆在那儿。

"快说！"班超声色俱厉地大吼，侍者乖乖地一五一十全讲出来了。班超怕侍者泄漏消息，先把他关起来，然后赶紧找三十六个随从共谋大计。

班超说："鄯善王畏惧匈奴，很可能把我们送给匈奴，这样我们就只能当豺狼的食物了，怎么办？"

大家听了都异口同声地说："现在生死都听司马的了。"

"好！不入虎穴，焉得虎子。"班超一咬牙道。这句名言也就流传千古，表示要想成功，先得要冒险。

当天晚上，北风吹得人毛骨悚然，班超顺风点火，趁夜摸营，匈奴兵梦中惊醒，乱成一团。班超首先摸进了一个帐篷，一下就砍掉三个脑袋瓜

班超率部下袭杀匈奴使者，选自明刊本《全汉志传》。

子。不多时，一百多个匈奴使者全部命归西天。

鄯善王吓得连忙伏地磕头，唯唯听命。班超顺利完成第一次任务。

不久，班超到了于阗（tián）（新疆和田），于阗王虽没有当面拒绝班超，但是态度很傲慢。

于阗王信奉巫师，一举一动都听他的话。巫师害怕班超对他构成威胁，故意假装神附身上，咿咿呀呀地鬼叫："你为何要款待汉朝使者？神要发脾气了，汉朝使者骑的一匹马很不吉利，把它牵来宰了祭我，就可以恕你无罪。"

班超丝毫不惊慌，淡淡地说："这匹浅黑色的骏马很名贵，要巫师亲自来取。"

等巫师一到，班超也不多言，拿起佩刀便把巫师的头割下来，然后拎着这颗脑袋去见于阗王。

于阗王这时已听说班超在鄯善的威风，又看到了巫师的脑袋搬了家，只有乖乖称臣。

以后班超抚疏勒，联乌孙，破莎车，最后，自葱岭以东到葱岭以西，五十多个国家完全内附，更打开了东西交通，条支（叙利亚）、安息（波斯）都远来朝贡，甚且中国的丝织品都因而传到大秦（罗马），西方人称这条道路为"丝绸之路"。

从此，西域与中原断绝了四十一年的外交关系，乃因班超的深入虎穴，又重新建立起来了。

班超虽有赫赫功绩，却遭李邑等小人眼红，上书皇帝说班超"拥爱妻，抱爱子，在外国享受，不顾朝廷"。英明的汉明帝看了从不生气，下令让班超处置李邑。班超只是哈哈一笑，反而派李邑回京城。他说："我光明磊落，不怕别人讲闲话。"

外戚宦官小皇帝

班超征服西域以后，大汉声威盛极一时。但是，在此之后一直到东汉灭亡的一百四十七年之中，汉朝的国势始终非常衰弱。这是什么原因？让我们来看一看究竟。

在汉章帝的时候，他立窦氏为皇后，窦皇后引荐她娘家的许多亲戚在朝廷当政。由于皇后在背后为他们撑腰，窦家子弟大造房舍，家中养了好几百名的食客，仆役奴婢多得不能计算；大量搜刮洛阳城中的良田，骄奢跋扈达到了极点，引起一般民众的不满。

于是，有人上报告给章帝，章帝看了很生气，但碍着窦皇后的情面，也不忍心苛责，只是再三交代这些外戚要多加检点。既然皇帝都不责罚，他们就更肆无忌惮，尤其是窦皇后的哥哥窦宪竟骑到公主的头上去了。

窦宪看上了沁水公主家中的一块园田，一定要买，公主不敢和窦宪争执计较，只好忍气吞声把田卖了。

章帝晓得了这回事，心里很不痛快。有一天他与窦宪出去的时候，正好路过沁水公主的园田，故意问道："这大概就是你强迫公主卖出的田地吧？嗯？"章帝提高了声音又问，"是不是啊？"

窦宪支支吾吾答不出话，章帝气得把窦宪狠狠地大骂一顿："今天连公主的地都被你抢过去了，那一般平民就更不用说了。其实国家杀掉你，就像丢掉一只臭老鼠，没什么可惜的，你说是不是？"

窦宪吓得灵魂出窍，慌慌忙忙匍匐在地上，把头磕得像捣蒜一般。正在此时，后面来了袅袅婷婷的窦皇后，冉冉地走到章帝面前，双膝（xī）一跪，代为求情。章帝只好又放过了窦宪一马。

章帝在位十三年去世，和帝即位时才十岁，还是个小孩子。因此，和帝即位初年，由窦太后临朝，窦宪辅政。后来，窦宪北伐匈奴有功，权势愈来愈盛。于是，东汉的外戚用事，从此开始。

由于和帝是个小皇帝，窦宪根本不把他放在

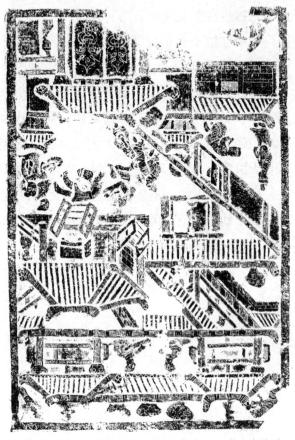

汉代贵族宏大的家居场面，汉画像石，山东曲阜城关。

眼里，总认为皇帝还小，只要念书、玩耍、吃糖便够了，国家大事哪有去问小孩子的道理。

和帝看着自己的大权完全落在外戚手里，心中很不甘，时常气得睡不着觉，也吃不下东西，连做梦都在想："杀掉窦宪，杀掉窦宪！"

但是，和帝又没有人可以商量对策，只有拉着在身边伺候他的太监郑众商量计谋。

有一天，和帝利用窦宪自凉州回家的时机，密发圣旨，调动大批守军，关闭了城门，迅雷不及掩耳地把窦氏亲党捉拿下狱，逼迫窦宪自杀。

太监郑众协助政变有功，升为大长秋（大长秋是宫中宦官的头）。从此，宦官也在东汉政治上插上一脚。

和帝在位十七年去世，去世时年纪很轻，只有二十七岁。而即位的殇帝才满一百天哩。

所以东汉末年的政治很奇怪，总是一个小皇帝即位（在殇帝以后的安帝十三岁，顺帝十一岁，冲帝两岁，质帝八岁，桓帝十六岁，献帝九岁），而小皇帝即位不能管事，就由太后当政，重用娘家父兄，外戚当权；小皇帝长大以后，不甘心当傀儡，联合宦官，除掉外戚。

皇帝亲政以后，不久便去世了（奇怪，东汉末期的皇帝都很短命）。于是又一个幼主即位，再一次地恶性循环。外戚宦官的斗争，成为一个公式，汉朝也就一蹶（jué）不振了。

不怕死的士大夫

东汉从和帝以后，朝廷上形成一种很奇怪的局面，就是小皇帝即位，太后临朝，重用娘家外戚。小皇帝长大了，联合宦官，除掉外戚；不久，皇帝去世，又一个小皇帝即位，再一次宦官外戚夺权，成为一种恶性循环。

每一次外戚宦官斗争的结果，总是宦官获得胜利，尤其到了汉桓帝的时候，这一班宦官更是无法无天。当时京都流行一首歌谣："左回天，具独坐，徐卧虎，唐雨堕。"形容左悺（guàn）、具瑗（yuàn）、徐璜（huáng）、唐衡这几个太监的厉害与跋扈，简直像老虎一般凶猛，又仿佛有通天本领。

宦官（太监）者，本来是在后宫里面伺候皇帝打水、洗脸、吃饭、穿衣的小奴才，大部分没有学识，没有品德，更没有办事才能。因此，国家大事一旦交到这批家伙手里，结果可想而知了。尤其太监身份低贱，有强烈的自卑感，因为怕别人看他不起，一旦得势只会作威作福。

由于宦官专权，把朝廷弄得乌烟瘴（zhàng）气，鸡犬不宁，东汉的士大夫们非常反感，尤其是东汉的读书人，受到光武帝表彰气节的影响，特别看重志节，怎么忍心眼睁睁看着国家断送在这帮奴才手里？

因此，到了汉桓帝延熹（xī）八年（165 年）的时候，陈蕃当太尉，李膺（yīng）当司隶校尉，这两个人都是刚毅正直，平素顶痛恨宦官的，他们决定联手狠狠地压制宦官。

当时桓帝有一个亲信的太监叫张让，张让的弟弟张朔为野王令（野王县的县令），张朔性格暴虐，有一回竟把一名孕妇连她肚子里的小孩子一起杀死了。命案发生以后，张朔就躲到京里张让的家中。

李膺接到消息，带着人马赶到张让家里搜寻，上上下下都找遍了，就是不见张朔人影。忽然，他发现房间里有一面墙壁看起来有问题，当下一砍，嗬，果然是个复壁，里头有夹室，张朔正好端端坐在那儿。

这下子张朔只有乖乖就擒，被带到了洛阳狱中。问明口供以后，李膺便做主把张朔干掉了。

桓帝知道了这件事，很不高兴，但是李膺有理，桓帝也没有办法。从此以后，太监们个个都闭上口，不敢多言，连走路也都轻声蹑（niè）足，一副怕兮兮的模样。桓帝看了很奇怪，问道："你们最近怎么搞的？"太监们一起叩头道："我们怕李校尉，我们怕！"说着，齐声痛哭。

李膺痛宰太监一事传了出去，士大夫们都有大快人心之感，认为李膺是中流砥（dǐ）柱的代表，因此能被李膺接见者都觉得无上光荣，别的读书人也会来恭喜他，称为"登龙门"。

可惜不久，这条"龙"的尾巴被夹住了。

原来当时河内有个人叫张成，他善于推算，算出国家将有大赦（赦就是放掉犯人的意思）令，于是叫他的儿子乘机杀人。不久，朝廷果然颁发大

李膺，选自《历代名臣像解》。

赦令，李膺对张成平日与宦官勾结早已不满，如今张成又滥杀无辜更是可恨，李膺就不理会大赦，把张成的儿子处决了。

张成为了报仇，派弟子上书朝廷，他说，朝廷里的大臣与读书人相勾结，一天到晚造谣生事，结成朋党，有反动思想。宦官们也在桓帝旁边起哄煽动，于是桓帝在延熹九年（166 年）下诏捉拿党人（就是那些被宦官指为结党的人）。

后来，由于桓帝的岳父说情，桓帝下令把党人全放掉，但是这些名流君子的名字却上了黑名单，终生不得为官，这就是历史上有名的"党锢（gù）之祸"。锢是禁锢终生，被褫（chǐ）夺公权，一辈子不能出任公职的意思。

由于这些人都是爱国的风骨之士，因此他们虽然入过牢，又被判终生不得为官，社会上一般读书人对他们仍然尊敬得不得了，称李膺等人为"八俊"（人中英俊），郭泰等人为"八顾"（德行相勉）……加给他们许多响亮的美誉，还为他们大开欢迎会，请他们演讲，把他们当成英雄般崇拜、赞扬。这些读书人不怕死、有操守的佳话，也就流传千古。

孔融 "让梨" 以外的故事

"孔融让梨"是大家所熟悉的故事。今天，我们要讲一点孔融其他的故事。

孔融是孔子的二十世孙，从小聪明伶俐，惹人疼爱，他有兄弟七人，他排行老六，是个很可爱的小男孩。

孔融四岁的时候，他家里经常有人送梨来，这种梨是山东莱阳的特产，皮薄、肉多、核小，轻轻一咬，满嘴都是甜汁，好吃得不得了。他的哥哥每回都先瞄准一个大的，然后等到"开动"的口令一下，马上抢过来塞进口里。

孔融从来不去抢，他总是默默地拣一个小的就离开。一次、两次，孔融的妈妈还以为他肚子疼不敢多吃。次数多了，妈妈便奇怪了，她把孔融拉到怀里温柔地问着："融儿，你不喜欢吃梨对不对？不然，为什么每次都挑小的呢？"

"没有啊，妈妈，我年纪小，当然应该吃小的嘛，大的留给哥哥吃。"

人们听了，都大吃一惊，对孔融这种敬爱兄长的精神赞不绝口。

孔融十岁的时候，随父亲到京城去游玩，当时李膺为河南尹（李膺便是上篇讲的力除宦官的名流），是东汉读书人的精神领袖，他的门禁很严，除了当代名士及通家之好以外，一律不接见。

孔融很景仰李膺，决定去闯闯看。孔融到了李膺家门口，对门吏深深一鞠躬道："我是李公的通家子弟，特地前来求见，麻烦你通报一声。"

那个门吏从未见过孔融，但见他彬彬有礼，举止大方，也就让他进去了。

李膺见到孔融，摸摸他的头道："是不是你祖父认识我？"

孔融说："没有，但是先祖孔子与你的先祖老聃（dān）是好朋友，也算得上是通家世交了。"

李膺大笑不已，连连叫："好，好，有道理！"

这时，刚好太中大夫陈炜（wěi）也来了，李膺笑着告诉陈炜这件事，并且说："你瞧，这孩子多聪明啊！"

孔融让梨，选自明刊本《养蒙图说》。

陈炜顺口便说："小时了了，大未必佳。"意思是说小时候聪明，长大了不见得成材。

孔融转着机灵的眼睛说："噢，那依你的看法，小时候宁可呆笨，对不对？那么，你小时候一定很聪明！"

这等于是说陈炜现在很笨，李膺听了大笑不已："高明，高明，将来定有一番作为。"

孔融回到家乡以后，过了三年，父亲去世，孔融哀痛万分，邻里都称孔融孝顺。

过了不久，党锢之祸发生，孔融是个有气节的读书人，他对宦官的作为非常不齿。因此：

有一天，党人张俭被官吏捉拿，他和孔融的哥哥孔褒相识，情急之下逃到孔家，正好是孔融应门，孔融告诉张俭："哥哥不在家。"张俭转身就要走了。

"等一下！"孔融呼唤道，"我哥哥不在家，难道我就不能做主吗？快进来吧。"于是，张俭在孔家逗留了几天才走。

地方官闻风赶去，张俭已经逃之夭夭了，便把孔褒、孔融两兄弟关了起来。

孔融首先认罪："张俭是我藏起来的，应该抓我。"

"不行，张俭是来找我的，他根本不认识我弟弟，要抓应该抓我。"孔褒抗议道。

地方官看得糊涂了，不知如何是好，偏偏这时孔母也来了，她老人家气势汹汹道："我丈夫已死，我是家长，一切由我负责，你们怎么可以乱抓小孩呢？"

孔融，选自清皇家珍藏手抄善本绘图描金银《三国志演义》。

天下竟有这等怪事，地方官只有报到朝廷，最后朝廷决定由孔褒坐牢，释放孔母及孔融。他们全家争死的义行传遍天下。

以后孔融当了北军中侯、虎贲中郎将、太中大夫，尤其文学修养深厚，被誉为建安七子之一，学问、道德、文章都很有名。现在有的人怀疑孔融让梨的真实性，其实，只要晓得孔融愿意代兄而死，也就不会"以小人之心，度（duó）君子之腹"了。

硬汉虞诩

东汉光武帝表彰气节，使得东汉一代的读书人有风骨、有担当。虞诩（xǔ），便是一个不畏恶势力的硬汉。

汉安帝永初四年（110年），羌人作乱，虞诩主张用强硬态度应对，得罪了朝廷当权的大臣。这时朝歌地方正在闹盗贼，一连乱了好些年，地方官吏没法镇压，权臣为了"整"虞诩，就派他去当朝歌长（朝歌县的县长）。

虞诩的朋友听说他碰上了这件倒霉的差事，都纷纷前来安慰，为他打抱不平。虞诩却笑嘻嘻地说："没有你们想象的那么严重吧，为国家做事不能怕困难。"

他到了朝歌，拜见河内太守，太守满以为会来一个孔武有力的大将军，没有想到竟是个斯斯文文的读书人，就叹了一口气道："哎，读书人应该在朝廷贡献意见，怎么跑到朝歌这个强盗窝来呢？"

虞诩笑笑，默不作声。他暗地里招募（mù）了一批壮士，分为三等，上等是横行霸道的流氓，中等是专门偷人家东西的梁上君子，下等是不事生产、游手好闲的无赖。虞诩把他们的罪都赦免了，嘱咐他们混到强盗里捣蛋。不久，果然，土匪窝内乱了阵脚。

虞诩又找了一些穷人，派他们到强盗窝里当裁缝，叫他们缝衣服时多缝一道五彩的花边儿。强盗们不知情，因此当强盗穿上新衣，在城里三三

吴姐姐讲历史故事

虞诩，选自《马骀画宝》。

两两游荡时，立刻被官兵一把捉住。强盗心想："咦，我脸上又没有刺字，他怎么晓得我是土匪。太奇怪了！虞诩一定是神仙！凡人怎么斗得过神仙呢？"没多久，盗贼纷纷自动竖了白旗。

后来，虞诩被调回京里当司隶校尉，他一口气先免掉了太傅冯石、太尉刘熹两个贪官，接着，又要动手办几个无法无天的宦官。

由于汉顺帝宠任宦官，所以没有严办。尤其是有个叫张防的太监，从中舞弊，每回虞诩上书，他便从中扣发，不交给皇帝，运用职权，一手遮天。

虞诩气得血往上冒，他先跑到廷狱说自己有罪前来自首，然后写了一封措辞相当激烈的报告叫廷尉送上去，上面说："以前安帝任用太监樊丰，几乎把国家整垮，现在皇上又重用张防，国家又将面临大祸……"

张防知道了，一把眼泪一把鼻涕地跑到顺帝前面哭诉，直呼委屈，并且说："虞诩一定是自知有罪，否则为什么先去廷狱投案？"

顺帝是个糊涂皇帝，竟然听信了张防的话，把虞诩关到监牢里，派狱吏严加拷打。古代监狱是很可怕的，各种严酷的刑具，样样都来。虞诩本是一个白面书生，几天下来，被打得死去活来，奄奄一息。

有人劝虞诩想办法找一条白绫上吊算了，免得受皮肉之苦，虞诩不肯。

他说："我宁可在市场中就地被砍头，绝对不偷偷摸摸自杀。"这是硬汉作风，绝不低头。

这时，另一个当权的宦官孙程，因与张防不合，便在朝廷为虞诩说情："皇上怎可把忠臣逮捕下狱，反而重用奸臣张防？"

这时，躲在顺帝身后的张防，吓得瑟瑟发抖，孙程见了大叫："奸臣张防，还不滚下殿去。"张防吓得屁滚尿流夹着尾巴跑了。

虞诩被捕的消息传出以后，他门下的一百名学生扛着大旗，赶到京城，为老师申冤，每当有人出宫，便跪在地上痛哭，有的学生还用头叩地，叩得额头破裂，鲜血直流，顺帝这才知道虞诩是天下所仰望的名士，而张防是人人怨恨的小人。

虞诩被放出来以后，很感慨地说："现在国家一天比一天衰弱，有一个原因，就是朝廷里的大臣太为自己打算，不肯与宦官抗争，总是说：'我不屑与小人一争长短。'其实呢，是想做好人，享老福，太自私自利了。"

虞诩的话一点不错，大臣们都想做不得罪宦官的好人，使得东汉宦官的气焰愈来愈盛。

梁冀毒死汉质帝

东汉末年一直是外戚宦官互相夺权的局面，国家元气大伤。顺帝本信任宦官，到了永建六年（131年），顺帝十七岁，册立皇后，大权又落到外戚手中。

顺帝选中的皇后姓梁，是个才貌双全的名门闺秀，她的父亲梁商也是忠厚谦虚的君子，糟糕的是梁皇后的哥哥——梁冀，是个不折不扣的大坏蛋。

梁冀长得就是一副歹相，肩膀像鸢（yuān）鸟一般高高地耸起，眼睛像豺狼一般直勾勾地凸出，喜欢喝酒、赌博、斗鸡、走马，靠着父亲与妹妹的关系，官位步步高升。

梁冀的生活奢侈放荡不在话下，他喜欢养兔子，在洛阳城的西边，开山辟地，建立了一个富丽堂皇的兔苑，里面养了无数只兔子，兔子的毛上都烙了印，附近还贴了一个榜示："有杀兔者与杀人同罪。"实际上，这些兔子的待遇比一般百姓要好得太多。

有一次，从西域来了一个商人，不晓得梁冀定的怪规矩，无意中伤害了一只兔子，便马上被官兵捉住，不但自己脑袋搬家，和这个商人一同前来的几十个人，一起都被杀了头。

梁冀又在兔苑的旁边盖了一座别墅，专门收容作奸犯科的通缉犯，以及被梁冀看上的良家妇女。这数千人都被他称为"自卖人"。

由于政治秽（huì）乱，民间盗贼群起，顺帝在汉安元年（142年）派了八位特使去考察地方官的优劣，纠举不负责任的贪官污吏。

其中，有一位年纪最轻的张纲，居然不肯出巡。

更怪的还在后头哩！他竟然把所乘传车的车轮拆下来，当着众人的面，埋在洛阳亭下，感慨地说："现在啊，大豺狼当道，何必去民间找小狐狸？"立刻奏上一本，弹劾豺狼——梁冀，他列举了整整十五条罪状炮轰梁冀。

顺帝知道张纲所讲的都是事实，但是因为天性懦弱，又碍着梁皇后的面子，便把报告摆在一边，继续容忍梁冀的恶行。

张纲的朋友劝他道："现在整个的风气是如此，你一个人喊破了喉咙有什么用呢？还是容忍一点吧！"

"哎，哪里是我没有容人的气量呢？"张纲长叹了一口气说，"其实，梁冀与我无冤无仇，我犯不着得罪他，只是不忍心国家坏在这家伙手里。"说着说着，他眼睛里充满了泪水。

由于顺帝的姑息养奸，梁冀的气焰一天比一天盛，根本不把皇帝看在眼里。

顺帝只活了短短三十年。太子炳即位，炳即位时才两岁，在任只有六个月就死了，是为汉冲帝。接着，由八岁的刘缵（zuǎn）即位，是为汉质帝。在这段时间内，朝廷一直由梁冀掌权，梁太后听政。

汉质帝虽然只有八岁，却非常聪明伶俐。

有一次上朝时，质帝突然间指着梁冀对大家说："这真是一个跋扈将军啊！"

梁冀听了，怀恨在心，就命令下人在蒸饼时，偷偷掺进毒药拿给小皇帝质帝吃。

质帝吃了，立刻抱着肚子在床上翻滚，疼得全身冒冷汗。梁冀听到呼喊声，赶进来问："怎么回事？"

质帝虚弱地喊着："水，水，我要水！肚子里有火在烧。"梁冀在旁冷冷道："喝不得水，要是呕吐怎么办？"话没有说完，质帝已气绝身亡。

　　顺帝容忍梁冀的结果是梁冀容忍不了质帝。顺帝要是地下有知，一定后悔万分。

　　容忍是一种美德，尤其在民主社会的今天，我们更要有容忍别人的雅量。但是要弄清楚，一件事值不值得容忍，容忍的结果是什么。不该容忍的事也强加容忍，便是懦弱，便是不辨是非。

蔡伯喈被赵五娘的故事害惨了

《赵五娘寻夫》是个很有名的民间故事，在电影、电视、京剧中也曾一再演出。

故事的大意是说，汉朝有个穷读书人蔡伯喈（jiē），娶了一个贤惠的妻子赵五娘。婚后，蔡伯喈进京赶考，高中状元，而且被选中当了驸马爷。赵五娘三番两次写信到京里去打听，蔡伯喈都不闻不问。

后来，家乡闹饥荒，蔡伯喈的父亲饿死，母亲上吊，赵五娘只好带着儿女到京里去找蔡伯喈。蔡伯喈不但不见赵五娘，反而派人加以暗杀，幸而赵五娘遇到了贵人，讲出了冤屈，最后蔡伯喈迫于情势，接回了赵五娘，全家大团圆。

在这个流传甚广的民间故事中，蔡伯喈被描写成一个不忠、不孝、不仁、不义的恶棍。其实，根本不是这么一回事。

蔡伯喈的本名叫蔡邕（yōng），是东汉末年的一位大儒，为人敦厚善良，而且非常孝顺。他母亲病了三年，蔡邕伺候了三年。三年中连睡觉都不敢上床，只在母亲的病榻前闭一下眼睛养养神。

蔡邕不但学问好，而且多才多艺，精通天文，尤擅长音律。

有一次，有个吴人在烧桐树取火做饭吃，蔡邕闻到树木飘出的味道，连忙说："嗯，这是难得的良木，应该锯下来做琴，烧掉了太可惜。"那人听了蔡邕的话，把这截木头熄了火，把没烧的部分制成了琴，一弹之下，

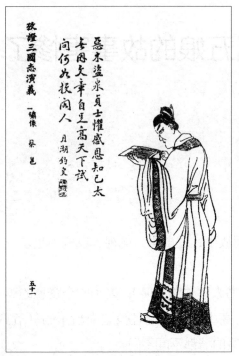

蔡邕，选自清刊本《三国演义》。

果然音韵悠扬，不同凡响。由于琴尾已不幸被烧焦了，当时人称这把琴为"焦尾琴"。

又有一次，邻人请蔡邕过去吃饭，蔡邕去迟了，酒宴已开始了。蔡邕走到邻人家门外，忽然听到里面有琴音，他仔细一听，不禁大吃一惊道："糟糕，此音中有杀心，他请我吃饭，难道……"正转身要走，邻人刚好出来道："请进，请进，大家都在等你！"硬把蔡邕拖了进去。

进去之后，邻人问："你老兄刚才怎么一副要走的姿态？"

蔡邕隐瞒不住，只好照实说出，邻人一拍脑袋道："方才我弹琴时，发现窗前有一只螳螂正在捕蝉，蝉要飞而未飞，蝉在前，螳螂在后，我心里头好紧张，莫非这一念的杀心，就表现在琴音之中？"

"对，就是这件事。"蔡邕莞（wǎn）尔一笑，大家都拍手说蔡邕对音乐的感触真敏锐。

由于蔡邕以博学闻名，朝廷命他在东观（中央的图书馆）担任校书（校勘图书的工作）。蔡邕发现经书之中的错误很多，唯恐贻（yí）误后来的读书人，便在熹平四年（175年）奏请校订《尚书》《周易》《论语》《礼记》《公羊传》等五经文字，而且用隶书写成，刻为四十六块石碑，历史上称为"熹平石经"。

熹平石经完成以后，全国各地的读书人，纷纷跋涉千里跑到洛阳来抄写正确的五经，一时之间，车水马龙，热闹极了。这是中国历史上辉煌的一件大事。

刻熹平石经是汉灵帝所做的唯一善事了。当时，灵帝整日被小人包围，朝廷里一塌糊涂。他耽（dān）于淫乐，喜欢玩狗，竟然为狗封"狗爵"，官位高的狗，头戴进贤冠，腰佩彩绶带，神气活现，简直荒唐透顶。这自然又是宦官的主意。

蔡邕写了一个奏章呈给灵帝，检举太监。灵帝对蔡邕很尊重，边看边叹息。太监曹节躲在屏风后，早就虎视眈眈，只恨距离太远，一时看不清楚，又不方便抢过来看，心里很着急。刚好灵帝入室更衣，曹节赶快拿来一看，发现蔡邕纠举的都是自己的同党人。

"熹平石经"残石。

于是，曹节先下手为强，发动小人写了一个匿名的奏章，说蔡邕以私害公。灵帝竟然将这件事交给尚书查办，尚书碍着宦官的情面竟判"斩首"，要不是灵帝体念蔡邕对国家有功，为他减刑，蔡邕便上了断头台。

从上可知，蔡邕是个孝顺父母、有为有守的读书人，对文化极有贡献，怎么会和赵五娘的事混在一起？真是奇怪，想来是有些好事之徒乱造谣言所引起的。

昏君·奸宦·"黄巾"

东汉末年的汉灵帝，是历史上有名的昏君，他宠信宦官无以复加，曾经说过"张常侍是我公，赵常侍是我母"（张常侍、赵常侍都是宦官），简直把太监当成亲爹娘。所以当时宫中最嚣张的十个太监，号称"十常侍"，人人畏之。

这十常侍为灵帝出了许多莫名其妙的主意，譬如公开地贩卖官爵，两千石（dàn）的官（相当于现在的部长）两千万钱，四百石的官（相当于现在的科长）四百万钱，如果钱不够，没有关系，可以分期付款，但是要加倍还利息！这可以说是由皇帝倡导的"红包政策"。于是，地方上充斥着买来的官儿。

收了红包，自然要大大享受一番，修园子，建宝殿，都嫌不过瘾，灵帝建了一个特大号的浴池，将西域进贡来的香草浸泡在池中，与美女共浴。浴后的水，从沟渠中流过，那芬芳扑鼻的香味儿可传到数里之外，人称"流香渠"。

宦官又教灵帝打扮成商人模样，在后宫中和宫女玩买卖的游戏，讨价还价，打打闹闹。由于灵帝不够精明，到头来，这个假商人的货物全被宫女骗光了。但是灵帝觉得很有趣，乐此不疲，成日与美女打情骂俏，把国家大事抛在脑后，常常快乐地说："能万岁如此，真神仙也。"

由于政治腐败，老百姓苦不堪言，人在痛苦的时候，最容易产生迷信心理，求取心灵上的慰藉（jiè）。"黄巾"便这样出现了！

话说有个名叫张角的巨鹿人，读过几天书，自称为大贤良师，他供奉一些神，号称太平道。

当时民间流行传染病，死者不计其数。张角找到了几个治病的古方子，到药店抓了药，用水煎成汁，放在瓶子里，自称能为病人驱魔。

等到病人上了门，张角把药水取出，叫病人跪拜在坛前祈祷，他自己就假装在烧符，口中念着一些别人听不懂的话，装模作样地搞了半天，再慎重无比地把药拿出，让病人服下。

有的病人吃药以后，依旧一命归天，但也有几个命不该绝的，竟然活转过来，感激涕零之余，把张角当成了神。十年下来，凡青、徐、幽、冀、荆、扬、兖（yǎn）、豫等八州，没有不知大贤良师者，甚且有人变卖家财，万里跋涉以求见一面。他的信徒加起来竟有数十万之多。

司徒刘陶深以为忧，上书请求朝廷加以取缔（dì），灵帝正忙着斗鸡走狗，没有工夫管这些，置之不理。

张角眼看时机已成熟，把部下组织为三十六方，每方派一个"渠帅"带领，大方有一万多人，小方也有六七千人之多，并且说："苍天已死，黄天当立，岁在甲子，天下大吉。"意思便是说改朝换代的时机已来到，要由张角统一天下了。（张角的部下都以黄巾包头，所以这次起事被称为"黄巾之乱"）他派人混入京师，在夜晚，用白土在官员家的大门上写着"甲子"二字，官员们早上出门看到，吓得魂不附体，直打哆嗦。

灵帝张皇失措，不知如何是好，郎中张钧上书："张角能作乱，全因十常侍鱼肉百姓所致，如果斩十常侍，则天下太平。"灵帝把上书拿给十常侍看，十常侍纷纷辞官，磕头请罪，而且捐献钱财劳军，装腔作势表演了一番。

灵帝大为感动，更认定太监们对他是一片忠心，倒是张钧口出狂言，太可恶了，下令把张钧逮捕入狱并将他拷打致死。

此时，有个凉州将军皇甫嵩，擅长骑马射箭，足智多谋，他看准当时正是盛夏，"黄巾"结草为营，就拟了一套火攻的办法，趁着黄昏起风时，命军士用火点燃了苇草，向"黄巾"营中抛去，草遇到火，立刻烧成一片，刹那间，火焰冲天，"黄巾"大惊！皇甫嵩又率领军士手持火炬，一路鼓噪而来，杀得"黄巾"尸横遍野。到了天亮，又有一支官兵，从外杀了进来。内外夹攻之下，"黄巾"失败，率领这支官兵的，不是别人，正是一世枭（xiāo）雄——曹操。

皇甫嵩平乱有功，理该升官，太监张让向皇甫嵩索要一个大红包——五千万钱。皇甫嵩不理会张让，张让恼羞成怒，跑到灵帝耳根旁说："皇甫嵩虽然讨平'黄巾'，但是官兵损失惨重，这是他办事不力。"昏庸的灵帝，竟将皇甫嵩削官降职。

"黄巾"起事虽然讨平，但国家元气大伤，因此而生的造反者，有张牛角、于毒、李大目等，不计其数。汉灵帝不辨是非，不明善恶，难怪把国家搞得一团糟。

袁绍屠杀宦官

糊涂的汉灵帝在中平六年（189年）去世，只活了三十四岁。奇怪，东汉末期的皇帝全都短命。年仅十七岁的刘辩即位，是为汉少帝。

由于少帝年纪还小，由何太后听政，太后的哥哥何进掌权，政治的权力中心，又由宦官转到外戚身上。

何进一向痛恨宦官，尤其和统领西园八校尉的小黄门上军校尉蹇硕（jiǎn shuò）形同水火，他就和中军校尉袁绍商量，怎么可以除掉蹇硕。袁绍这个人仪表威武，相貌堂堂，以前在党锢之祸的时候，救了不少有气节的读书人，因此何进非常尊重袁绍。

不料，宦官蹇硕已听到了风声，悄悄地在暗中部署，逼得何进只能先下手，干掉了蹇硕，收回了兵权。

这时，袁绍劝告何进："以前窦武想杀宦官，因为事机不密，反而被宦官所杀，你现在统领禁兵，何不趁此机会，把宦官一网打尽，赢得千秋万世的美名？"

何进很赞成袁绍的看法，立刻进宫向太后禀告。

何太后想了半天，迟疑地说："这个不太好吧！宦官管理皇宫是自古以来就有的制度，而且我一个妇道人家，先帝又去世不久，和士人一起共事也不方便，还是得过且过算了。"

何进也不敢再争，缩着脑袋退出宫门，刚一出门，马上被袁绍一把拉

住："怎么样？"

"太后不肯，没有办法。"何进皱紧了眉头。

袁绍神色凛然道："糟了，现在骑虎难下，一失机会，恐怕会被老虎给吞了。"

宦官张让等得到了消息，连忙用金珠玉帛买通左右，在何太后身上下功夫，久而久之，太后渐渐与何进疏远。何进本是个优柔寡断的人，这样一来，更不敢有所举动。袁绍在一旁干着急，又为何进献上一计：

写信给附近的四方猛将及各处将帅，请大家带兵进京，逼迫太后非杀宦官不可。

何进谋诛宦官，清朱芝轩绘。

何进深以为然，分头写信给各地豪杰。其中有个名叫董卓的将领驻守凉州，野心勃勃，唯恐天下不乱，接到信后即刻率领羌胡兵南下，并且写了一封信给太后，威胁太后杀尽宦官。

何太后看了信，大为不悦，何进也有点忐忑不安，想阻止董卓也来不及了。太后非常恐慌，下令罢免所有宦官，让他们各自回家乡。何进两手一摊，对着跪在地上求饶的太监们说：

"并非我想和各位为难，现在天下滔滔，不肯就此干休，你们还是早点儿滚吧！"

不久，宦官假传圣旨，把何进骗入宫内，一入宫，门"砰"的一声关上，宦官张让指着何进的鼻子大骂："好啊，现在天下大乱都怪到我们头上来啦！想当年先帝和太后为了王美人的事闹得感情不睦，要不是咱们哭哭啼啼为你们兄妹说情，你们有今天吗？哼！"说着，大小宦官都围了上来，何进手无寸铁，只能任凭宰割。

在外头等待的尚书，发觉有些不对劲，于是大呼："请大将军出来宣诏。"不料宫内有人嚷道："何进谋反，已经被斩首。"话还没说完，隔墙掷出一个鲜血淋淋的头颅，眼睛睁得大大的，正是何进的脑袋，说有多恐怖就有多恐怖！

袁绍接到消息，率兵攻进了皇宫，四处搜寻宦官，见一个，杀一个，见十个，杀十个，无论老少长幼，只要是没有胡子的男人一概杀。杀！杀！杀！一口气杀了三千多人。有许多宫女被士兵误认为是宦官，也惨遭杀害。

宦官张让、段珪（guī）在一片混乱中，挟持着小皇帝及皇弟陈留王出宫逃亡，这是东汉外戚宦官争权的最高峰。其结果是：少帝只做了六个月的皇帝，后来被董卓所废，并被毒死。这真的是两败俱伤，同归于尽，也断送了国家的命运。

董卓乱政

袁绍带兵进宫杀光了没长胡子的男人，太监张让、段珪等在乱兵中，挟持十七岁的少帝，以及九岁的陈留王逃出皇宫……

一行人走到小平津时已经深夜了，正茫茫然不知所措，忽然听到背后传来声音，原来是尚书卢植以及河南中部掾（yuàn）闵（mǐn）贡赶来了。闵贡叱责张让道："乱臣贼子还想逃命，看我今天不宰了你。"说着，拔剑出鞘，信手一挥，便把张让身旁几个小太监劈倒了。

无恶不作的张让，如今死期已到，跪在汉少帝面前哭哭啼啼："臣等死了，望陛下自爱！"说完话，他便一跃入水自尽了。

于是卢植、闵贡搀着少帝和陈留王转回宫中。由于少帝及陈留王年龄很小，而且自幼在皇宫中娇生惯养，从来没有走过夜路，加上天色黑暗，凉风飒（sà）飒，又满地荆棘，七高八低的，还真不好走哩，只有借着萤火虫发出的微光，慢慢地向前挪动。

走啊走，走了半天，闵贡发现了一户人家，门前停着一辆板车，他就把少帝兄弟抱到车上，推到了驿站。

第二天一早，闵贡雇了两匹马，少帝独自骑一匹，他抱着陈留王骑着另一匹。其他随员步行在后。

他们正在缓缓向前，忽然之间，尘土冲天，旌（jīng）旗招展，大队人马呼喊而来！大家都吓了一跳，尤其是少帝，"哇"的一声哭了起来。

这时，有个长得浓眉大眼、腰壮体肥的大将军走了出来，他不是别人，正是准备派兵入宫帮何进、袁绍铲除宦官的董卓。董卓本来驻军在城外，远远看到宫中大火，知道发生了政变，连忙带兵进城，没有想到在这儿遇上了皇帝。

董卓上前来和少帝谈话，少帝已被一连串的事故吓呆了！只是一个劲儿地揩（kāi）眼泪，半句话也说不出。

问了半天问不出个道理来，董卓只好转身去问陈留王，没有想到这个年仅九岁的小王弟很沉得住气，不慌不忙地把事情的前前后后交代得一清二楚，董卓大为惊异。再一询问才发现，陈留王从小由董太后抚养长大，董太后姓董，和董卓同宗，如此一来，董卓对陈留王又多了一分好感。

霸業成時
為帝主不
成且作富
家郎誰知
天命無私
曲郿塢方
成已滅亾
董卓
董卓，选自清皇家珍藏手抄善本绘图描金银《三国志演义》。

一行人回宫以后，少帝与陈留王到处找传国国玺却找不着，这也是一件怪事，更是一个不祥的预兆。

董卓带兵入京，匆匆忙忙之间，只带了三千人马，他恐怕兵少力薄，不足以服众，就每隔个四五天，将一部分人马调出城外。到第二天清晨，再敲锣打鼓地返回营中，不明就里的人，还以为他有多少兵马呢。

自从掌握兵权，董卓的气焰一天比一天盛。有一天他对袁绍说："现在的少帝太过软弱，不配为君，陈留王年纪虽小，非常聪颖，我想立他为君，你看如何？"

袁绍说："不可以，不可以，君上年纪还小，又没有犯什么过错，为什么要废君？如此一来，天下一定也会不服的。"

董卓听了，勃然大怒："你小子胆子可真大，现在天下的事，谁敢不听我的？嘿嘿，莫非你以为我董卓的刀不利，对不对？"

袁绍也火了："你以为天下的势力，都在你姓董的混蛋手上吗？"说完，提着刀，骑上马，逃奔到冀州去了。

紧接着，董卓就提出了他的主张，文武百官个个大惊失色，也不敢作声，只有卢植站出来反对。董卓恶狠狠地瞪着卢植，拔起剑，猛烈地向卢植扑去，众人急忙向董卓劝说道："卢植是海内大儒，很有人望，你杀了他，会使天下不安的！"董卓才不甘心地把剑收回。

就这样，少帝被废，陈留王继任为帝。这个新立的小皇帝刘协，就是东汉最后，也是命运最为坎坷的汉献帝。然而，令人不可思议的是，他却是在群雄虎视之下，自有东汉以来，仅次于光武帝，在位时间最长的一位皇帝。光武帝扬眉吐气在位三十三年，献帝则是忍气吞声在位三十二年。最后，终为曹操的儿子曹丕所篡灭。

一代才女蔡文姬

　　《蔡伯喈被赵五娘的故事害惨了》的那篇故事中，曾介绍了旷世逸才蔡邕，现在再讲一个蔡邕的女儿——蔡琰（yǎn）的故事。

　　蔡琰字文姬，是蔡邕的独生女。由于蔡邕是个有名的经学家、辞赋家，擅长音律，家中又有四五千卷的藏书，文姬在父亲的熏陶之下，博学而多才，琴棋书画样样在行。

　　有一天，蔡邕夜间弹琴，忽然之间，琴弦"嗒"的一声绷断了。文姬在旁说："这是第二弦。"蔡邕说："你猜对了。"又继续弹下去。

　　弹了一半，蔡邕故意用手指弄断另一根弦。文姬笑笑说："这次断的是第四根弦。"蔡邕高兴极了，直夸文姬聪明。父女二人研究诗歌，共享音乐，日子过得很美。

　　文姬十七岁那年，嫁给河东地方的卫仲道，可惜卫仲道没有福气消受美人恩，新婚不久卫仲道因病去世，也没有留下一男半女，文姬只好回娘家，陪着父亲吟诗弹琴，倒也悠闲自在。

　　不久，董卓乱政专权天下，他想要收买天下，沽名钓誉，打听到主持完成熹平石经的蔡邕，是大众敬慕的读书人，准备召他为官。

　　蔡邕不愿意为老奸贼效命，托说身体有病。董卓生气了，对蔡邕说："我能用你这个人，我也能灭你蔡家的族。"

　　蔡邕没有办法，只好应诏入京。临走之前，蔡邕拍拍文姬的肩膀道：

"我实在不想去，可是命令不能违抗。到了洛阳以后，我虽然不能扭转情势，但至少要竭尽所能伸张正义，点亮每个人心中的一丝亮光。我走了，你要好好照顾自己。"说完，蔡邕低着头上路了。

不久，吕布把董卓杀了，董卓的部下带着匈奴兵打家劫舍。初平三年（192年），文姬不幸被匈奴兵掳（lǔ）去。同年四月，蔡邕因为董卓案的牵累，被王允杀死。可怜的文姬，还不知道这个消息。

到了兴平二年（195年），文姬被辗转带入南匈奴，被迫嫁给胡人，生了两个儿子。她听不懂胡人的话，吃不惯胡人的食物，住不惯胡人的帐篷，最叫她不能忍受的是，胡人不讲礼仪。而文姬自小家教谨严，知书达礼，所以她只有对着皑皑白雪，暗自垂泪。

蔡文姬，选自《吴友如画宝》。

之后，曹操夺到了天下大权，想起蔡邕有个女儿，千方百计打听出文姬在南匈奴，用重金将她赎回。

回到汉地以后，文姬又嫁给了同乡董祀。后来董祀犯了法，文姬到曹操那儿苦苦哀求，董祀才免于一死。文姬到此，真是历尽沧桑。

她把这股抑郁宣泄在《胡笳十八拍》以及《悲愤诗》中。在《悲愤诗》中，文姬从董卓作乱被掳入胡写起，一直写到还乡再嫁为止，条理严谨，将十二年间流

文姬归汉，南宋陈居中绘。

离转徙的生活，悲伤痛苦的心情，以及当时政治的紊乱，一起在诗里反映出来，成为一部最有社会性及历史性的作品。中间描写胡人对汉人的虐待，例如"马边悬男头，马后载妇女"，形容离开胡地，不忍与儿子别离，"儿前抱我颈，问母欲何之"（欲何之，就是"到哪儿去"的意思），以及回家后所看见的那种荒凉凄惨的景象和隐伏在心中沉痛的悲哀，写得深刻感人，是中国文学史上了不起的叙事诗。

文姬一生坎坷多难，可以说得上是纷乱的大时代之中，一个悲惨的牺牲者。所以说，"覆巢之下无完卵"。国家衰亡的话，管你是老，是少，是男，是女，都免不了厄运。

神医华佗

　　当我们生了病去看医生的时候，经常会发现医院的墙上，挂了许多"华佗再世"的匾额。这是病人痊愈后，为了感谢医生的仁心仁术，特别推崇他医术高明，可以媲（pì）美华佗的意思。今天，就要讲神医华佗的小故事：

　　华佗是东汉末年的读书人，当时天下大乱，加上灾疫流行，老百姓苦不堪言。华佗看到这种悲惨的情形，从小就抱定主意，做一个良医，为大众解除痛苦。

　　他刻苦好学，认真研究春秋战国的扁鹊和东汉张仲景所遗留下来的医书，并且加以创造，对内科、外科、妇科、小儿科、针灸都很在行，尤其擅长外科手术，可以算得上是中国外科医学的鼻祖。

　　远在汉代以前，人们已经发现若干药物具有麻醉的功效，华佗利用这些物质，配成"麻沸散"，用于摘除肿瘤、缝合肠胃的手术。他先叫病人用酒服下麻沸散，等到病人昏迷之后，开腔剖腹，把疾秽之处割掉、缝合，敷上药膏（gāo），过了四五天，伤口愈合，一个月之后，就完全康复了。

　　《三国演义》这部小说里，记载关公守襄阳的时候，右臂中了毒箭，华佗前来医治，他说最好是把手臂套在锁环中用绳子捆紧，再用棉被蒙住脑袋，然后开刀动手术。可是关公表示："用不着这样麻烦，我不怕痛。"于是，华佗动手操刀，割开皮肉，一直割到了骨头，发现骨头已被剧毒染成青色，便用刀刮毒，刮得窸窣（xī sū）有声，听起来相当恐怖！其实，开刀不用麻醉，不太可能，正史上也没有记载这一段，但是华佗能动手术，应该是没有疑问的。

有一天，华佗上街碰到一个人，咽喉阻塞吃不下任何食物，华佗建议他去买三两蒜，调上半碗醋喝下去。病人喝下以后，不一会儿，吐出一条大寄生虫来，病就不药而愈了。病人欢天喜地拿着寄生虫去见华佗，却见华佗家里的墙上挂了十几条同样的大虫。

又有一次，有个李将军来找华佗，说他妻子生产后病了，请华佗过去看看。

华佗诊断的结果是这个妇人受了伤，胎儿还未下来。李将军大为不悦："在你来之前，明

华佗，选自清皇家珍藏手抄善本绘图描金银《三国志演义》。

明胎儿已生下来了。"不但不相信华佗的说法，还把他赶出门外。

过了三个多月，这妇人的病愈来愈严重了，李将军只好再去找华佗，华佗也不计较李将军先前的无礼，立刻赶来，诊断的结果还是和上回一样，有个胎儿在里面，原来是双胞胎。因为第一个胎儿生下时，产妇失血过多，影响第二胎，经过扎针，服药，这个死胎儿才被取出。

有一个人，得了一种头晕的毛病，日子一久，不但头会晕，最后连头都抬不起来，眼睛也看不见了。这病一拖就是一两年，群医束手无策，后来，病人听说华佗的大名，赶快去找华佗求治。

华佗检查之后，命病人把身上的衣服脱光，双脚足踝（huái）绑上绳

子，头下脚上倒挂在屋梁下，头离地约一两寸。接着，用湿布擦拭全身，并且使倒挂的病人悬空旋转，过了一会儿，发现病人的经脉都呈现五色。

华佗叫几名徒弟用刀割开经脉，血立刻流出来，奇怪的是，血是五色的。等到五色血流完，流出鲜红的血时，华佗便把病人放下来，涂上止血药，再用药膏擦皮肤，又调配了药水给病人喝，过了几天，病人的怪病就痊愈了。

又有一个郡太守，长期重病，请华佗来医治。华佗诊视以后，表示药很贵，郡太守为了治好病，只得忍痛付了一大笔钱给华佗，没想到华佗收了钱并不开药，只在客房里呼呼大睡。

郡太守很不高兴，却也无可奈何。

第二天早上，佣人报告郡太守，华佗趁夜晚逃走了，郡太守急急赶到客房，只见房内空空如也，华佗早已不在了。

书桌上倒是留了一封信，原来是华佗写的。信中大骂郡太守，郡太守大怒，立刻派人去追杀华佗，结果，又找不到华佗。

郡太守自觉被华佗骗去巨款，又挨了臭骂，愈想愈气，一时之间，胸口翻腾，竟吐出几升黑血。

不料，这几升黑血吐出之后，精神大振，病竟然好了。过了几天，华佗登门拜访，把钱还给郡太守说："你的病是淤（yū）积的黑血造成的，

华佗五禽戏，佚名绘。

故意激怒你，就是要让你气得吐血，现在，你的病已经好了，我把钱还给你。"

　　曹操也是华佗的病人，据说他常患头风眩，华佗为曹操扎了一针，病就好了。因此，曹操很喜欢华佗。但是华佗不齿曹操为人，又急于返家为乡里服务，假托妻子病重告假。

　　曹操事后知道此事，大为震怒，下令赐死华佗。华佗临死之前，拿出一卷书交给狱吏，对他说："这本书可以救人的……"狱吏摇摇头，不敢接受。华佗只有叹口气，便把这本伟大的医学宝典给烧了，真是可惜！

　　华佗曾发明了一套可以延年益寿的妙法——"五禽戏"。那就是模仿虎的扑动前肢，鹿的伸转头颈，熊的伏倒站立，猿的脚尖纵跳，以及鸟的展翅飞翔等动作。他曾在许昌指导很多人做过这种体操，颇受欢迎。华佗的学生吴普，天天做五禽戏的体操，活到九十岁，还是耳聪目明，齿牙完整。

　　华佗距今有一千八百多年，他当时就有如此成就，足以证明，中国人的智慧绝对是一流的！

　　可惜华佗的医学没有传下来，否则，中国医术的成就就更大了。

董卓与吕布

奸雄董卓废掉少帝后，迎立了九岁的小皇帝——汉献帝。

这时候，各路人马纷纷起兵攻讨董卓，董卓决定劫持着汉献帝，把国都自洛阳迁移到长安去。

宫廷内没有一个人情愿迁都的，但是为董卓所迫，只好草草收拾行装。董卓又下了一道命令——不准挨延时日。一些富豪人家，仓促之间来不及安排，请求宽限几天，董卓正好利用这个机会，把富豪的财产吞没，并将他们斩首示众。

洛阳上百万的老百姓，含泪忍痛离开故乡，抛弃田园庐舍，带着些细软物件，扶老携幼地上路了，一路上人踩人踏死人，沿途又有小偷强盗趁火打劫，死伤不计其数。董卓自己留在洛阳毕圭（guī）苑中，一把火烧光了宫殿、官府、住宅，整整方圆两百里内，都成为断垣残壁的荒芜之地，连一只鸡、一条狗都找不着。他又命令亲信吕布，把以前皇帝贵族的坟刨开，收取墓中的珍珠宝贝纳入自己的荷包中。

残忍的董卓掳获一批山东兵后，拿了几十匹布，把山东兵一个一个用布缠紧，再用膏油淋在布上，然后在脚上点火焚（fén）身，那种哀嚎的哭声，真叫人耳不忍听。

董卓到了长安后，政事大半由大臣王允处理，王允非常忠心于汉室，但是表面不动声色，假意奉承董卓。

不过董卓最信任的人还是吕布，吕布擅长射箭骑马，臂力过人，武功高强，是董卓的贴身侍卫。董卓非常喜爱吕布，把他收为干儿子，然而董卓这个人性子太刚烈，有一次，吕布有件小事不合董卓的意，董卓抽出小戟（古代一种兵器，将戈与矛合一，可以直刺与横出）就朝吕布掷过去，幸亏吕布身手矫捷，一下就避开了，但他心里从此埋下了仇恨的种子。

后来，吕布偷偷和董卓宫内的一个婢女相好，他很害怕这件事被董卓知道，心里益发不安。（在《三国演义》这部小说中，描写王允利用养女貂蝉，制造董卓、吕布的不和，然而正史上没有这一段美人计，也没有貂蝉这个人。）

王允看出吕布对董卓的不满，意图拉拢吕布为内应，找个机会杀掉董卓，因为董卓时时害怕被暗杀，走到哪儿都有严密的保护，一般人是绝对近不了他身的。

吕布考虑了半晌说："这不太好吧，我们是父子。"

"什么父子？你姓吕，他姓董。"王允又接着说，"你念及父子之情，那

凤仪亭，清代年画。据《三国演义》：王允有义女貂蝉，美貌异常，王允将貂蝉分别许给董卓与吕布，最后献于董卓，却命貂蝉与吕布欢好。一日，吕布与貂蝉在凤仪亭相会，董卓撞见，大怒，用戟掷吕布。

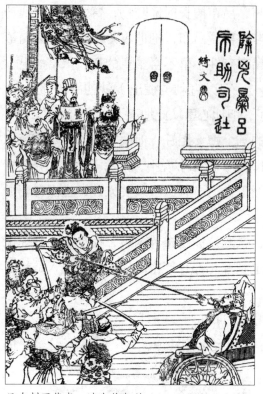

吕布刺死董卓，清朱芝轩绘。

董卓用小戟刺你的时候，他怎么不考虑父子之情？"

吕布被王允说得心动了。献帝初平三年（192年）四月，恶贯满盈的董卓自未央殿走出，他内穿防身铁甲，外罩上朝官服，大摇大摆，一步一步地走出来，骑上马，两旁兵士夹道，层层护卫，吕布骑着赤兔马紧跟在后头。

走到水掖门时，董卓的马忽然停止，昂首长嘶，郡骑都尉李肃自马旁冲出来，拿着戟往董卓胸前搠（shuò）去，董卓身穿革甲，因此刺不进去，手臂上却被划了一刀，跌倒在车上，董卓大叫："吕布，吕布，快来啊!"

吕布在后严厉地说："朝廷有诏书，要杀老奸贼!"

"你，你这笨狗也做这种事？"董卓话还没说完，吕布的戟已刺入董卓的咽喉。在旁的官兵都大呼："万岁，万岁!"老百姓听到董卓已死的大好消息，在长安街上歌舞狂欢，比过新年还热闹。此时，天气转热，董卓本是大胖子，脂肪淌流出来，守尸的人在董卓肚脐里插了一根灯芯点起来，竟然光亮如昼，一连烧了好几天。

由于董卓之乱，地方上许多英雄好汉起兵讨董，后来演变成为三国鼎立的局面，汉朝此时已名存实亡。

曹操从小奸诈

我们骂某人很阴险，常常会说他"像曹操一样"。以下是这个大奸雄未发迹以前的几个小故事。

曹操字孟德，小名叫阿瞒，他小的时候非常机警，喜欢飞鹰走狗，任侠放荡，游手好闲。

曹操的叔父很讨厌他这种德行，时常在曹操的父亲曹嵩耳边数说："你这个宝贝儿子，要好好管教管教！"曹嵩听了，便把曹操喊来教训一顿。曹操挨了揍，对叔父深为不满。

有一天，曹操在路上碰见了叔父，立刻仆身倒地，脸色发青，直翻眼珠，嘴里不断地吐着白沫儿。他叔父吓得问："怎么了？怎么了？"曹操回答："我中风了！"

一听中风，非同小可，曹操的叔父赶紧去跟曹嵩说，等曹嵩赶来一看，曹操好好地站在那儿，曹嵩着急地问："你中风了，现在好一些没有？"

"哎，孩儿哪有中风，只是叔父不疼我，故意说我中风。"曹操委委屈屈地告诉了父亲，曹嵩看曹操没有一点儿不舒服的样子，信以为真。

从此以后，叔父每次好心跑来告诉曹嵩，说曹操的种种败德坏行，曹嵩都当做没有听见，曹操为自己的诡计得逞，得意得要命。

曹操长大以后，博览群籍，特别爱好兵法，能文能武。当时有个人叫许子将，很会看相。曹操跑去问许子将："你看看我怎么样？"

曹操,选自清皇家珍藏手抄善本绘图描金银《三国志演义》。

许子将只是微微笑着,默不作声,曹操很愤怒:"好就是好,不好就是不好,你赶快说啊。"许子将被曹操逼急了,只好回答:"你啊,在天下太平时是个能臣,在世局动荡时是个奸雄。"曹操听了也不生气,哈哈大笑,推了许子将一把说:"你真算准了!"

以后,"黄巾"起事,曹操被任命为骑都尉,因讨伐颍(yǐng)川义兵有功,又升为济南相,不久,又改为东都太守。

这个时候,大将军何进与袁绍密谋杀光宦官,写信给各地将领派兵相助,也写了信给曹操。

曹操看到了信,哑声失笑道:"宦官是古来便有的,如果皇帝不交给他们权力,他们有什么本事可以为非作歹,所以要杀,杀掉宦官首领就可以了,何必劳师动众。我看,袁绍、何进是非败不可。"因此曹操按兵不动。

果然,曹操的眼光独到,袁绍杀光了宫中没有胡子的男子后,大权被董卓夺去,董卓废掉了少帝,迎立了献帝,京都洛阳大乱。董卓任命曹操做骁(xiāo)骑校尉,准备与他共谋大计。曹操看准董卓必败无疑,不愿与董卓共事,董卓下令逮捕曹操,曹操赶紧连夜化装改名换姓逃离洛阳。

走了三天三夜,到了成皋地方,曹操想起来他父亲有个朋友吕伯奢住在这儿,决定在吕家住一宿。

吕伯奢见到曹操,非常高兴,客气万分,他请曹操用过茶后,又留曹操在家吃晚饭，然后就独自出去了。

曹操生性多疑，他心中暗想："吕伯奢也不是我的至亲，他会不会去通风报信了。"于是，曹操偷偷走到草堂后，忽然听到沙沙磨刀的声音，心里大吃一惊。

"咱们把它绑起来宰了吧！"曹操听到有两人在后堂说话，他想，这下不会错了。吕伯奢的家人一定在设计害他，于是，曹操拔剑直入后堂，一口气杀光了吕伯奢家中大大小小八个人。杀完了人以后，到厨房一看，一头大猪拴在那儿，原来曹操误会了吕伯奢，人家杀猪待客，一片好心却落得全家被灭口的下场。

曹操逃出了吕家，远远看见吕伯奢骑着马过来，手上提着又是酒又是菜，才知道吕伯奢不是去报告官府，而是去买酒菜。曹操唯恐他回来看见尸首，不由分说地把吕伯奢砍成了两半，然后逃之夭夭。

一口气误杀九个人，曹操也不后悔，他说："宁可我对不起别人，不能让别人对不起我。"这是曹操最受后世批评的地方——阴险狡诈。

兵变·人质·汉献帝

东汉末年，吕布杀掉老奸贼董卓后，大权就由发动政变的王允控制着。政变成功后，吕布劝王允把董卓剩下的残余部队杀光，以免留下祸患，王允不答应。董卓的部下请求赦免，王允回答："今年已经大赦过了。"迟迟不肯再发大赦令。

究竟王允心里怎么打算，谁也不知道。再加上政变之后，谣言四起，老百姓纷纷猜测董卓的凉州兵难逃一死。于是，董卓的部将个个不安。

其中有一个叫李傕（jué）的，率先发动闪电兵变，攻进了长安城，见人就杀，城里哭声震天，乱成一团。李傕等在墙下高呼："交出王允！""我们要为董卓报仇！"

王允没有办法，只得步下城门，想到街上去安抚乱兵。不料他刚走到城门口，就被乱兵所杀。由于他缺乏果断力，不但自己赔上了性命，连累百姓遭到残杀，也害得汉献帝落入贪暴的李傕手中。

李傕等人本是土匪，没有治理政事的能力，更糟糕的是从兴平元年（194年）的四月到七月，整整三个月，没有下一滴雨，旱灾加上缺粮，最后落到人吃人的悲惨地步。将领们彼此争权，互相战斗，李傕挟持着献帝当人质，烧宫殿，劫官舍，闹得一塌糊涂。

由于李傕没法子服众，他便用"下毒"的方式除去有野心的同僚。

有一次，李傕在会议上杀掉樊稠，又邀请郭汜（sì）赴宴，郭汜回到家，腹痛如绞，郭汜的太太道："糟了，一定是中了毒，赶快，赶快拿粪汁来灌。"灌得郭汜吐了一地，气得带兵去找李傕算账，两人就在长安城中厮杀起来。

李傕、郭汜大交兵，选自清刊本《三国演义》。

此时，献帝左右的宫人饿得直不起腰来，献帝只好向李傕索要五斗白米、五副牛骨给下人充饥，李傕粗里粗气地说："这个时候哪有白米？"派人搬来五副腐烂的牛骨，那牛骨臭得要命，献帝捏着鼻子要发脾气，看看李傕凶狠的模样，不敢吭声，只有把眼泪往肚子里吞。

后来，李傕认为扣留着献帝没多大作用，不如放献帝回洛阳。献帝正满怀欣喜离开虎口，李傕马上后悔了，觉得挟持着天子能增加自己的威望，又派大军来追。

献帝危在旦夕，有人建议："渡过黄河，到河东去避难吧！"可是，河岸有十多丈高，无法下去登船。情急之下，国舅伏德拿着一匹白绢，叫人背着献帝，用绢兜着，慢慢地自岸上放下去。

许多侍从连滚带爬也掉进了河里，都想爬进船只，因为怕船超载，献帝的侍卫拿刀猛挥。许多正扒着船沿准备翻进船身的侍从，手指都被剁掉了，一时之间，河中漂浮着无数的手指头，悲惨极了。

献帝一行，千辛万苦到了河东，河东太守差人送点食物来，这才暂时歇一口气。献帝为了答谢他的美意，封河东太守为侯爵，当然这只是一个空头衔。

听说皇帝驾到，许多土匪盗贼争先恐后前来求官，献帝不能不答应，

问题是官有官印，在匆忙之间，却又来不及刻印，于是临时找了许多石头，用锥子刻了一些官名应付过去。一时之间，厨师、走卒也都成了官儿。

因为找不到像样的房舍，献帝住在一间由篱笆围起来的破房子里面，连扇大门都没有，就在院中的空地上举行上朝仪式。朝会的时候，士兵们围坐在篱笆前面，你推我挤，嘻嘻哈哈，不时有人被推倒，又惹得一场大笑，丝毫没有庄严肃穆的气氛。

献帝在河东地方待了两年，直到建安元年（196 年）二月，才由河内太守张杨派人迎接回到洛阳。

献帝进入洛阳一看：宫室都被烧得差不多了，街屋全毁，一片瓦砾，洛阳只剩下几百户人家。他走进一间尚书郎的房舍，赫然发现墙壁间"咚"地跌出一具尸体，原来尚书郎是被活活饿死的！真是"覆巢之下无完卵"。

献帝在洛阳的生活十分困苦，皇宫残破，宫内野草长得比人还高，到了夜晚，有狼和狐狸出没，真是鬼哭狼嚎，恐怖极了。然而，这只是心理上的压力，更严重的是没有食物。洛阳被董卓放火焚烧，简直成了废墟，人烟稀少，没有粮食生产，各地的地方官又不把税收的粮食送来，所以献帝和随从的官吏们每天都面临断粮的恐惧。

面对这种困境，献帝只有一个办法——发诏书给各地的刺史（刺史是东汉末年最高的地方行政长官），要各地刺史赶快到洛阳来援救。

可惜献帝已经是一个没有权威的皇帝，献帝的诏书送到各地，刺史们都不加以理会，也不肯派人送粮食到洛阳。他们已经割据一方，希望汉朝皇帝早一点死掉，后继无人，汉朝便自然结束，他们就可以据地称王了。

不过，汉献帝左盼右盼总算没有绝望，还是有一队救兵来了，那就是兖州刺史曹操。

还记得被董卓捉拿，连夜逃出长安的曹操吗？如今他统治了兖州，驻兵许昌。接到献帝的诏书，曹操立刻领兵到洛阳，曹操以洛阳残破无法建都为名，把汉献帝挟持到了许昌，自封为武平侯，从此曹操挟天子以令诸侯，好不威风！

刘备怒打督邮

　　三国中大家最熟悉的人物应该是：刘备、关羽、张飞等。

　　刘备，字玄德，是汉景帝中山靖王的后裔（yì），因为父亲去世得早，家道中落，跟着母亲靠贩卖草席过活。

　　刘备家的房舍东南角长了一棵桑树，有五丈多高，远远望去，树顶像个车盖，非常阴凉。刘备小时候，经常和小朋友在树下玩耍嬉戏。由于他很有领导才能，每次玩游戏，大家总推选他带头。

　　有一回游戏时，刘备仰着头指着桑树说："哼，我将来长大以后，要当天子，乘这种有车盖的大车。"他的叔父在旁听见了，连忙呵斥道："小孩子不要乱讲话，说这种话可是要杀头的。"

　　刘备不太喜欢念书，爱好狗、马、音乐，也喜欢把自己打扮得漂漂亮亮的，衣着光鲜，引人注目。他个儿很高，有七尺五寸，手长得特别长，直到膝盖；耳朵很大，直垂到

蜀主刘备，唐阎立本绘。

肩，一转头便能看到自个儿的耳垂；沉默寡言，不喜欢多说话，喜怒不形于色，脸上没有什么表情。他为人讲义气，够朋友，最爱结交英雄豪杰。

汉灵帝末年，"黄巾"起事，各州郡招募义兵平乱。刘备的家乡张贴榜示，招募义军，刘备也加入了这支队伍，因而结识了关羽、张飞。

关羽，字云长，传说他髯（rán）长二尺，脸色如枣，丹凤眼，卧蚕眉，相貌堂堂，威风凛凛。因为地方上土豪欺压善良，他看不过去，一怒之下把土豪给杀了，所以只有逃离家乡，亡命天涯，正好遇上机会，投效军旅。

至于张飞，原本是个杀猪的屠夫，长得豹头环眼，燕颔（hàn）虎须，声若巨雷，势如奔马。他也想破贼安民，为地方尽一分力。

他们三人志趣相投，一见如故，马上成为最要好的朋友，简直比亲兄弟还要亲密。这时，刚好碰到自中山地方来的两个大商人，一个叫张世平，

关羽、张飞，选自清皇家珍藏手抄善本绘图描金银《三国志演义》。

一个叫苏双，他们每年都赶着一批马到北方去售卖，如今碰到"黄巾"起事，不得已只好折回。

这两个商人深深了解国家不太平，人民无法安居乐业的道理。遇到了刘、关、张，对他们想为国效力的志愿非常嘉许，他们慷慨地赠送了刘、关、张五十匹良马、五百两金银以壮声势。

不久，"黄巾"来犯，这些披头散发，以黄巾包头的人拍马舞刀地来犯涿（zhuō）郡，刘备率领的一支军队，士气旺盛，立刻将"黄巾"驱出境外。因为刘备有军功，朝廷派他担任安喜县尉。

由于灵帝宠信太监，有十个宦官擅权乱政，号称"十常侍之乱"，十常侍用"卖官"的方式索取红包，因此没有送红包的官员都受到排挤。果然朝廷下了一道命令：凡是因为军功而做官的，一律淘汰。

刘备在安喜当了一个月的县尉，勤政爱民。这时，突然听到朝廷这项命令，心中忐忑不安，担心自己也在淘汰之列。不久，督邮（地方监察官）因事到县城里来，刘备求见督邮，督邮托病不肯见，刘备气得牙痒痒的，关羽、张飞都性烈如火，当然更是气不过。

刘备冲了进去，一把揪住了督邮的脑袋，乱打乱捶，直打得督邮灵魂出窍，喘息着说："你，你……你怎么可以打我，我正奉了命令要免你的职，你小子竟敢动手，该当何罪？"

"很好，我也正奉了朝廷的命令要捉拿你这个贪官污吏。"接着，刘备不由分说把督邮拖了出去，用柳条当绳索，把督邮给绑了起来。并且拿起柳条就开始猛抽督邮，一连打断了好几根柳树枝。

督邮吓得浑身发抖，哀声讨饶。

刘备打了一阵，气消了大半，拍拍手道："好吧，饶你一条狗命。"于是，刘备把安喜县尉的印绶往督邮的脖子上一挂说："这印绶拜托你交还。"说罢扬长而去。

刘备出了一口气，但自知打了督邮，长官必要追究，于是他开始了亡命生涯。

诸葛孔明"隆中对"

　　刘备把督邮结结实实地揍了一顿，将印绶往督邮脖子上一挂后开始亡命天涯。他曾奔往公孙瓒处，做了平原相。建安六年（201年）公孙瓒被曹操打败后，刘备再投奔荆州刺史刘表，寄居新野。

　　刘备在新野一晃便过了六年，壮志难伸，非常不如意。有一天，刘备去上厕所，回到座位上时，满面泪痕，刘表惊讶地问道："咦，你怎么啦？"

　　"哎，我生平不离鞍马，一向筋骨强壮，如今腿上的肥肉已松松垮垮的，老喽！老喽！"刘备有说不出的垂头丧气。（这便是成语"髀（bì）肉复生"的出处，形容很久不骑鞍马，长出许多赘肉。）

　　刘表安慰他道："贤弟快不要这么说。还记得在许昌的时候，你与曹操煮酒论英雄，曹操曾说过，现在天下当得上英雄二字的只有你们两人，你难道忘了吗？"

　　其实，刘备哪里会忘了呢？只是年过四十七，一无所成，不免有惆怅失意之感。在内心深处，他还是想大展宏图，轰轰烈烈为国家做一番事业的。因此明察暗访，到处探听贤人。

　　有一天刘备碰到一位襄阳名士司马徽，人称水鉴先生，博学多才。他告诉刘备，当地有两位奇才，号称"伏龙凤雏"。所谓"伏龙"，指的是诸葛孔明，所谓"凤雏"呢，指的是庞士元。

　　后来，刘备又遇到一位贤人徐元直，刘备很欣赏他。徐元直却谦虚地说："我的学问，比起诸葛孔明，差得太远太远了。"

一连听到两个不轻易夸人的贤者夸奖孔明，这让刘备心动不已，连忙请求徐元直帮忙介绍，徐元直正色地说："孔明先生怎么可能来找你，要请，得你自己去请才行。"

这孔明先生便是历史上受人敬仰的诸葛亮，孔明是他的字。他当时不过二十来岁，年少英俊，有学问，有抱负，更想为天下百姓谋福利，可惜没有机会出来做事。他买了几亩薄田，盖了一间草庐，隐居在隆中这个地方，耕田读书，倒也悠闲自在。

对于从政的荣华富贵，孔明是一点儿也不羡慕。然而看到国家衰亡，百姓流离，孔明心中有说不出的难过。他常常席地而坐，抱着膝盖大谈理想及抱负，自比管仲、乐毅。旁人都笑孔明狂妄自大，目中无人，孔明只是笑笑，懒得辩白。

刘备准备了几样厚礼去拜访孔明，一连去了两回都扑了个空。第三次要出发的时候，张飞不高兴了，他说："我看，今日不用大哥去了，我只要一条麻绳就可以把这个烦人的村夫绑来。"

"胡说，不可无礼。"刘备斥责着张飞，依旧恭恭敬敬地去拜见孔明。

他们一行人到了草庐，这一回，运气不错，孔明在家。然而应门的小童说："对不起，先生在睡午觉。"

"什么，在睡午觉？"张飞一听，火大极了，"这家伙如此傲慢，待我到草堂后放一把火，看他起来不起来？"张飞的吼叫立刻被刘备阻止，张飞没办法，只有耐心地等。

孔明这个午觉睡得真长，足足睡了一个时辰。他并非有意怠（dài）慢来客，只是想试一试刘备的诚意。中国自古有一个优良的传统，那便是"礼贤下士"，对有学问的读书人一定要尊敬他，绝对不可吆来喝去的。

等了半天，孔明终于出来了，他身长八尺，面如冠玉。因为满腹诗书，气质好，风度佳，有神仙之概。刘备一见便为孔明的风采所吸引，深深下拜道："现在汉室倾危，小人当道，我不自量力，有心为国效力，请问先生有何计策？"

孔明道："自从董卓造反以来，天下豪杰并起。曹操力量比不上袁绍，竟能打败袁绍，不但是天时之故，更因为曹操善用计谋。现在曹操已有百万大军，而且挟持着汉献帝，力量无与伦比，你不要在这时与他争风头。孙权据有的江东，地势好，人民又拥戴他，你也不要想夺他的地盘。至于你现在暂住的荆州之地，北据汉沔（miǎn），东连吴会，西通巴蜀，这正是天下英雄的必争之地，但是它的主人刘表才能不够，不能安守，这是上天用来资助将军你的啊！不知道将军你有意于此吗？"

这番话说得刘备的眼睛都亮了，似乎看到一线生机。孔明又继续说："至于在蜀的刘璋，太过软弱，在汉中的张鲁不知体恤百姓，将军你既是汉室后裔，声望又很高，求才若渴，如果你能占有荆（湖北）、益（四川）二州，安抚四周夷人，和孙权结好，等待时机成熟，那老百姓还有不备好酒菜欢迎将军的吗？果真如此，则霸业可成，汉室可兴。"

三顾茅庐，现代年画，私人藏。

诸葛孔明的这一番话，把天下大势分析得头头是道，并且为刘备指出了未来发展的几个步骤：

首先是设法夺取荆州，再夺取益州，以荆州和益州作为基地，进而攻取汉中，安抚四周的外夷，和东吴的孙权联合结盟，共同对抗北方的曹操，等到时机成熟，北伐中原，完成统一大业。

刘备对诸葛亮的分析，不但佩服得五体投地，而且好像黑暗中出现了一盏明灯，使自己有了目标，不再像没头苍蝇般乱闯，所以刘备常说："我得到孔明，仿佛鱼得到水。"

诸葛孔明对刘备所说的一番话，历史上称之为"隆中对"。此后，刘备事业的发展就是依照"隆中对"提出的步骤去做的。

祢衡击鼓骂曹操

　　大家都听过孔融让梨的故事，这一回，还要说一个与孔融有关的故事：话说曹操挟持着汉献帝，威震天下，朝廷里文武百官无不唯命是从，只有一个人不肯向曹操屈服，这个人就是孔融。

　　曹操当时礼聘孔融为官，他的目的是想博得一个"敬重读书人"的美名。不料孔融入朝以后，处处与曹操为难，使得曹操大为不悦。

　　孔融对待朋友热情而诚恳，他的好友蔡邕（蔡伯喈）被王允杀死以后，孔融日夜思念不已。一次，偶然发现有位卫士长得与蔡邕一般无二，他每次宴会都邀请这位卫士加入，向人称道"虽无老成人，且有典型在"。

　　孔融最反对在背后道人长短，他看到朋友有过错，总是当面指正"你这样做很不对……"绝不乱给人戴高帽子。看到朋友做了好事，孔融比自己做了好事还要兴奋。虽然孔融的做法才是真正的"够朋友"，但是一般庸俗的人却不能接受孔融的做法。他们喜欢听恭维的话，讨厌别人的批评。因此孔融的好朋友不多，但都是真正的知己，并且和孔融一样博学多才，嫉恶如仇。

　　在孔融四十岁的时候，认识了一个二十四岁的青年人祢（mí）衡。祢衡聪明绝顶，文章好，口才佳，孔融很爱他的才华，特别把他推荐给曹操。

　　祢衡向来看不起曹操，自称有"狂病"，不肯前往。祢衡在外面常常说一些看不起曹操的话，这些话传到曹操的耳朵里，曹操气不过，想杀掉祢衡，又怕遭天下人非议，不敢动手。

后来，曹操听说祢衡善于击鼓，于是曹操大宴宾客，在筵席上命祢衡为鼓吏，击鼓为大家助兴，好来羞辱祢衡。

原来的鼓吏对祢衡说："按照规矩，击鼓之前要先换上黄色的紧身衣服，表示尊敬。"

祢衡听了，眼皮也不抬。穿着旧衣，拿起鼓槌便唱起了《渔阳三挝 (zhuā)》，他唱得苍凉悲壮，客人们听了都痛哭流涕。唱着，唱着，他走到了曹操跟前。

左右的人都叫道："鼓吏怎可不换上击鼓时应当穿的衣服？"

祢衡大声地叫："好！"一边动手把自己身上的衣服一件一件脱下来，脱得一丝不挂站在众人面前，宾客们吓得纷纷用衣袖遮面。

"庙堂之上，何故无礼？"曹操叱责道。

祢衡冷笑道："欺君罔 (wǎng) 上才叫无礼，我不过表现我的清白之身罢了！"说着，眼光往曹操身上上下这么一扫，有说不出的轻视。

曹操气昏了："你清白，那么谁污浊?"

祢衡击鼓骂曹，清末年画。

祢衡正气凛然道："你不识贤愚，是眼睛污浊；你不读诗书，是嘴巴污浊；你不接纳忠言，是耳朵污浊；你不通古今，是身体污浊；至于你一心一意想篡汉，嘿嘿，是你心地污浊！"

祢衡的话一字一句像枪炮般直射人心，曹操仿佛被毒蛇咬了一口，全身痉挛（jìng luán）。因为曹操妄想篡汉的野心，虽然人人皆知，却还没有任何人敢公然批评曹操的。

曹操很想把无礼的祢衡杀掉，考虑了半天，回过头来对孔融说："杀掉祢衡这混账小子，对我来说，比杀一只麻雀、一只老鼠还要简单。但此人在社会上还有一些名气，杀他对我不利，我把他送给刘表算了！"

于是，祢衡便到了刘表所在地——荆州。

祢衡出发的那一天，许多文人雅士相约在许昌的城南路旁安排酒菜，为祢衡送行。

但是，这些人深知祢衡的脾气，他常常目中无人，不给人面子，他们很怕祢衡会做出什么令人难堪的事。他们等了又等，发现祢衡还没有来。有人说："祢衡迟到，等一会儿他来了，我们每个人都坐着，别站起来，杀一杀他的傲气。"

不久，祢衡来了，众人都故意不站起来，祢衡望望大家，坐下来，开始嚎啕大哭，大家被祢衡的举动吓了一大跳，问祢衡怎么一回事，祢衡说："坐着的是坟墓，躺着的是尸体，我处在坟墓与尸体之间，怎能不悲伤痛哭呢？"

众人被祢衡一说，心里十分懊恼，可是，对这位名士也真是无可奈何。

曹操本想羞辱祢衡，却反被祢衡羞辱了一番，心中懊恼不已，于是把这股怨气都发在孔融身上，编了一套罪名把孔融处死，为了斩草除根，他下令把孔融全家都斩首。

孔融有两个小孩，哥哥九岁，妹妹七岁，寄居在友人家里，有一天，兄妹俩正在下棋，也被曹操的手下杀掉了。

重义气的张飞与赵子龙

自从曹操杀了孔融以后，朝廷里没有人敢和他意见相左。曹操便在献帝建安十三年（208年），大举南征荆州，渴望实现他统一天下的野心。

荆州地势险要，是兵家必争之地，当时据有荆州的刘表，没有积极的进取心，只知按兵不动。曹操的军队七月出发，八月间刘表因病暴卒，刘表的部下拥立刘表的儿子——刘琮（cóng）为领袖。

九月间，曹操的十万大军浩浩荡荡抵达了荆州边境，荆州的军民慌成一团。刘琮召开紧急军事会议，将领们一致认为，敌我强弱悬殊，只有投降。

刘琮立刻竖起了白旗，便宜了曹操大军，使得他们不费一兵一卒，轻松地开进了荆州。

直到曹操大军迫近，寄居在荆州的刘备才得到这个坏消息，匆匆忙忙领着自己的部队逃亡。

由于曹操以前在徐州杀了不少百姓，手段残酷，而刘备以仁爱著名，荆州的人民都哭泣着说："我们就是死，也愿意跟着您死。"于是众人扶老携幼，将男带女，哭哭啼啼随着刘备渡过汉水。

刘备带领着十多万军民，数千辆车，逃难的人群中有挑担的，有背包袱的，队伍行进得非常缓慢。

路过襄阳时，刘备跪在刘表的墓前，哭哭啼啼地哀号："弟无德无才，辜负了您的期望，这全是我刘备的过错，和老百姓无关，但愿您在天英灵，拯救荆州可怜的人民。"在旁的军民也一起嚎啕大哭。

这时，传来军报，曹操大军已到了樊城。将领们苦劝刘备："您带着几万难民，拖拖拉拉，一天只能走十几里，曹操的军队马上要到了，先暂时抛弃百姓为上。"

刘备长长叹了一口气："老百姓相信我，归附我，我怎么忍心丢弃他们？"百姓们听了，无不感动得哽咽流涕。

曹操到了襄阳，听说刘备已经逃了，急忙亲自率领精兵五千，一天一夜行了三百余里，赶上了刘备。

当时正是秋末冬初，凉风刺骨，只听得西北方喊声惊天动地而来，转眼间，曹操追杀而至，刘备全无招架之力，完全溃败，十多万的军民，几乎都成了俘虏。

刘备的妻儿被乱军冲散，刘备与诸葛亮等抄小路逃亡，张飞在后压阵，经过长坂溪，曹操的军队追上了，只见张飞倒竖虎须，圆睁环眼，手拿着蛇矛，骑在马上大吼："我是燕人张翼德（张飞字翼德），哪个敢与我决一死战？"

张飞的声音特大，听来恐怖万分。又见桥东似隐隐约约有人头攒（cuán）动。曹操生性多疑，迟迟不敢前进。

"来啊，我张翼德在此，哪个敢放马过来？"曹操见张飞胸有成竹，心中有些害怕。

张飞立于当阳桥头，独挡曹兵，选自《马骀画宝》。

长坂坡赵子龙怀抱阿斗，冲出曹兵重围，清末年画。

张飞发现曹操大军有后退的趋向，故意把矛一挥，睁目怒喝："战又不战，退又不退，什么意思？"话没说完，曹操大军已吓得肝胆碎裂，往西逃奔。

靠着张飞的勇猛，刘备得以逃脱，直到喊声逐渐消失，刘备才松了口气，清点人马。一看之下，赵子龙不见了。

此时，有个小兵身上插了数箭，踉（liàng）踉跄（qiàng）跄地赶来，口中道："赵子龙投奔曹操去了！"

"胡说，子龙是我的好朋友，他不会的！"刘备叱责道。

小兵又说："怎么不会，他见我们穷途末路，也许投奔曹操，求取荣华富贵去了！"

刘备还是不相信，他坚定地说："子龙与我共患难，心如铁石，绝非富贵所能动摇。"

正说话间，只见赵子龙怀抱着刘备的幼子——阿斗，身上的袍衣染透了血渍，一拐一拐地走到刘备面前，刘备的夫人也被赵子龙救出。刘备扶着赵子龙，忍不住流下感激的泪来。

张飞与赵子龙倘若改投曹操，准有享不尽的荣华富贵，在现代人现实的眼光看来，那才是"划算"，才"不吃亏"，但人的行为常受观念的影响，中国古人提倡"义"而贬低"利"。一旦要从"义"与"利"中选择时，宁可取"义"而舍"利"，所以"见义忘利"被公认为美德，"见利忘义"被公认为罪恶，这是我们中国人最了不起的精神。

孔明的激将法

　　刘备自从被曹操打得落花流水之后，退到了夏口。此时，在江东地方的孙权，听说荆州的刘表去世，特派大将鲁肃前去吊丧，恰好与刘备等相遇。

　　鲁肃对刘备说："现在曹操的大军马上就要南下，孙权将军拥有江东六郡，兵精粮足，你不妨派人结好孙权，共图大业。"

　　联合孙权抗拒曹操，正是诸葛亮的计谋，于是诸葛亮跟着鲁肃到了东吴。

　　两人上岸时，鲁肃扯着诸葛亮的袖子道："待会儿见了孙将军，你可不能老老实实地告诉他曹操兵多将广，免得他害怕。"

　　诸葛亮抱一抱拳道："谢谢提醒。"

　　鲁肃把诸葛亮接到馆驿安歇以后，就去找孙权。他到了堂上一看，大家正议论纷纷，原来，曹操的挑战书刚到，书中说："我最近南征，刘琮不战而降，现在我准备了八十万大军，想与将军会一会。"

　　挑战书的口气相当狂妄，孙权看了，非常生气。朝廷大臣都很紧张，其中一个长史张昭说："曹操是豺狼，现在汉献帝在曹操手里，他最近又新得了荆州，我们哪里是曹操的对手呢？不如投降算了。"

　　"对，对，对。"大伙儿七嘴八舌地都赞成投降，只有鲁肃紧闭着嘴不说话。

　　第二天，诸葛亮去见孙权之时，鲁肃又再三叮咛："大家都怕曹操，你千万不要说曹操厉害。"

到了朝廷，东吴的文武大臣都已端坐在那儿了，他们早猜到诸葛亮是来当说客的，心里头很反感，不约而同以刘备最近吃了一个败仗为借口，用尖刻的话讽刺诸葛亮。

诸葛亮也不生气，不卑不亢地把话顶了回去，口若悬河，对答如流。他一面说话，一面看孙权，见孙权生得堂堂威武，心中暗暗在想："此人相貌非常，只能用激将法。"

当孙权问起曹操的兵力时，诸葛亮毫不掩饰，一五一十地回答："海内大乱，将军起兵江东，刘备起兵汉南，与曹操共争天下。如今曹操已平定中原，南破荆州，威震四海，将军若认为可以与曹操抗衡，就与曹操绝交，否则不如早日投降，免得大祸临头。"

"照你这么一说，那刘备为什么不投降曹操？"孙权眉毛一挑，颇为不悦。

诸葛亮立刻正色道："人各有志，田横不过齐国一壮士，还能守义不屈。何况刘备是皇室后裔，英才盖世，人所仰慕，人民对他，仿佛大水之归海，他怎么可以和你一样随便投降？"

诸葛亮，明朱瞻基绘。

这番话把孙权气得直跳脚，大声地说："哼，我孙权哪里会投降，但若要抵抗曹操，非和刘备合作不可，不知刘备还有多少兵力？"

　　诸葛亮说："关羽的水师不下万人，曹操的军队远来旅途劳累，加上北方人不习惯打水战，只要精诚团结，我们可以打胜这一仗。"

　　孙权听了，颇为心动，急着去找周瑜商量。

　　周瑜是孙权的爱将，年少英俊，风流倜傥，而且对音乐很在行，每次宴会，他只要听到音乐奏错了，一定频频回头，因此当时的人说："曲有误，周郎顾。"顾就是回头看，以后听歌的人们称之为"顾曲"。"顾曲周郎"的成语就是这么来的。

　　东吴有一对出色的姊妹花——大乔、小乔。大乔嫁给孙权的哥哥孙策，小乔嫁给周瑜，风流才子配上绝色佳人，这段英雄美人的故事是后代文学家最喜欢引用的题材之一。

　　周瑜的看法与诸葛亮相同，他很有把握地说："曹操是来送死的。"

　　孙权一听，信心大增，拔出佩刀，"咔"的一声，把案几砍成两段："谁敢再说投降曹操的混账话，有如此案！"

　　在东吴的一片投降声中，诸葛亮竟能扭转情势，这是他富于机智、善于利用孙权心理的结果。

精彩激烈的赤壁之战

曹操自从向孙权下了挑战书，立即率领大批舰队，浩浩荡荡顺江而下，与周瑜的水师相遇于赤壁（湖北嘉鱼县境）。

他的军队和周瑜的兵舰一交锋便吃了一个小败仗，原来北方的军士不习惯坐船，一路上潮起潮落，波涛翻滚，被颠簸得呕吐不已，站都站不稳，哪儿有力气打仗呢？

为了"治疗"军士们的"晕船病"，曹操想了一个办法，他将大船、小船搭配起来，首尾以铁环相连，上面铺着宽木板，不但可以走人，连马都可以在甲板上昂首阔步，再大的风浪也不怕了。

曹操看到军威大盛，得意得哈哈大笑。这天晚上，月色皎洁，明亮如昼，曹操率领着文武百官在甲板上饮酒作乐，喝得酩酊（mǐng dǐng）大醉，他走到船边，斟满了酒，洒入江中，昂头道："我破黄巾、灭袁术、收袁绍，也没辜负堂堂大丈夫的志向！"

忽然，一只乌鹊从岸上惊起，绕着树转了几圈，"啪啪啪"向南飞去，曹操触景生情，叹了一口气道："我作一首歌，你们和着唱。"

歌词是："对酒当歌，人生几何？譬如朝露，去日苦多……"形容人生的富贵如朝露般短暂，不如及时行乐。这首《短歌行》气魄雄伟，是魏晋浪漫文学代表作之一。曹操虽是个阴险的大枭雄，他的文才却也是历史上公认的。

曹操横槊赋诗，选自《马骀画宝》。

周瑜的军队在南岸，远远看到曹操"示威"的军容，内心十分忧虑。周瑜手下的大将黄盖建议道："如今敌众我寡，难以久战。曹操的军队首尾相连，正好可以用火攻。"

"对，这是条妙计！"周瑜不禁大声叫好。接着周瑜、黄盖又交头接耳，商量了一个诈降的办法。

黄盖派了一个密使，偷渡到北岸，说自己想投降曹操并且献上粮草车仗，表示效忠。

曹操原是个多疑的人，但是此番前来攻打孙权，曹操有十足的把握，又风闻孙权的部将早已吓得屁滚尿流，只是周瑜等少数几个人自不量力，硬要以鸡蛋碰石头，这样看来，军中发生兵变，黄盖转投曹操，当然不是没有可能。

在建安十三年（208年）的冬天，西北风刮得冷冽刺骨，却正巧有一天东南风大作，波涛汹涌，曹操看着江水，有如万道金蛇，翻波戏浪，黄盖的船正快速地飞驶过来，曹操笑嘻嘻地说："黄盖正好来降，真是老天爷帮忙。"

正当曹操拍手欢呼、鼓掌叫好之时，突然，黄盖率领的二十艘战斗舰，转眼之间，成了火船。原来，黄盖的船装满了干燥的稻草，遇火即燃，像是一只只火船。黄盖一招手，这二十艘火船趁着东南风，如箭般冲入西北方曹军的舰队之中。

曹军将士们挤满了兵舰甲板，准备欢迎黄盖来降，忽然看到这个情景，都惊愕（è）地问："怎么一回事？"

顷刻之间，船中大乱，黄盖的火船撞上了曹军兵舰，使曹军兵舰也烧起来了，烈焰漫天。又因为曹操的船都被铁环紧紧锁住，无处分散逃躲，只见江面上，火逐风飞一片通红，曹军军营中不断传来惨叫声、马嘶声，船上几十万甲兵完全溃败，刘备与周瑜又率精锐部队追赶而来。

曹操率领着一些残兵败将，绕路从华容道逃命，偏偏道路泥泞不堪，加上大雨倾盆，湿透了衣甲，曹操便命老弱残兵用草填

周瑜火攻，曹操仓皇下船避难，选自清刊本《三国演义》。

路，然后骑马踏过，可怜的老弱残兵，被马践踏，溺死在泥中的不计其数。

赤壁之战，曹军大败，威势受挫，曹操不敢再南下，这奠定了日后曹操、孙权、刘备三分天下的局面。这是历史上有名的一场大战役，也可见得，只要善于利用天时、地利、人和，以少胜多是绝对有可能的。

（各位读者或许会发现，我们平常所熟知的"周瑜打黄盖的苦肉计""草船借箭""孔明借东风""华容道上曹操、关羽相见"等情节，吴姐姐都没有写，因为这些在正史上都没有记载。当然野史上记载的、《三国演义》所描绘的不是完全没有可能，不过这些都太玄奇了，为使各位读者有一个正确的历史观念，不得不略去。）

周瑜绝对不小气

读过一点儿三国故事的人大概都知道周瑜气量很小，他容不下孔明，最后竟然活活被气死，临死之前还仰天长叹："既生瑜，何生亮？"连叫数声而亡。埋怨老天爷既然生下了聪明绝顶的周瑜，就不该再来个比周瑜还要聪明的诸葛亮。

其实呢，周瑜不但不小气，而且气度宽宏，甚且可以与蔺相如媲美哩！那些酸溜溜的话都是小说家编造的。

周瑜字公瑾，英俊潇洒，风流倜傥，文武全才，口才锋利，又娶了江南第一美人小乔；英雄美人相得益彰，东吴的人都以周瑜为荣，称他为"周郎"。后世的大文学家苏东坡赞美周瑜为"千古风流人物"。

赤壁之战后，周瑜的名声如日中天。曹操虽然惨败，却败得非常服气，对周瑜的才气钦佩不已，特派最能说善道的蒋干来劝降周瑜。

周瑜听说蒋干来了，连忙出营帐欢迎："辛苦，辛苦，你远涉江湖而来，是来为曹操当说客的吧，哈哈！"

接着周瑜笑嘻嘻地挽着蒋干到处走一走，巡仓库，看珍玩，摆上最丰盛的酒菜款待他。然后，在席上，周瑜认真地说："大丈夫立身处世，遇到知己之主，结下君臣之义，骨肉之恩，就该有福同享，有难同当，就是苏秦、张仪复生，也不能动摇我的意志。"

蒋干知道周瑜意志坚定，说了也是白说，就识趣地闭上嘴。两人饮酒作乐，直到夜深人静，蒋干回去，禀报曹操道："周郎的雅量，哪里是言辞所能打动的？"

当时，孙权、刘备联手打败曹操后不久，孙权就派刘备为荆州牧，使刘备、周瑜分头管理荆州。

孙权为了表示友好，特别把亲妹妹嫁给刘备，结为姻亲。

刘备很高兴，欢天喜地和孙夫人拜过天地。到了晚上，刘备满腔兴奋走入洞房，竟发现昏黄的灯光下排满了刀枪。仔细一看，乖乖，两旁侍婢个个佩剑悬刀，新郎官这一吓非同小可，就差没有当场昏倒过去。

原来孙夫人自幼习武，性情刚烈，颇有乃兄之风，她手下

周瑜，选自清皇家珍藏手抄善本绘图描金银《三国志演义》。

的"娘子军"也都身手不弱，使得刘备每入内室，看到那刀枪森列的气象，都心惊肉跳。这种"政治婚姻"真是痛苦。

刘备虽名为荆州牧，但不能领有全部荆州之地，这使他很受压迫，想以"妹夫"的身份去向孙权多要一些土地。诸葛亮告诉刘备，去京口找孙权不但无用，而且危险，但是刘备不听，硬是要去闯闯看。

刘备去找孙权理论了许久，谈不出结果。此时，孙权接到周瑜的一封密报，信上说："刘备是个危险人物，他手下又有关羽、张飞等大将，都不是肯长久屈就的人。你该把刘备留在吴国，为他筑宫室，找美女，瓦解他的壮志。否则，此三人得到土地，等于蛟龙得到云雨，会惹来无穷的麻烦。"

刘备东吴招亲，清代上海年画。

孙权当时认为，在合力抗曹操时，内部不能再火并，还是放刘备回去了。刘备日后知道这个密报，吓出了一身冷汗。

周瑜又建议，在曹操力量还未恢复时，发兵西上。孙权也很赞成，没有想到周瑜在西行之时，忽然一病不起，在建安十五年（210年）去世（距赤壁之战不过两年），死时才三十六岁。倘若不是周瑜早死，三国的局势又会不同。

《三国演义》为了加强戏剧上的效果，把周瑜描写得小气不堪，其实绝无此事。只是他与诸葛亮各为其主罢了。

例如东吴有个老臣程普，自以为年高德劭，看到周瑜年纪轻轻的相当有作为，心中有些酸味儿，每遇周瑜总不忘讽刺几句，挖苦一番。周瑜也不跟程普计较，始终对程普非常恭敬。久而久之，程普被感动了，他说："与周公瑾交朋友，如同饮美酒，不知不觉便醉了。"

周瑜少年得志还能有如此谦让的风度令人钦佩，因此他死后，东吴的人都伤心痛哭。尤其是孙权流着泪说："你短命而死，我以后依赖谁呢？"在正史上，周瑜与诸葛亮并没有什么过节，周瑜更不是一位小气鬼。

诸葛亮的小故事

在中国历史上，诸葛亮是光芒万丈的伟人，他集优秀的政治家、军略家、外交家于一身，学问、道德、文章都首屈一指，他的一生足以代表中国人不屈不挠的奋斗精神。

我国民间自古都很崇拜诸葛亮，甚且为他盖了庙，然而一般人看多了戏剧，一想起诸葛亮，总以为他是不分寒暑穿着八卦袍，手中摇着鹅毛扇的"半神仙"：他能呼风唤雨借东风，会制造自动的木牛流马，口袋中一掏就是锦囊妙计，可以活活气死周瑜，也能骂死王朗。这都是受了《三国演义》的影响。

真正的诸葛亮虽然足智多谋，可没有如此玄妙，而且如果以为诸葛亮代表神机妙算，实在大大抹杀了他的可贵之处。诸葛亮有学问、有办法、有理想，是一个标准的古代中国知识分子，这才是诸葛亮了不起的地方啊！

刘备三访诸葛亮请他出山时，诸葛亮只有二十六七岁。刘备对诸葛亮非常器重，天天向他虚心求教，食则同桌，寝则同榻。关羽、张飞愈看眼睛愈冒火。

关羽、张飞都是沙场猛将，论年龄比诸葛亮大上一截，论学问，关羽曾读《左传》，张飞写得一手好字，难怪他们不服气一个年轻小伙子后来居上。然而没有多久，关羽、张飞就对诸葛亮佩服得不得了。

诸葛亮不但有学问，而且能活学活用，分析问题头头是道，布置作战攻势，别有一套，最重要的是诸葛亮有原则、有道德。

刘表的长子刘琦（qí）也很器重诸葛亮，刘表受了后妻的影响，比较偏爱小儿子刘琮。刘琦三番两次地来找诸葛亮，请他帮忙代定计策，诸葛亮总是搪（táng）塞过去。

一天晚上，刘琦请诸葛亮来到了后花园，共同登上了小阁楼，然后命令仆役把楼梯搬走。

刘琦拍拍手道："好了，现在上不着天、下不接地，你的话直接进入我的耳中，你可以放心地说了吧。"

诸葛亮不愿干预旁人的家务事，只淡淡地说："以前申生留在国内被骊（lí）姬害死，公子重耳出奔外国反而安全。"申生、重耳都是被后母迫害的例子。刘琦一听，顿然领悟，早早离开襄阳去当江夏太守，保住了一条命。

诸葛亮生得一表人才，风度翩翩，他娶的妻子黄氏，传说中却是个黄头发、黑脸孔的丑妇人。黄氏知书达礼，学问很好，因此不管旁人怎么评论，他们夫妻始终很恩爱，这也是诸葛亮的过人之处。

他的哥哥诸葛瑾在孙权的手下做事，孙权想通过诸葛瑾拉拢诸葛亮，诸葛亮与诸葛瑾却天各一方，在公事上远远保持距离，私下却有浓厚的骨肉感情，这也是一般人难以做到的。从这些小事，我们可以看出诸葛亮为人正直忠厚。

刘备一方在三国之中是最弱小的，完全靠了诸葛亮的苦心经营，才能够联络孙权，打赢赤壁之战，据有巴蜀地方，使刘备能在建安二十四年（219年）登位汉中王。

以后，关羽战败而死，刘备痛失爱将，立志为关羽报仇，大举攻吴，诸葛亮怎么也劝不住刘备。刘备果然败了，败得非常惨。

回师之后，刘备一病不起，临死前，他把诸葛亮叫到床前，拍着他的肩膀，哀伤地说："我何等有幸能得到你的辅佐，建立了帝业，可惜没听你的话！"

"希望陛下保重身体，为百姓谋福。"诸葛亮的喉头也仿佛被堵住，哽咽得说不出话。

刘备一手擦眼泪，一手拉着诸葛亮的手："你的才能超出曹丕十倍，一定能安定国家，建立伟业，我的笨儿子阿斗如果还能辅佐，就麻烦你教导；倘若实在不成材，你不如自己当成都王。"

诸葛亮一听跳了起来，手足失措，遍体流汗，在床前叩头说："臣将尽力辅佐幼主直到我断气那一刻。"直把头磕得迸出鲜血。

刘备白帝城托孤，选自清刊本《三国演义》。

刘备留了一个遗诏给后主阿斗："你要好好听丞相的话，把他当成你的父亲。"不久，刘备去世，享年六十三岁。

孟获服气了

自从刘备去世后，诸葛亮忍住悲痛，更加努力建设蜀国，想以此来报答刘备对他的知遇之恩。

朝廷中的大小事件诸葛亮都亲自处理，经常到了三更半夜，他还在挑灯批阅那堆积如山的公文。

主簿杨颙（yóng）看诸葛亮太辛苦了，频频劝他道："治理国家要层层负责，不要把每件事都扛在自己的肩膀上，例如以前西汉的宰相丙吉走在街上，看到路旁有民众互殴打死了人，他不加理睬；看到一头牛吐着舌头喘气，却立刻很着急地问：'这头牛走了多少里路，怎么喘得这般厉害？'旁人很诧异丙吉关心耕牛不关心百姓，丙吉解释道：'人民打架自有长安县令处理，现在天气还不太热，牛喘成这个样子，我唯恐气候失调有碍农作物生长。'人们这才赞扬丙吉懂得事情的轻重。如今您天天校阅簿书，汗流终日，岂不太辛苦了？"

诸葛亮当然也晓得丙吉的故事，只是蜀国人才缺乏，国事艰难，不得不辛劳些。当然他还是很感谢杨颙，后来杨颙去世，诸葛亮整整哭了三天。

诸葛亮虽然善良仁厚，执法却相当严厉，信赏必罚。有人不以为然，提出汉高祖刘邦的例子，汉高祖入兵关中，与人民约法三章，使人民大为拥戴。诸葛亮摇摇头："那是因为人民受秦朝苛政太久了，今天，我们的国家必须厉行法治才有希望，才能壮大。"

果然，本来是人心消沉、懒惰的蜀地（今四川）在诸葛亮大刀阔斧的整顿下完全变了，变为物产富饶、人民彬彬有礼的天府之国。诸葛亮最反对赦免罪犯，收买人心，他说："对人民要有大恩德，不必施以小恩惠，我的心像秤一般公平，不能为任何人倒向一边。"

蜀国的四邻云南、西康、贵州一带住了许多蛮人，时常作乱，其中有个叫孟获的首领最为强悍，他到处造谣："官府要你们缴纳贡品，要缴三百条黑狗，这些黑狗必须胸部以上全黑，要三千根断木，每根不能短于三丈。"事实上，当地产的断木根本就没有三丈高的。于是，蛮人对这些要求很反感，纷纷造反。

诸葛亮倒不惊慌，略施小计，就把孟获擒来，问道："我今天捉了你，你服不服气？"

"山野荒僻，道路狭窄，误被官兵捉到，这如何服？"孟获忿忿不平地埋怨个不休。

诸葛亮微笑地看着孟获："既然不服，我放你回去好不好？"

孟获没有料到诸葛亮会放他走，大喜过望，立刻回答说："你放我回

诸葛亮七擒孟获，清代年画。

去，我去准备兵马，咱们再战一场，一决雌雄！"

"好！"诸葛亮爽快地答应，命令人给孟获松绑，请孟获舒舒服服吃一顿大餐，再差人把他好好地送了回去。

孟获回到番地，在部下面前编了一套谎话，说自己如何英勇逃出重围，部下都拍手欢呼："大王真了得。"然而没多久，孟获又被诸葛亮给逮着了。

这一回，诸葛亮请孟获参观营阵，孟获不屑地说："以前我不知虚实才运气不佳，今天看了营阵，原来不过如此，我若有机会，不把你们打得惨败才怪哩。"

诸葛亮没说什么，笑嘻嘻地依旧把孟获放了。如此这般，捉了又放，放了再捉，一直到第七次，诸葛亮正准备再放孟获走，这一回孟获不走了，他跪在地上，噙着眼泪道："丞相天威，我不走了。"

"服不服？"诸葛亮仍是那般和蔼。

"我子子孙孙世世代代都感念您的恩德，怎会不服？"

诸葛亮又教导孟获，使他成为有用的人才，并且把以前所夺的土地，全部还给当地人，也不派兵镇压，使当地人感念不已。

诸葛亮不滥用宽容

诸葛亮率军平服南蛮孟获以后，积极整军经武。虽然蜀国在魏、蜀、吴三国中最弱，他仍不顾一切地奋斗，想要统一天下，报答刘备对他的知遇之恩。

黄初七年（226年），魏文帝曹丕去世，明帝曹叡（ruì）即位，国势不稳，诸葛亮认为良机不可失，毅然决定北伐。

出师之前，诸葛亮上书蜀后主刘禅（阿斗），苦口婆心劝后主要自信，要振作，要亲近贤臣，远离小人。而且

诸葛亮向蜀主刘禅上《出师表》，选自清刊本《三国演义》。

他一再表示，绝对尽心尽力为国家效命。诸葛亮的这一篇奏章被后人称为《出师表》。

这篇《出师表》，没有用什么形容词，然而字字血泪，使人看了不知不觉泪珠滚滚而下，确是千古流传的好文章。因此古人说"读《出师表》不哭的人，就是不忠"。

此次北伐，蜀、魏双方都排出了最佳阵容，诸葛亮派遣的是他的好友——蜀中大将马谡（sù）。

马谡有才干，有气度，喜欢谈论军事，和诸葛亮的交情很好，两人经常一谈就是一个晚上。诸葛亮攻打孟获前，马谡建议："用兵之道，攻心为上，攻城为下；心战为上，兵战为下。"后来，诸葛亮果然用七擒七纵之法把孟获整得心服口服，死心塌地，马谡功不可没。

此次北伐魏国，诸葛亮本来已有万全的部署。谁知道马谡自以为才高一等，不听诸葛亮的调度，把军队驻扎在山上。

大将王平劝马谡："不行啊，我们不可以舍水上山，这样会惹出麻烦的。"

马谡固执得很，根本不理，结果被魏军围困在山上，切断了水道，士兵们没有水喝，只有投降。而所有已经归降的郡县，又纷纷叛变。

诸葛亮挥泪斩马谡，选自清刊本《三国演义》。

　　诸葛亮非常生气，把马谡逮捕下狱。这时，诸葛亮想起刘备生前常说："马谡这个人言过其实，不可以重用。"这是有道理的。

　　许多将领为马谡说情，马谡却自知非死不可，他在监狱里写了一封信给诸葛亮："明公（指诸葛亮）待我像儿子，我看明公有如父亲，但愿我们的交情仍在，我就是死了，在黄泉路上都感激您。"

　　马谡出殡时，十万多民众痛哭流涕，诸葛亮亲临主祭，哭得比谁都伤心、都难过。他还为马谡照料遗孤，办理后事，凡是做得到的，无不尽心去做。

　　此时，大将蒋琬见诸葛亮哭得两眼通红，很不以为然地说："天下还没有安定，倒先把功臣杀掉了，这算什么？为什么不宽容些？"

　　"唉，"诸葛亮悄悄揩去眼泪道，"正因为天下未定，四海分裂，如果随便宽容，不理会法令，拿什么维系人心？"

　　诸葛亮不但处罚了马谡，而且坚持要处罚自己，上书请求贬职三等。

　　在旁人看来，诸葛亮连性命都不顾，日日夜夜为国家操劳，马谡不听命令，这是马谡的错，与诸葛亮有什么关系？

　　但是，诸葛亮认为，马谡是他的下属，他有责任。后主刘禅拗不过诸葛亮，把他降为右将军。将士们都为诸葛亮的守法精神所感动，个个奋勉，不久，蜀国又士气大振。

　　由于诸葛亮赏罚公平，所以许多被他治罪的人，非但不怨恨，反而心存感激。

　　一个国家一定要上上下下有法治精神，才能保持社会的安定。法律并不是口袋里的皮球，高兴用的时候玩两下，不高兴的时候可以把它收回袋子里摆着。

鞠躬尽瘁，死而后已

从魏明帝太和二年（228 年）到太和五年（231 年），诸葛亮曾经四次北伐，在人力、物力缺乏，粮运不继的情况下，又刚好碰到厉害的劲敌：魏国大将司马懿（yì）。

当诸葛亮屯驻在阳平时，他派了大将魏延率兵南下押运粮草，这个消息不知怎么走漏了，司马懿趁着蜀军空虚，引了十五万大军蜂拥而来，准备一举消灭诸葛亮的军队。

"糟了，魏军来了，司马懿率大军来了！"

一天之中，收到了十几次飞马传来的消息，大家都吓得惊慌失措。此时诸葛亮身旁没有一员大将，只有一些文武官员，加上两千五百名士兵，眼看着就要完蛋。

诸葛亮登上城门，远远望见沙石滚滚、尘土冲天，魏兵分左右两路冲杀而来。他立刻传令把所有旌旗藏好，敢妄出城门、高声言语的，立刻斩首示众。

然后把城门大开，命令二十个兵士打扮成百姓模样，拿着扫把扫马路。

司马懿率领着大军到了城门下，见此光景吓了一跳，收住缰绳，不敢贸然闯入。他骑着马看这二十多名士兵，个个低头洒扫，好像没看见自己似的，一言不发，透着让人害怕的神秘。

"嗯，其中有诈，想诸葛亮平生谨慎，不会冒这个险，我别上他的当。"

司马懿愈想愈感到背脊发凉，一声令下，左右两路兵都快马加鞭地撤退。

等到退远了，再一打听，诸葛亮确实只有两千五百名士兵守在城中，根本没有什么埋伏，司马懿懊恼万分。诸葛亮靠着过人的机警免去了一场大灾难。

诸葛亮在建兴九年（231年）撤兵后，中间经过了三年的

空城计，选自《戏剧图册》。

休养，到建兴十二年（234年）再次率大军北伐。这一次，他先用一种自己发明的木牛流马（木牛流马，是木头制的简单运输工具，有四只脚，头插在颈子里面，还有一个舌头的机关）搬运粮食，以免再因粮运不继被迫撤退。

诸葛亮进驻五丈原之后，不断地向司马懿挑战，司马懿则引兵渡过渭水，无论诸葛亮如何挑衅（xìn），总是闭门不出坚决不理。诸葛亮心里也急，因为蜀军远道而来，利于速战速决，拖延战术，会使蜀国兵粮不继。

于是，诸葛亮派人拿了女人穿的大红大绿的衣裙和书信去羞辱司马懿，意思是说："你这个人胆小怕事，算不上英雄好汉，只配穿女人的衣裤。"

魏国的将领知道诸葛亮大大羞辱了司马懿，怒气冲天，都纷纷要求出战雪耻，司马懿被闹得没有办法，只好上表请示魏明帝。魏明帝派了老臣

司马懿,选自清皇家珍藏手抄善本绘图描金银《三国志演义》。

拿着天子的节杖到了战地,坐在营门外面把守着,谁要不服命令就砍谁的脑袋。

诸葛亮听说这件事,笑着摇摇头:"哎,这分明是司马懿不肯出战,故意上表以维系军心,俗话说得好,将在外,君命有所不受,哪里有上表请示的道理?"

由于几次北伐都败在粮运上面,诸葛亮此次特别拨了一部分士兵下乡耕田,蜀军在诸葛亮的教导下,纪律异常严整,军民相处有如一家人,诸葛亮十分欣慰。另一方面,司马懿怎么也不肯应战,干耗在那儿拖着,诸葛亮心中不免焦虑。

有一次,司马懿派人打听诸葛亮的近况,那人回报道:"诸葛亮起得早,睡得晚,事必躬亲,凡打二十大板以上的责罚,都要亲自处决,而所食不过数升。"

司马懿道:"食少事烦,岂能久乎?"这句话是讲,诸葛亮吃得少,事情又烦,恐怕活不久了。果然,不久,诸葛亮旧病复发,卧倒在床,一代伟人与世长辞,享年不过五十四岁。

蜀国军队听从诸葛亮临死前最后一道命令，密不发丧。

司马懿听说诸葛亮已死，大喜过望，发动大军前来攻击，没想到蜀军反而摇旗呐喊，高声迎战，司马懿又赶紧退兵，一边道："嗯，诸葛亮老谋深算，想用假死骗我出兵，我偏不出兵，不上他的当！"

等到蜀军从容撤回秦岭，全军才戴孝为诸葛亮办丧事，老百姓编了一首歌谣"死诸葛吓走生仲达"，仲达是司马懿的字，司马懿不好意思地干笑着说："我只能料他生，怎能够

功盖三分国名
成八阵图
江流石不转
遗恨失吞吴
诸葛亮

诸葛亮，选自清皇家珍藏手抄善本绘图描金银《三国志演义》。

料他死？"蜀兵退走后，司马懿察看诸葛亮生前的营垒布置，跷起大拇指说："真是天下奇才啊！"

"鞠躬尽瘁，死而后已。"这是诸葛亮《出师表》中的名言，也是他一生的写照，他直到咽下最后一口气前，仍在为国奋斗，他代表的正是中国人不屈不挠的奋斗精神。

关云长义薄云天

关公，名羽，字云长，河东解县人，力气大，武功强。因为地方上土豪劣绅仗势欺人，关羽路见不平，拔刀相助，不小心把人给捅死了，只有逃难江湖。刚好刘备为了对抗"黄巾"，招兵买马，关羽前来应募，成为刘备手下的一员大将。

汉献帝建安五年（200年），曹操东征，刘备投奔袁绍，关羽在一场战役之中被曹操逮着了。

此时的曹操声势如日中天，连汉献帝都在他的掌握之中，他很欣赏关羽的本事及不畏艰险的勇气，就在上朝的时候把关羽推荐给汉献帝。

献帝既然是曹操的傀儡，曹操说关羽好，他也就下诏任命关羽为"偏将军"。

接着曹操摆下了豪华酒席，请来谋臣武士当陪客，把关羽捧上了天，还送来大批的绫罗绸缎、金银器皿。

从此以后，曹操三天一次小宴，五天一次大宴，又挑选了十名美女送上门去，把关羽伺候得无微不至，唯恐有一点小地方疏忽得罪了他。

但是，不论曹操如何笑脸待客，关羽总是闷闷不乐；曹操差人送来好东西，关羽恭敬地说声"谢谢"，却没有兴趣打开来看。

曹操沉不住气了，派了张辽去探测关羽的心意："曹公待你不够好吗？你留在这儿为曹公效劳，日后有享不尽的荣华富贵，刘备算什么？又何必念念不忘?"

"哎,我知道曹公对我的厚爱,但我受刘备将军的大恩,生死与共,绝对不背叛他,我在这儿不会长久的,等到我有机会报答曹公的恩惠之后,立刻离开。"关羽说得斩钉截铁。

不久,袁绍派了大将颜良来攻曹操,关羽奋然跳上马鞍,直冲颜良阵地。颜良措手不及,被关羽手起一刀,斩于马下,关羽利落地割了颜良的脑袋,拴在马颈之上,然后飞也似的冲进了河北军中,如入无人之境,赢得漂亮干脆。

曹操心里有数,关羽是留不住了。因此特别重加赏赐,企图多挽留他一段日子。关羽依旧不改初衷,潇潇洒洒地跳上了马扬长而去,留下了让人眼睛冒火儿的金银财宝。

"糟了,关羽逃了,快追啊!"

曹操的手下急得前来报告:"不追回来对我们不利。"个个气急败坏地喊着。

"不必追了。"曹操挥挥手,心中暗暗钦佩关羽的义气。

以后,关羽回到刘备军中,立下了不少汗

关羽擒将图,明商喜绘。图中关公当中而坐,左下角执青龙偃月刀者为周仓,右上角是关羽义子关平。

马功劳。他因为曾经被流矢击中，后来虽然创伤愈合，但每到阴雨季节，骨头时常隐隐酸痛。

名医华佗说："这是矢镞（zú）有毒，直透入骨，如不早点医治，此条手臂就没有用了！"

关羽面不改色伸出手臂，华佗取了尖刀割开皮肉，用刀刮骨，刮得窸窸窣窣有声，旁边的人都吓得不敢看，关羽仍旧饮酒吃肉，谈笑下棋，脸上没有一点痛苦的表情。不久血流了满满一盆，华佗敷上药，缝好线，关公站起来大笑，继续饮酒作乐。

这段记载虽嫌夸大，却也表现了关羽的勇敢，但关羽为人过于高傲，不善权谋，当他守荆州时，鲁肃三番两次想为吴国和蜀国拉线互结盟好，关羽总是不理不睬。

不久，孙权派人向关羽提亲，想娶关羽的女儿当媳妇，关羽不答应也就算了，他竟然怒眼圆睁，推开桌子大骂道："我的女儿是虎女，怎么可以配犬子？"把使者轰出门外。孙权碰了一鼻子的灰，气得要命，从此吴蜀关系破裂，也坏了诸葛亮想联吴制魏（曹操）的大计。

以后，关羽被吴国的大将吕蒙打败并遇害。纵观关羽的一生，他并没有建立什么赫赫伟业，为什么中国人如此崇拜关公，处处建有关帝庙呢？因为关公固守原则，忠心耿耿，不为利诱，"富贵不能淫"，代表中国人的重义气。

华歆从小受不住诱惑

赤壁之战曹操大败，这一战打破了曹操统一天下的计划，决定了魏（曹操）、蜀（刘备）、吴（孙权）鼎足三分的形势，使国家陷入长期的分裂。

现在我们再掉转头看看被曹操挟持的汉献帝。可怜的汉献帝虽然名为天子，其实过得比囚犯还不如，宫廷内外全是曹操的鹰犬。有一回，汉献帝不过和议郎赵彦多说了几句话，没多久，赵彦就不明不白丢了性命。

汉献帝知道刘备是个忠义之士，偷偷地写了一封秘密的诏书，夹藏在衣带之中，托人带出宫廷交给老臣董承，叫董承转交给刘备，请刘备除掉曹操。

刘备没有力量击败曹操，这件事却不幸被曹操知道了，气得杀掉了董承。董承的女儿嫁给了献帝当贵人，董贵人当时怀了孕，大着肚子，虽献帝苦苦哀求，董贵人依旧免不了一死。

献帝的皇后伏皇后看了胆战心惊，却也没有办法。伏皇后曾经把曹操杀人的残暴经过，详详细细写了一封信给她的父亲伏完，请伏完"找个机会去掉曹操以解救女儿及女婿的苦难"。

伏完是个小心谨慎的人，一直到他死，丝毫不动声色。却不知怎么搞的，在伏完去世之后五年（献帝建安十九年，即214年），事情却泄漏了出来。

曹操大发雷霆，带着副使华歆（xīn）就往宫里闯。

伏皇后吓得匆匆躲入墙壁的夹室中，华歆找不着人，大喝："把墙壁给我拆了！"

兵士们把墙推倒以后，华歆大步地走进去，扯着伏皇后的头发拖其出来。

伏皇后连鞋也没穿，哭哭啼啼地被揪出来，肿着比桃子还红的眼睛问献帝："不能救我一命吗？"

献帝和伏皇后是患难夫妻，感情特别深厚，身为皇帝，却保不了妻子，他哽咽地说："我自己的命也不知在哪里。"又回头对着身旁的人道，"想不到天下竟有这种事。"

伏皇后被华歆从夹室中揪出，与汉献帝死别，选自清刊本《三国演义》。

可怜的伏皇后就这样一命归天，然后，曹操硬把他的二女儿——曹节嫁给献帝当皇后，以便牢牢控制他。

这个捕杀皇后的华歆，是个有名气的读书人，被曹操延揽之后，因为臭味相投，很快就成为曹操的心腹。

华歆素有文名，他小时候与邴原、管宁是好朋友，都以才气纵横出名，当时人称他们三人为"一条龙"：华歆为龙头，邴原为龙腹，管宁为龙尾。

相传有一天，管宁与华歆两个人在园子里种菜。

忽然之间，土里冒出黄澄澄的亮光，再锄下去，竟然是一大块黄金。

管宁照旧挥舞着锄头，似乎根本没有看见这地底掘出来的财富。

华歆忍不住把黄金拾起来，拍去上面的尘土，看了又看，摸了又摸，一副爱不释手的模样。但又碍着管宁在旁边看着，不好意思让人家见到自己"见钱眼开"的丑态，只好怏（yàng）怏地又把黄金放下。

又有一回，管宁和华歆一同在看书，忽然窗外传来敲锣打鼓的声音，原来是有贵人经过，许多人都挤到外头去看热闹。

管宁全心全意看书，眼皮也没抬。

华歆开始的时候还假装不理，勉强用功，又过了一会儿，外头的声音愈来愈大，他再也受不了诱惑，把书一扔，飞也似的跑了出去，好好地看了个够，等到贵人走了，华歆回来看书，还满脑子都是车马喧哗，羡慕得要命。

华歆这一切，管宁看在眼里，相当不以为然，最后管宁拿出刀子把席子分为两半，义正词严地说："对不起，你不是我的朋友。"两人正式绝交了。

以后，管宁一直有为有守，是个受人敬重的读书人。华歆呢，先投靠袁术，后又做了曹操的走狗，得到了他追求的荣华富贵，却也为天下人所不齿。

中国人有一句话"三岁看到大"，意思是说小时候是什么样子，长大了也差不多。管宁、华歆就是最好的例子。

刮目相看吴下阿蒙

中国许多成语的背后都有一段历史故事，如果我们知道这个典故与出处，不但对成语本身有更进一步的认识，而且运用起来会更得心应手。以下要讲的就是三国时流传下来的一个相当有名的成语。

吕蒙字子明，汝南人，自小依靠姐夫邓当，邓当是孙权的哥哥孙策手下的一员大将，经常讨伐山越贼寇。

在吕蒙十五岁的时候，有一回，他趁着别人没有注意，偷偷混进军队中去打盗贼，邓当发现了吕蒙，着急得大叫："哎呀，你怎么跟来了，赶快回家去，这儿危险。"

吕蒙不答应，邓当拿他没办法，只好依他。回去后，邓当立刻向吕蒙的母亲告了一状。母亲本来要责罚他，但吕蒙理直气壮地说："不入虎穴，焉得虎子。"母亲也就算了。

倒是邓当身旁的一个职员讽刺道："小孩子能做什么？去了还不是喂老虎。"过几天，吕蒙碰到这位职员，职员又以同样的话讽刺吕蒙，吕蒙气得拔出刀就杀掉了职员，然后向孙策自首。

孙策却很欣赏这个鲁莽的小子，留吕蒙在身边。吕蒙凭着一身好武功，立下了许多辉煌的战绩，最后做到了偏将军，领浔（xún）阳令。

这时孙策已死，吴国由孙权领导。孙权有一天对吕蒙说："你现在身当重任，不可以没有学问。"

吕蒙尴尬地搓着手："嘿嘿，在军队里兵务繁忙，哪儿有时间看书呢？"说着低下头。

孙权正色地说："我不是要你研究经史当饱学之士，但你总要多读点书才会有进步。孔子曾经说过，一个人整天不吃饭，不睡觉，光在那儿空想，是想不出什么道理来的，不如多看点书增进智慧；汉光武帝在兵荒马乱时，不也仍旧手不释卷吗？"

吕蒙听了孙权的一番话，面红耳赤，从此以后，抓住一点儿时间就埋头读书，果然大有心得。

周瑜死后，鲁肃代替了周瑜的位置；本来他和吴国

吕蒙，选自清皇家珍藏手抄善本绘图描金银《三国志演义》。

大多数的人一样瞧不起吕蒙，认为吕蒙除了会打仗以外，是个胸无点墨的大草包。然而一日鲁肃经过浔阳和吕蒙谈起国事，发现吕蒙说得头头是道，见解不凡。

鲁肃拍着吕蒙的肩道："老弟啊！我本来以为你只会武功，没想到现在学识渊博，不是以前的吴下阿蒙了。"

吕蒙高兴得哈哈大笑："士别三日，刮目相看，你怎么现在才看出来？"这句话相沿至今，形容不可以用旧时的眼光看待别人。

多读了一些书后，吕蒙考虑问题日渐审慎周密，不再只凭意气用事了。

他探勘长江下游的地理位置，发现要抗拒曹操，应该在两岸建坞（wù），用来掩护陆上的兵马，水中的舟舰。许多将士都反对："咱们上岸去击贼，洗洗脚又回到船上，干什么建坞？"

"不然，不然。"吕蒙解释道，"兵家胜败无常，如此，进可攻，退可守。"孙权采纳了吕蒙的建议，果然筑成了一道坚固的国防线，使曹操军队无法南攻。

以后，吕蒙屡建奇功，成为吴国旗下一名智勇双全的大将军。

在建安二十四年（219年），孙权以吕蒙为大都督攻打江陵，吕蒙派精兵打扮成商人模样，三三五五化整为零，乘坐小舟浮江而上，一举攻克了江陵，且下令不准骚扰百姓，为生病的百姓提供免费医药治疗，向饥寒的百姓供以食品、衣物，因此江陵的父老都很感激吕蒙的仁德。

有一个士兵拿了百姓家一顶斗笠，按照规定，应该杀头。

许多人前来为这个士兵求情，希望看在偷斗笠的士兵是小同乡的分上特别"宽容"，吕蒙流着眼泪道："小同乡也不能有特权，我不能顾念乡情，破坏军法。"依旧将士兵斩首示众，从此吕蒙的军队成为最有纪律的一支队伍。

吕蒙当年不学无术，没法子呈报奏章，只能用嘴巴讲，经常被蔡遗笑话，后来豫章太守出缺，吕蒙竟然推荐蔡遗，孙权笑道："不简单，不简单，你莫非想效法古人祁奚不念旧仇？"可见吕蒙的涵养有多深了。比起当初糊里糊涂杀掉职员，实有天壤之别。

有人常埋怨大家看不起自己，愤恨不平。其实一个人只要多读书，求进步，像吕蒙一样，假以时日，别人一定会跷起大拇指道："士别三日，刮目相看，老兄已非昔日吴下阿蒙！"

曹丕、曹植兄弟争宠

在中国古代，皇帝的权力是无限的。因此，为了争夺人人羡慕的王位，历朝历代发生了不少悲剧。

曹丕、曹植是曹操的儿子。曹操的长子曹昂很早就死于战乱，按理应该由次子曹丕继承王位。然而，曹操较为偏爱四子曹植，所以迟迟没有立太子。

曹植在十岁的时候已诵读了数十万言的诗、论及辞赋。有一天，曹操看到了曹植手里拿着一篇文章，曹操接过来一看，不断点头，他问："这是你请谁写的？"曹植跪答道："孩儿下笔成章，哪儿用得着请人代劳？"曹操半信半疑。

刚好此时铜雀台（铜雀台是曹操为了炫耀权势新盖的宫殿，富丽宏伟，直入云霄，有一百多个房间，在楼顶，铸着一只振翅欲飞的大铜雀，故称为铜雀台）落成，曹操带领着曹植在铜雀台游玩观赏，然后他就要大家以此为题写篇赋。曹植一挥立成，曹操看了连连称好。

曹植是个文学天才，反应灵敏，口齿伶俐，曹操每次与曹植谈论起来，曹植总是对答如流，所以曹操特别疼曹植，有意立曹植为太子。

消息传出以后，曹丕非常不安，他着急地去请教中大夫贾诩："怎么办？怎么办？"贾诩告诉曹丕："目前也没有什么办法，你只有安安分分，做一个为人子所该做的就是了。"

魏文帝曹丕，唐阎立本绘。

有一次，曹操出征，曹丕、曹植都来送行。曹植称颂曹操的功德，句句动听，曹操乐得心花怒放，旁边的人都拍手叫好。曹丕虽然文学修养也很深厚，但一时之间不知该说些什么，愁眉苦脸愣在那里发呆。

此时，朝歌令吴质附在曹丕的耳朵旁悄悄道："父王要走了，你就哭吧。"曹丕正好满肚子的酸水，眼泪立刻扑簌簌地流下，哭得伤心极了。告别的时候，曹操和两旁看热闹的人都非常感动，认为曹植只是言辞华丽，远不及曹丕诚恳孝顺。

曹丕又买通了宫内外的臣子帮他说话，于是，在建安二十二年（217年），曹操正式立曹丕为太子。

曹植本来就是个风流才子型的人物，不拘小节，如今既然当不成太子，更加随随便便。他曾冒犯禁令从司马门乘车出游。根据规定，司马门只有当天子的车子经过才可以打开，曹操为此气得发火。

再说曹操正在倡导节约，不准贵族妇女穿绣花的衣服。有一次，他站在铜雀台上眺望，赫然发现有一位女子穿戴得珠光宝气，大模大样地招摇过市，惹来许多人的指指点点，曹操很不开心，一查之下，这位爱出风头的女子不是别人，竟然是曹植的妻子，立刻下令将她处死。从此，曹操对曹植的印象更加恶劣了。

曹植失宠后，心里很害怕，他悄悄去找杨修商量。

杨修是三国时期有名的聪明人物，博学多才，最能猜到曹操的心事。在曹操攻打刘备的战役中，曹操进退两难，某天晚上在吃饭时，有个士兵进来请示晚上站哨的口令，曹操看了看盘中剩下的鸡肋，随口说出："鸡肋，鸡肋。"

第二天，杨修开始收拾行李，他说："我们要撤退了。"果然不久后曹操传令班师。旁人问杨修怎么一猜便中。杨修回答："鸡肋，食之无味，丢之可惜，主公用鸡肋做口令，我就知道要撤退了。"

就凭着善解人意的本事，杨修一步步教导曹植，该如何如何讨曹操的欢喜，又为曹植准备了许多"模拟猜题"，如果怎么问，便该怎么回答。

"模拟考"考多了，曹植果然一答就中。因为答得太好了，每次曹植上的报告正好合乎曹操的心意，多疑的曹操觉得其中大有问题，派人调查，发现是杨修在搞鬼。

糟糕的是杨修这人聪明外露，藏不住话，常能一语道破曹操的隐私，曹操很讨厌比自己更聪明的人。利用这个机会便把杨修杀了。

杨修死后，曹植更

曹植七步赋诗，选自清刊本《三国演义》。

加郁闷消沉，经常借酒消愁。

不久，曹操去世，曹丕正式篡汉当上了皇帝，是为魏文帝。他对曹植始终心里存有疙瘩。一天，曹植上朝，曹丕故意半开玩笑，酸味十足地说："大家都夸你文思敏捷，现在我命你走七步后成诗一首，若是作不出来，当心我处罚你喔！"

七步后，曹植抬起头道："煮豆燃豆萁（qí），豆在釜（fǔ）中泣，本是同根生，相煎何太急？"意思是说用豆枝杆烧火煮豆子，豆子在锅里哀号，我们是同样的根长出来的，你何苦逼我逼得这么急迫？曹丕听了很惭愧，不好意思下手害曹植了。

这首《七步诗》自此流传千古，后人劝诫不顾手足之情，互争利害的同胞兄弟，常常引用曹丕、曹植的这段故事。

曹植·甄后·《洛神赋》

　　自从曹植在曹丕的逼迫下完成了《七步诗》："煮豆燃豆萁，豆在釜中泣，本是同根生，相煎何太急？"提醒曹丕顾念手足之情，不要苦苦相逼以后，曹丕有些惭愧，没有再下毒手。

　　曹植虽然保住了一条命，心里却异常苦闷，他从小所受的教育就是指导他将来如何成为一个好君主，为国家为人民谋福利；然而曹植虽然有心做事，曹丕却不肯给曹植任何施展才能的机会。曹植在黄初三年（222年）被封为鄄（juàn）城王，四年（223年）改为雍丘王，太和元年（227年）封为浚（jùn）仪王……六年（232年）为陈王，短短的十一年之间竟改封了六次。

　　曹丕的用意非常明显，他存心要曹植永远像浮萍一般，东飘西荡，居无定所。

　　其实，曹植虽被封为王，却很少行动自由。原来，曹丕即位以后，虽然分封兄弟子侄为王，但是，却严格规定，未经皇帝批准，不得随意外出到封地之外，所以，诸王连游山玩水都受到限制。

　　当然，诸王不能过问政治事务，随身卫队两三百人都由皇帝派遣，卫队队长经常要向皇帝报告诸王的动态，所以，这些卫队名为保卫诸王，事实上是皇帝派来监视诸王的人。因此，魏朝的宗室形同高级囚犯，并没有政治势力。

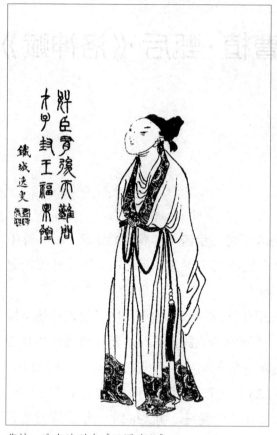

曹植,选自清刊本《三国演义》。

曹植更加忧郁了。有一天,他走出了洛阳城,来到了洛水旁边,只见夕阳西下,烟波荡漾,两岸景物如画。在迷茫的黄昏暮色中,他文思大发,回去以后立刻写下了《洛神赋》。在这篇文章中,曹植借着宓(mì)妃(相传是古代美丽的水神,为河伯的妻子),说明天上人间的相隔,写出了他高远的意境及热烈的感情。

或许这篇赋写得太感动人了,后人由此编出了一个美丽又凄惨的爱情故事。

这个故事的女主角甄后,是三国时代出色的绝代佳人。

甄氏本为袁绍的儿子袁熙的妻子,她的美丽脱俗远近驰名,因此,当曹操一攻进邺城便急着找甄氏,不巧被儿子曹丕抢先了一步。

曹丕攻进了袁府,看见一妇人披头散发地躲在袁绍夫人的背后哭泣,曹丕问:"这是什么人?抬起头来答话。"

等甄氏一仰脸,曹丕立刻为她流波四射的美丽眸子所迷住,将其纳为夫人。

据说远在甄氏下嫁袁熙之前,她和曹植有过一段情,虽然甄氏的年龄比曹植大了十多岁,但真正的爱情又怎会在乎年龄的限制,他们两人恩恩爱爱,比蜜还要甜。

后来，甄氏先嫁给了袁熙，又为曹丕所夺，曹植伤心得害了相思病，终日长吁短叹。

黄初四年（223年），曹植入朝，此时甄后因年老色衰已为曹丕害死。曹丕在宴会过后，取出一个甄后用过的缕金带玉枕送给曹植，曹植抱着枕头，恍恍惚惚来到洛水之旁，忽然听到清丽悠远的乐声自远而近，在四面八方飘忽着。音乐停了。此时水面霞光万道，水中站着的正是甄后，她像凌波仙子般衣裙飘飘，冉冉而起，看起来比以前更漂亮，更动人，她幽幽地说："我本来已把一片心都托付给你，无奈天不从人愿，这个枕头是我未出嫁前用的，送给你吧。"

说完话，甄氏便如一缕烟般消失了。曹植醒来，紧紧地抱着枕头，既高兴能得到一解相思情的信物，又悲哀从此再也见不到甄氏，不知不觉中

洛神，选自《吴友如画宝》。

枕头已被泪水浸湿了一大片，他感慨万千，提起笔来写下了《感甄赋》，后为魏明帝改为《洛神赋》。

从此，《洛神赋》成为家喻户晓的民间故事，曹植与甄氏的遭遇也让后人一洒同情之泪。不过，历史上并没有记载这个故事，有许多学者考证此为无稽之谈。

有没有这段爱情故事并不重要，重要的是这篇伟大的文章——《洛神赋》，表现出曹植高超的文学修养，以及诗人特有的、多情的、浪漫的性格。可惜的是曹植死得太早，去世时才四十岁。

曹植字子建，因为封于陈，后世称为陈思王，所以曹植、曹子建、陈思王指的都是同一个人。东晋的大诗人谢灵运赞美曹植，天下才华一共只有一石，子建独得八斗，因此我们现在用"才高八斗"形容一个人才华盖世。

甄后为曹丕生下一个儿子曹叡，为日后的魏明帝。有一次曹叡随同父亲曹丕去野外打猎，发现了母子二鹿，曹丕的箭法准，一箭就射中了母鹿，他转过头说："儿啊，快射那头小鹿。"曹叡啜泣着说："陛下已经杀其母，我不忍再杀其子。"曹丕听了，放下弓箭，他明白曹叡的话中有话，责备他不该杀掉甄后，不禁面红耳赤说不出话来。

刘晔善于两面讨好

刘晔（yè）是三国时期的人，他的学问不错，口才很好。因此，被曹操看中，请他到朝廷中参与谋略。

和刘晔一块儿被征召的还有蒋济等五个人，人人都很兴奋，路上叽叽喳喳谈论个不休。从国家的用人方式，论到行军进退的调度，谈得口沫横飞，在车上谈，晚上在旅馆里也谈个通宵。只有刘晔，不管别人吵翻了，他总是在睡觉。

"怎么从来没见你开腔？"同行的蒋济终于忍不住问道，其他四人也投来疑惑的眼光。

"待会儿见了曹操，怕万一精神不济应付不过来，所以我要先睡饱觉，养足体力。"

等到见了曹操，曹操问起扬州的贤人、敌人的形势，四个人争先恐后地发言，曹操笑着说："别急，别急，一个一个慢慢儿来。"第二次见了曹操，四个人依旧抢着说话，只有刘晔，从头到尾没有开口。

蒋济等偷偷暗笑："我说他不是什么养精蓄锐，根本是肚子里没有货，不然为什么见了曹操也不开口，哈！"

只有聪明的曹操看出来，刘晔不是开不了口，而是不愿当着众人的面表达自己的意见。于是私下里找刘晔详谈，一谈之下大为欢喜。不久，派了蒋济等四人为县令，特别把刘晔当心腹留在身边，每遇到疑难，立刻去问刘晔，甚且一夜之中去找刘晔数十回，刘晔摸准了曹操的心意，次次都能让曹操笑逐颜开。

以后，曹操、曹丕相继去世，魏明帝曹叡即位，刘晔在朝廷里始终很受宠。

魏明帝太和六年（232年），诸葛亮屡次进攻，魏国损失不小，大将张郃（hé）也战败而死，明帝相当懊恼，想要大举进攻蜀国，以泄心头之恨。

朝廷内外大臣知道诸葛亮的厉害，都说："不可以，不可以。"

刘晔却说："行，行，行，怎么不行，而且我们一定把诸葛亮打得落花流水。"刘晔的口才很好，讲话活灵活现，就像诸葛亮已被绑在眼前。

刘晔的一番说辞，点燃了明帝的野心，明帝恨不得立刻开拔，大大地干他一场。

中领将军杨暨（jì）向来反对开战，听说明帝准备不顾一切拼上去，气急败坏赶了来，喉咙都讲干了，明帝还是坚持要打，杨暨仍旧苦苦劝说着不肯离去。

"哎，你是书生，不懂兵事。"明帝脸一沉。

"对，我是不懂，但是，刘晔是先帝的谋臣，他也坚持不可攻打蜀国。"

原来，杨暨和刘晔的私交很好，常常谈起伐蜀的事，刘晔总是反对。

"那就奇怪了。"明帝把眉毛一挑，笑着说，"劝我去打蜀国的也是刘晔啊。"

于是，明帝找了刘晔来对质。在朝廷上，明帝再三问道："你是赞成攻打蜀国的，对不对？"

杨暨也频频催促："快把不可攻打蜀国的道理禀报皇上！"

奇怪的是，不管明帝责问也好，杨暨追问也罢，刘晔一直紧闭着嘴，脸上没有一丝表情，让人觉得莫测高深。

因为逼不出半句话，明帝只好让刘晔告退。紧接着，刘晔溜到明帝跟前，挤眉弄眼道："这个军国大计，是何等的大事，我身受皇上恩宠，从不敢对外泄漏只字片语，皇上方才怎好再三追问？如果还未动兵，倒让那足智多谋的诸葛亮知道了，岂不糟糕？"

"对啊！怎么我没有想到。"明帝宽慰地拍着刘晔道，"幸亏你刚才守口如瓶。"

刘晔出了皇宫，见到杨暨，还不等他开口，就半带责备地说："你懂得钓鱼的道理吗？钓一尾小鱼，一下子就上钩了。钓大鱼，就要放长线，耐着性子等它上钩。皇上是天子，比大鱼还大，你只能尽自己的心力去劝他，他不听，你就要识趣，免得皇上不高兴。"

杨暨说："对啊，我怎么没想到啊，谢谢你刚才救了我。"

日子久了，刘晔两面讨好的事被人发现，有人偷偷跑去见明帝说："刘晔为人善于投机，不是真的忠心，皇上不妨用相反的计划去试试他。"

果然，明帝发现，不论意见正反，只要明帝约略透露一点，刘晔便顺着心意去迎合，他永远没有自己的主张、自己的看法，更不会为了国家的利益力争到底。从此，明帝渐渐疏远刘晔。

明帝的态度一天天冷淡，刘晔的心里一天天不安，最后，竟然发了神经病，忧郁而死。

泥土夹心门

　　上回讲了一个最会拍马屁逢迎，嘴巴最甜的刘晔的故事，今天再说一个最不懂得拍马屁的人——张昭的故事。

　　张昭是三国时期吴国的老臣，曾为孙策所重。孙策去世以后，孙权即位，张昭以年老多病退休，然而遇到军国大事，仍然被请上朝廷。

　　孙权身材魁伟，力大无穷，喜欢打猎，骑马追射老虎，老虎经常猛扑而来，攀持马鞍，张牙舞爪，似乎要一口把孙权吞下。孙权认为这个游戏紧张、刺激、冒险又过瘾，乐此不疲。

　　有一天，张昭看到孙权与老虎缠斗的惊险情景，吓得拍着胸，喘着气道："一个为人君者，要能够驾驭群雄，驱使贤臣，才算是有本事。像你这样在原野上与老虎驰逐算什么，万一出了什么意外，反而为天下人所耻笑。"

　　孙权尴尬地笑着道："我年纪轻不懂事，深深感到羞愧。"

　　话虽如此说，这个游戏太好玩了，孙权可舍不得放弃。他设计了一部"射虎车"，车上开了一个四四方方的洞，中间不加盖子，他一个人驾着射虎车到处跑。时而有离群的野兽突击这部车，孙权就赤手空拳与野兽搏斗。

　　张昭再三劝阻："太危险了。"

　　孙权笑笑不答，但孙权心里对张昭仍然是敬畏三分。

　　一次，孙权在武昌，登钓台，喝酒喝得酩酊大醉，歪歪倒倒笑呵呵地说："大家今天要喝个痛快，只有醉倒钓台中，才可以停止！"

说着，孙权派人用水泼群臣，胡闹成一团。张昭看了，一句话不说，铁青着脸走出去，冷冷地坐在车中生闷气。

孙权派人把张昭找回问道："大家乐乐无妨，干什么发这么大的脾气?"

"以前纣王制酒池肉林，长夜痛饮，当时也觉得没什么不对啊。"张昭毫不留情地指责着。孙权答不上话，面红耳赤，停止了酒会。张昭每次上朝，辞气壮厉，脸上透着一股正义之气，使人不敢侵犯。

有段时间，张昭因为顶撞孙权，宦官不许他上朝。

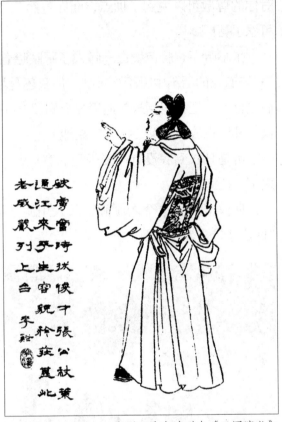

张昭，选自清刊本《三国演义》。

蜀国的使臣来吴国，称扬蜀国，大吹大擂了半天，吴国的臣子只有乖乖听训。孙权叹气道："假使张公坐在堂上，蜀使只能垂头丧气，哪还有他自夸的份儿？"于是又请张昭上朝。

这个时候，辽东地方的公孙渊派了一个代表到吴国来，说要奉表称臣，信里写得非常客气。孙权高兴得不得了，即刻派人备厚礼前往辽东，封公孙渊为燕王。

张昭接到消息，拄着拐杖上朝，反对孙权的计划，认为公孙渊不可靠，万勿上当，和孙权在朝廷上辩论起来。

孙权按剑大吼："吴国的士人入宫则向我下跪，出了宫门则拜见你，我对你的尊敬可以说到了顶点，而你竟然三番两次在群臣前侮辱我，我忍无可忍了啊！"

张昭听了，脸色发白，睁大了眼睛瞪着孙权，过了许久，才颤抖着说："我知道我的话不中听不被采纳，但我还是尽心竭力效愚忠，实在是因为太后去世前，把我叫到床前遗诏托命啊。"这段话讲得披肝沥胆，张昭老泪纵横，孙权也放声大哭，把剑摔在地上。

可是孙权到底没有接受张昭的意见，派了两个使者去辽东。张昭气愤之下，托病回家。

孙权恨死了这个老顽固，派人用泥土堵塞了他家的大门，意思是说："你这老骨头死在里面也罢。"

吴主孙权，唐阎立本绘。

张昭的脾气也大，他找了泥水匠来，在自己门内又加了一道泥土，把整个门涂得像夹心饼干，怒气冲天指着门发誓："我就是死在家里也绝不上朝。"

以后，不出张昭所料，公孙渊非但没有诚意，而且把孙权派去的两个使者杀掉了。孙权才明白张昭的一片忠诚，心中非常懊恼，派人去向张昭道歉、慰问。

张昭赖在床上就是不理。

孙权亲自拜访，张

昭还是不肯下床。

"好，你不出来，我有办法。"孙权禁不住心头火起，派人在张昭门口堆了柴草，放火烧门。

张昭却依然不肯动一步。孙权又差人灭了火，再次慰问，张昭的家人怕张昭做得太过分，子子孙孙把张昭前呼后拥地扶了出来，君臣相见，一场误会才算冰释。

张昭的做法也许太过激烈，但他为了争原则，争国家的光荣，拼着脑袋搬家的危险仍然坚持不改，这种择善固执、嫉恶如仇的态度值得我们效法。

神童王粲

在三国时期，由于曹操父子喜欢诗歌创作，而大加奖励提倡，因此当时虽然政治上一片紊乱，文学上却非常繁荣，有所谓"建安七子"（在汉献帝建安年间的七个文学领袖），王粲（càn）就是七人之中拔尖的。

王粲的家世显赫，大将军何进想高攀这门亲事，选王粲做女婿，王粲的父亲不肯答应，因而辞官，把王粲带到了长安，那一年他十四岁。

王粲是个天才儿童，文学修养深厚，当时的文坛领袖蔡邕对他相当器重。蔡邕的名声很大，家中车水马龙，天天宾客盈门。

有一天，大家正恭敬地聆听蔡邕批评某篇文章的优劣，忽然，门外有人说："王粲来了。"

"真的？太好了！"

蔡邕慌慌忙忙站起来，连鞋子也没有穿好就直往前撞。

大家不知来了什么稀客，值得蔡邕如此器重，也纷纷顾不得穿鞋，一窝蜂挤去看热闹。

"就是这个小子啊！"

王粲走了进来，矮小瘦弱，相当难看。三国的风气，很注重男子的容貌，宾客们心里不免失望。尤其王粲的态度随随便便，更让人看不顺眼，不自觉露出鄙夷的眼光。

蔡邕也看出众人心里的想法，他把王粲拉近身旁，用兴奋的语气向大家宣布："各位，这就是王粲，我的才华都比不上他呢。"

喔？众人的目光一起向王粲上上下下打量着，怎么也看不出其貌不扬的王粲有何特异之处。

这段故事就是我们常见的成语"倒屣（xǐ）迎之"的出处，屣是鞋子。用来形容贵客来拜访，连鞋子都来不及穿，急急忙忙跑去相迎。

王粲有一个特殊的本领——过目不忘。

一天，他和朋友到野外散步，看到道旁有块碑文，走了几步以后，王粲的朋友问道："你记得刚才我们看到的碑上写些什么吗？"

"当然！"

他的朋友不相信，拉着王粲跑回碑前，王粲仰着头，一口气滔滔汩汩背了出来，竟然一个字也没错。

又有一次，王粲背着手看人家下围棋，其中一方不小心把棋盘碰乱了，说道："抱歉，这一局没法子玩下去了。"

"没关系，我帮你们摆回原来的样子。"王粲热心地说。

下棋的二人同时抛来白眼道："别开玩笑了，你有本事就在另一张桌上摆一盘和现在一模一样的。"说着，用手帕蒙住了棋盘，存心捉弄王粲。

王粲抓起白子、黑子，一会儿工夫就摆好了，等到两位朋友掀开手帕，互相一对照，惊得嘴巴张得大大的，一句话也说不出。

他在十七岁那年受命为黄门侍郎。然而因为时局太乱，辗转逃出了长安，投奔荆州的刘表，原因是听说刘表十分欣赏有才学的人。

刘表虽拥有爱才的美名，却并不能任用贤人，他先前由于蔡邕的大力推崇，对王粲抱以厚望，等到发现王粲竟是这般不起眼，马上兴趣全失，脸色阴沉了下来。

王粲满怀希望而来，却被浇了一盆冷水，待了许久，一官半职都没有等着，忧郁烦闷之下，信步走到楼上，眺望远处，想起了种种失意的悲痛，写下了生平的代表作《登楼赋》。

在《登楼赋》中，王粲道尽了游子的心声，写出了有家归不得的痛苦，深刻而细腻，即使在今天，人们看了仍会勾起一阵乡愁。

后来，刘表去世，其子刘琮继为领袖。刘琮是个软弱无用的人，王粲劝他降曹操，刘琮果然降曹，使得曹操不费一兵一卒占有了荆州。

曹操为了奖励王粲，立刻赐以他关内侯的爵位，曹操在汉水之滨设宴庆功，王粲站起来敬酒，献媚地说："您真是英雄啊，真是三国的开国之君啊！"猛拍马屁，肉麻极了。

王粲虽然长相不讨人喜欢，但他在文学上的成就是有目共睹的。然而王粲巴结曹操颇为后人所不齿，因为我们中国人讲究的是言行合一，一个人如果没有道德，文章写得再出色也会为人所轻。

司马懿演技精湛

自从诸葛亮去世以后，魏明帝曹叡去除了一个心头大患，加上吴国连连吃败仗，明帝得以高枕无忧，尽情享受。

明帝找来了一个叫马钧的，在九龙池中做水转百戏（就是用木偶做成的各种人物禽兽，女乐吹箫，优伶击鼓，斗鸡舞象，利用水力开动，使各种木偶做出优美的姿态，栩栩如生，好看极了）。明帝贪色，宫中从妃嫔到洒扫的女工，个个貌美如花，共有数千人之多。

明帝因为沉迷于逸乐，弄得身体很坏，才三十多岁已经病得很严重，到景初三年（239年），益发不能支撑。由于明帝没有儿子，抱养了八岁的齐王曹芳为儿子。

明帝是一天比一天衰弱，他把平日最亲信的两个臣子刘放、孙资叫到床前："依你们看，有谁可以为幼主辅佐政务的？"

此时，曹爽（曹操的族子）正低着头伺候在一旁，刘放、孙资互相使了一个眼色，刘放就上前一步道："曹爽。"

"我？"曹爽吓了一大跳。

曹爽头上的汗珠一滴一滴沿着鼻梁流下，呆若木鸡，刘放蹑着脚走到曹爽耳旁："请放心，我们会拼死帮助你的。"孙资又在旁边帮腔："如果陛下觉得曹爽太年轻，司马太尉老成谋国，可以与曹爽共担大任。"

司马太尉指的是魏国的大将军司马懿，明帝对他很有信心，于是，拜

吴姐姐讲历史故事

（拜是古时候任官的意思）曹爽为大将军，并且紧急飞传司马懿进京。

司马懿快马加鞭赶到京城，明帝只剩下最后的一口气了，他望见司马懿，眼泪立刻像断了线的珠子般流下："我希望你和曹爽共同辅佐少子，唉，我忍死拖在这里，就等着和你见最后一面，现在总算见着了，我可以去了。"说着唤人把曹芳找了来，曹芳搂着司马懿的脖子亲热一番，司马懿跪在床前，哭得抬不起头，明帝就一命呜呼了。

司马懿乃曹操手下的一员大将，足智多谋，立过许多战功，可是，曹操不让司马懿升迁到很高的官位，这是因为司马懿长了一副"狼顾"之相。所谓"狼顾"之相，就是一个人能把自己的脑袋向后转一百八十度，像狼的头向后转时，鼻子可以和尾巴在同一个方向。

中国人的相书里认为，有"狼顾"之相的人会反复无常，不可信赖。曹操相信相人之术，所以不敢重用司马懿，等到曹操死后，曹丕才重用司马懿，到魏明帝时，司马懿成了魏国官职最高的武将。

曹芳即位，他还是八岁的小孩子，什么都不懂，政权落入了曹爽及他身边一批人手中，司马懿只有太傅的空名，没有实权。为了避免和曹爽起冲突，司马懿便请病假在家中休养，足不出户，曹爽摸不透司马懿在弄什么玄虚，见不到司马懿的面，也不知司马懿是真的病了还是装病。

过了好几年，曹爽的心腹李胜升为荆州刺史，临走之前去司马懿府上辞行，他发现曾经叱咤一时的司马懿真的是老了，白发苍苍，面色死白，喉头的痰"呼噜、呼噜"响个不停。

司马懿见到李胜来了，命两个婢女帮忙穿衣，衣服才披上，又掉落在地，司马懿连扶住衣服的力气都没有，神色沮丧地说："我口渴了。"两个婢女捧着一碗粥喂司马懿喝，他在碗边啜了一下，不但未曾下咽，反而从嘴角流了出来，一直流到胸前，李胜看了，想起司马懿当年在沙场上的英勇，如今落到这般光景，心一酸，眼眶也湿润了，叹着气道："我听说你的旧病复发，没想到如此严重。"

司马懿挣扎了半天，才气喘吁吁道："老喽，活得过今天，拖不到明天，听说你要去并州，并州那儿胡人多，要当心啊，咱们今天是最后一次相见了。"说着，眼泪爬满了脸。

"我很幸运地担任荆州刺史，不是并州。"李胜急急忙忙地解释。

"什么?"司马懿侧着耳，不解地问。一连听了好几遍才弄清楚是荆州，不免摇头叹息，"人老了，耳朵也不中用了。"

接着，司马懿又说道："我有两个儿子，司马师、司马昭还要请你以后多多关照，我恐怕不成了。"说着，又流下眼泪，真像是临终托孤一般，李胜看了，心里也很难过，安慰了司马懿几句，便匆匆告辞了。

李胜辞别了司马懿，立刻禀报曹爽："司马懿病得厉害，老迈不堪，早晚就要断气了。"听到李胜的报告，曹爽便放松了对司马懿的警戒。

魏正始十年（249年），曹爽带着曹芳离开京城去扫墓，回到洛阳城，突然发现城门紧紧地闭着，听到整个洛阳城已经被司马懿父子占领了。

"怎么可能?"曹爽着急地拍着头，"他不是快死了吗?"后边那句话声音很低，因为曹爽已经恍然大悟，司马懿以前的行为是为了让曹爽对他放松戒备啊。

司马懿诈病赚曹爽，选自清刊本《三国演义》。

吴姐姐讲历史故事

　　原来，司马懿听说曹爽出城去扫墓，城内只留下一些守备的军队，这些军队的将领都是司马懿的旧部下，司马懿立刻召集将领们，宣布将城门紧闭，然后，亲自去皇宫里见太后。

　　这时，司马懿一点病态都没有了，李胜所看到的一幕，其实是司马懿在演戏，李胜竟中了计，以为司马懿真的老病不堪。

　　在司马懿的威胁之下，太后下了一道命令，指出曹爽许多罪状。司马懿派人将太后的命令送到城外。

　　曹爽接到太后的命令，吓得手足无措，这时，司马懿又派了一个心腹来见曹爽说："只要大将军（曹爽）自动辞去所有的官职，放弃一切权力，太傅（司马懿）保证大将军可以做一个富家翁。"

　　此时，大司农桓范建议曹爽："怕司马懿干什么？别忘了，天子还在你的手里，你可以保护天子到许昌，然后号召天下共同对抗司马懿啊！"曹爽踱着方步，走来走去，走了一天，终于下定决心道："我的家眷都在京城里，他们会被司马懿杀掉啊！算了，我把所有的权位都让给司马懿罢！纵使不做官，反正我总还是个富家翁。"

　　回到京城，曹爽把所有官职都放弃，政权由司马懿控制，曹爽做了无官的"富家翁"。但曹爽这个"富家翁"日子很难过，司马懿在曹爽家中四个角落，搭起了四座高楼，每座高楼上驻了两百名兵士，严密地监视着一切。

　　曹爽有一天闷得发慌，百无聊赖地走到后花园散步，楼上的兵士便一起高声地叫道："前大将军东南行！"他一抬头，发现兵士们都虎视眈眈盯住他。曹爽转身向东北走，东北角高楼上的士兵便大叫："前大将军东北行！"曹爽气得不得了，但是，高楼搭在围墙之外，自己又是一个没有官职的老百姓，怎有权力把高楼拆掉？想来想去，只好忍着气回到屋里。

　　司马懿的用意，原是想给曹爽精神压力，曹爽承受不住，也许会自杀了事。不料，曹爽真能忍耐，始终未曾自杀。司马懿决心除掉曹爽，便翻出了曹爽以前的过失，处以死刑。

　　曹爽死后，司马懿大权独揽，埋下了司马氏篡魏的种子。

吴姐姐讲历史故事

珍藏版 第一辑

吴涵碧◎著

③

西晋·东晋·南北朝

265 —589 年

江西教育出版社
JIANGXI EDUCATION PUBLISHING HOUSE
·南昌·

　　司马炎（236—290 年），唐阎立本绘。字安世，河内温县（今河南温县）人，曹魏相国司马昭长子。咸熙二年（265 年）袭相国、晋王位，同年十二月代魏称帝，建立西晋。咸宁六年（280 年）灭东吴，统一全国。在位期间，采用一系列利民利农政策，国家一度繁荣，但他大封宗族，以郡为国，形成了"门阀制度"，使奢侈之风泛滥，也为自己去世后的八王之乱埋下伏笔。

——见《杨皇后与小杨皇后》

王导

　　王导（276—339年），选自《历代名臣像解》。字茂弘，东晋时一流政治家。西晋灭亡后，助晋元帝在江东称帝，在他的主导之下，维持了东晋初年偏安江南的小康局面。王导本人权势显赫，堂兄王敦控制国家上游军事力量，王家亲族子弟多有高官显爵，势力之大，足与皇室分庭抗礼，江东人称"王与马共天下"。也造成日后东晋天子无权，权在豪门大族的畸形政治。

——见《王与马共天下》

　　东山报捷图，清苏六朋绘。东晋谢安执政时，氐族豪杰苻坚与名臣王猛君臣合力，扫平北方，后王猛虽死，前秦军力仍处于巅峰。前秦建元十八年（382年），苻坚不顾臣下极力反对和国内诸多不稳定因素，举八十七万大军南下伐晋。东晋虽弱，犹有谢安早些年训练的"北府兵"数万精锐，谢安即以此为凭借，在淝水力挫苻坚前锋，致前秦全面溃退，东晋转危为安。图中所绘为谢安布置好前线事宜后，在东山松树下与宾客下棋，等候前方消息，远处山间有一骑兵急驰前来报捷。

——见《淝水之战》

　　刘裕（363—422年），佚名绘。小名寄奴，刘宋政权开创者，南朝第一雄主，彭城（今江苏徐州）人。东晋末年，平孙恩、卢循之叛有功，跻身虎将之列。元兴三年（404年），起兵讨平废晋自立的权臣桓玄，遂总揽大权。随后统兵平灭南燕、巴蜀。义熙十一年（415年），灭后秦，东晋光复沦陷百年的关中之地，刘裕权倾朝野。元熙二年（420年），以不赏之功、震主之威，代晋自立，建立刘宋，改元永初，中国历史从此进入南北朝时期。

——见《刘裕做了皇帝》

梁武帝萧衍（464—549年），选自《乾隆年制历代帝王像真迹》。字叔达，南兰陵（今江苏常州西北）人，南朝梁开国君主。南齐时，任雍州刺史，后篡齐自立，建立南梁。初年勤于政事，南梁一度繁荣，晚岁崇佛，政事紊乱，对待叛将侯景处置不当，引发叛乱，最后被侯景攻破台城，饿死宫中。萧衍极有学问修养，骑射、乐律、书法、围棋，无一不精，是南朝颇具才能的君主。

——见《侯景之乱》

　　周武帝宇文邕（543—578 年），唐阎立本绘。鲜卑族，小字祢罗
突，宇文泰四子，北周雄主，代郡武川（今内蒙武川）人。武成二年
（560 年）即帝位，天和七年（572 年）诛权臣宇文护，亲临政事，改
元建德，建德六年（577 年）灭齐，统一北方，率军北伐突厥时，未成
行而病卒。宇文邕持政崇简抑奢，贬抑佛道，又果断明决，耐劳苦，
躬亲行阵，得士卒死力，北周国力日强，出兵四伐，屡克强敌，惜天
不假年，统一之志不能遂，北周政权亦落入权臣杨坚之手。

——见《第二次"三武之祸"》

目　录

目 录

阿斗乐不思蜀

蜀国自从诸葛亮去世以后，国势一落千丈，臣子们互相猜忌，谁也不服气谁，最糟糕的是刘备的继承人刘禅（小名叫阿斗）真是一个"扶不起的阿斗"。

诸葛亮在世时，阿斗对他又敬又怕，一切由诸葛亮包办，朝廷上倒还是一片祥和。诸葛亮去世后，阿斗逐渐宠着太监黄皓（hào）。

黄皓是个鬼灵精，会拍马屁，会察言观色，看到阿斗有些不高兴了，马上"扑通"一声直挺挺地跪在地上，一边打自己的嘴巴，一边骂自己"都是奴才该死，惹得皇上生气"，然后装出各种嬉皮笑脸的模样当小丑。阿斗认为黄皓对他很忠心，特别喜欢黄皓。

由于黄皓在皇上面前走红，巴结他的人自然多了。因此宫廷大权几乎都被这个小太监掌握住，许多厚脸皮的士大夫，为了保全自己的官位，也不惜用各种方法讨好黄皓。黄皓本来是个没有学问的奴才，竟然管起军国大事，这实在是件可怕的事。

诸葛亮在世时颇为赏识的年轻将领姜维，看到黄皓实在太不像话了，忍不住禀（bǐng）告皇帝刘禅，请求杀掉黄皓以维系人心。

"哎，他不过是个供（gōng）奔走的小奴才，你干什么这般介意。"阿斗护短得厉害，姜维也没有办法，只能看着黄皓扬着脸，大摇大摆，一窍不通地胡乱指挥一番。

该来的总是会来的，魏国大将邓艾率领着趾高气扬的士兵，迎风招展着绣有"魏"字的旗子，嘚嘚嗒嗒骑着马，一路敲锣打鼓地直入成都北门。

成都是蜀国的都城，是诸葛亮用一生的心血，辛辛苦苦、全心全意维护的据点，他还准备从此据点统一全国哩，如今，被邓艾的马蹄无情地碾（niǎn）了过去。

阿斗用绳子把自己五花大绑捆好，旁边停了一辆车，车中连自个儿的棺木都已安放妥当，他率领着文武百官六十余人流着泪跪在道旁，迎接邓艾的到来。

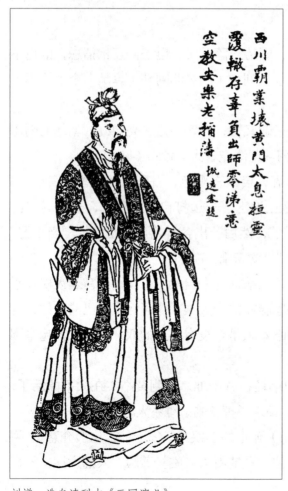

西川霸业壤黄门，太息桓灵
覆辙存惠负出师零涕意
空教安乐老拍潭 拟连斋题

邓艾看到跪在地上的阿斗，那一脸彷徨无助又害怕的蠢相，再看看那口阿斗准备躺进去的棺材，心里头真是鄙视，又可怜这个无用的君主。他下马，亲自把阿斗的绑给松了，然后用一把火将棺材烧掉。阿斗看到棺材烧了，心想"小命总算捡回来了"，忍不住心花怒放，脸上满是笑意。蜀国有些旧臣，看着阿斗的丑态，想起诸葛亮，五脏六腑像被火燃着一般，又热又痛。魏国大概是故意讽刺阿斗，封他为安乐公，并且命令阿斗举家迁到洛阳。蜀国的旧臣对这位君主十分恼怒，又觉得丢人，没有人肯随行。

刘禅，选自清刊本《三国演义》。

只有一个叫郤（xì）正的老臣，顾念诸葛亮及刘备当年的一片恩情，狠着心，抛弃了家小，随着阿斗上路。阿斗一路上不晓得闹了多少笑话，都靠着郤正指点，才勉勉强强到达了洛阳。

阿斗刚到洛阳时，终日惴惴不安。这时司马懿（yì）已死，司马昭当权。司马昭的原意是唯恐蜀国再次复兴，因此把阿斗逮来就近监督，如今看到阿斗这不成材的样子，放心不少，就盖了一座漂亮的官舍，让阿斗搬进去每天吃香的、喝辣的。

阿斗天天过得逍遥自在，真像是个"安乐"公。有一天，司马昭为了羞辱阿斗，故意在宴会中表演蜀技，阿斗的家人触景伤情，仿佛胸口被插进了一块冰，只有阿斗谈笑自若。

"你想不想念蜀国呢？"司马昭试探地问。

"嗯，"阿斗用手塞了一块鸡肉到嘴里，含糊地说，"这里好得很，我不想念蜀国。"

郤正在旁边听了，脸色发白，难堪到了极点。酒席完后，他立刻跑去找阿斗："以后晋王再问起时，你要流着眼泪说，我先人的坟墓远在蜀国，没有一天心里是不想念的。"

"知道了。"阿斗爽快地答应着。

不久以后，司马昭又问起阿斗："你想不想念蜀国呢？"

阿斗记起郤正的话，原样儿背了出来，然后死命地闭着眼睛，企图挤出几滴眼泪来。

司马昭奇怪地问："这话不像你讲的，倒有点像郤正的口吻嘛！"

"啊，本来就是他要我这么说的嘛。"阿斗睁开了眼睛，委屈万分地辩白道。旁边的人实在忍不住了，笑个不停，阿斗看着大家笑，也跟着一块傻笑，害得大家更笑得直不起腰。

这便是成语"乐不思蜀"的典故，形容一个没有志气的人，在优裕（yù）的环境里就快乐得忘记故国与本土，为人所不齿。

司马昭之心，路人皆知

　　司马懿掌握魏的政权不久便去世了，他的大儿子司马师继承了权位。司马师死后，他的弟弟司马昭掌权。司马昭比他哥哥更嚣（xiāo）张，而且一心一意想篡（cuàn）取帝位。本为高贵乡公而做了魏国皇帝的曹髦（máo），年纪虽小，却气不过司马昭的跋扈（bá hù），愤怒地对左右的人说："司马昭之心，路人皆知，我不能坐受废辱！"这就是成语"司马昭之心，路人皆知"的典故，形容一个人的野心企图，连过路人都看得一清二楚。

　　于是，就在甘露五年（260 年），小皇帝曹髦拿着剑，率领着宫里的仆役冲杀出宫，讨伐司马昭。

　　小皇帝带着没有受过军事训练的仆役来到司马昭的丞相府门口，这可把丞相府的卫队吓坏了，不知道该不该遵照小皇帝的命令，开门让小皇帝进府里去。

　　丞相府卫队里有个名叫成济的小官，急忙跑去见贾充，贾充是丞相府里的总管。成济把小皇帝杀到丞相府里来的事报告一遍，同时请示如何处理。

　　"这个嘛！"贾充老奸巨猾地摸着胡子，"丞相养你们这么久，为的就是今天，你还不会处理吗？"

　　贾充的话并没有明白指示该如何应付小皇帝。但是，成济自以为听懂了贾充的话，立刻跑到丞相府的门口，拿了一把利剑，和小皇帝对打起来。小皇帝根本不是成济的对手，只三两下，成济便一剑刺入小皇帝的胸膛，小皇帝大叫一声，鲜血直喷，倒地身亡。

皇帝在丞相府门口被人杀死，这是历史上从未有过的事。当时，立刻有人飞报司马昭。

司马昭听说小皇帝在众目睽（kuí）睽之下竟被人杀死在丞相府门口，吓得倒在地上大骂："岂有此理，皇帝死在我家门口，全天下的人都会指责我，我岂不是成了弑（shì）君的凶手！"

"相爷别紧张，我有一个主意。"贾充在一旁说，"杀皇上的是成济，相爷何不立刻进宫，向太后报告成济弑君，应处以极刑？"

曹髦提剑领众出宫讨司马昭，选自清刊本《三国演义》。

于是，司马昭立刻进宫，用太后的命令，一面指责曹髦不该率众杀到丞相府，这种行为不配当皇帝，应该废为庶人，一面又指责成济弑君，应诛杀成济本人及其家族。

成济自以为立了大功，没想到竟惹来灭门之祸。

小皇帝曹髦在准备攻打丞相府之前，曾经召集大臣王沈、王业、王经商量，王经不赞成小皇帝的计划。

王经说："现在大权操在司马氏手中很久了，司马氏的死党布满了朝廷与地方，他的威势旺盛。可是，陛下这一方面正好相反，皇宫的卫队不但人少，而且素质差，也没有精良的武器，陛下拿什么去对抗司马昭？如果你要亲自去讨伐司马昭，我怕事情会僵到不可收拾，祸不可测，我希望陛下再慎重考虑。"

小皇帝根本听不进去，他从口袋里掏出一块黄绸布，那是小皇帝自己写的一份诏书，宣布讨伐司马昭。小皇帝说："我决定干了，死就死吧，怕什么？何况还不一定会死！"说完，气呼呼地把黄布诏书掷在地上。

王沈、王业立刻奔往丞相府，把事情报告司马昭，王经则不肯去，但也不随从小皇帝去攻打丞相府。

小皇帝被杀以后，司马昭认为王经不肯依归自己，便以太后的命令，逮捕王经。王经在入狱前，叩见母亲，说明被捕的原因。王经的母亲脸色不变，微笑着对王经说："哪一个人不会死，只怕死不得其所。孩子，你在皇上面前说真话，又不阿（ē）附司马昭，算是个正直的好人，因此而牺牲生命，也没有什么可遗憾的了。"

王经最终被判死刑，王沈则因为向司马昭通风报信有功，被封为安平侯。

小皇帝曹髦既死，又没有儿子，在司马昭安排之下，常道乡公曹奂被拥立为皇帝，史称魏元帝。曹奂年仅十五岁，一切政治大权仍操在司马昭的手中，司马昭被封为晋王。

司马昭虽然跛脦，但是，对有风骨的人十分敬重。

有一次，太尉王祥、司徒何曾、司空荀颢（yǐ）三人共同去见司马昭。在进入丞相府之前，荀颢对王祥、何曾说："晋王地位崇高，满朝文武大臣都向晋王行最恭敬的礼节，我们三人今天进府里去，一定要行跪拜大礼。"

王祥立刻反对道："晋王虽然尊贵，但仍然是魏国的宰相，我们是魏的三公，晋王和三公的阶位只差一级而已，哪有三公跪拜王爷的道理？如果我们跪拜，不但有损魏的威严，也让晋王的品德有亏，君子爱人以礼，我不干这种事。"

三人进了府，荀颢、何曾都行跪拜之礼，王祥却独自作了一个长揖。司马昭对荀颢和何曾的大礼当然很高兴，对王祥能固守身份、不肯随便讨好别人，更是大为欣赏。司马昭非但没有责备王祥，反而对王祥说："今日我才体会到你是多么尊重我啊！"

阮籍的故事

自东汉末年的外戚宦官之祸，到三国的一片混乱，老百姓死伤无数，生活苦不堪言。人们对现实感到寒心失望，精神寂寞空虚，有的人尽情享受，追求短暂的快乐，也有的人任性胡为，把生命当成一种可笑的游戏。

阮籍（jí）是"建安七子"之一阮瑀（yǔ）的儿子，相貌堂堂，学问很好。他为了逃避当时的环境，和王戎、阮咸等七个人隐居在山阳县的竹林里面，徜徉于青山绿水之间，疯疯癫癫。社会上一般读书人很羡慕他们这种肆意的生活，尊称他们为"竹林七贤"。

阮籍很少开口讲话，整天都紧闭着一张嘴，有的时候又大发议论，讲个不休，他的眼睛长得怪怪的，能做青白眼，看着顺眼的人他才用青眼看人。一天，嵇（jī）喜来家里，阮籍认为嵇喜为人俗不可耐，令人讨厌到了极点，就翻着一双死鱼眼般的白眼瞅着嵇喜，嵇喜又羞又恼，却又无可奈何。

兖（yǎn）州刺史王昶（chǎng）听说阮籍风度翩翩学问不错，费尽心思与阮籍相见，阮籍冷冷地不说一个字，脸上也没有一丝表情。王昶拿他没有办法，却益发觉得此人有意思、有个性，更加敬重他。

太尉蒋济也推荐阮籍出来做官，他又一口回绝了。蒋济很不开心，气咻（xiū）咻骂着"这小子不识抬举，混账东西"，准备好好修理阮籍。阮家的亲友苦苦相劝，他才勉强就职，然而做了没有多久，就自称有病辞归乡里。

司马昭十分仰慕阮籍的才名，很想和阮籍结为儿女亲家，阮籍向来讨厌政治人物，所以不愿意接受。

有一次，司马昭请阮籍喝酒吃饭。酒席之中，司马昭稍微表示结亲的意思，阮籍不等司马昭说完，立刻向司马昭敬酒，自己则一饮而尽，一杯接一杯，不久就酩酊（mǐng dǐng）大醉。司马昭没把结亲的事说完，只好派人送阮籍回去。

后来，司马昭又请阮籍吃饭，再度提到儿女的事，阮籍重施故伎，自己灌醉了自己。司马昭也是聪明人，知道阮籍不愿意结亲，只得作罢。

阮籍，唐孙位绘。

有一天，阮籍向司马昭请求任命自己为东平太守，这大出司马昭意料，因为阮籍一向是不屑为官的。既然阮籍开了口，司马昭立刻同意，任命阮籍为东平太守。

其实，阮籍不是真的想做官，他只是听说东平的风景美丽，想去游览一番，受命为东平太守，等于是一次免费的观光旅游。

阮籍独自一人骑了一只小毛驴去上任，到了东平，也不处理公务，只命木匠把太守官邸（dǐ）四周的墙壁拆除，木匠弄不清楚阮籍的用意。阮籍笑着说："你看，外面的风景多好，我把墙壁拆掉，躺在床上，也可以欣赏到美景，那才是乐事哩！"

阮籍每天游山玩水，当他把东平的山水都玩遍后，便又回到洛阳，向司马昭辞官不干了。

不久，阮籍又主动向司马昭要求担任步兵校尉，司马昭总是顺着阮籍，立刻任命阮籍为步兵校尉。当然，阮籍并非真想投效军旅，原来他听说步兵营厨房的大师傅善于酿造美酒，贮（zhù）有陈年美酒三百斛（hú），就咽着口水去上任了。

阮籍到任的当天，一大群将领、士兵和官员列队欢迎，等候了半天都没有等着他。最后有人发现，阮籍早进了酒窖，喝得酩酊大醉，头歪在一旁呼呼大睡。

步兵校尉的职务理该繁忙，但阮籍依旧我行我素，不好好办公，成天游游荡荡。只是但凡有宴会，阮籍一定不请自到，而且喝得醉醺醺，不省人事。

虽然不守常理，阮籍平日对母亲倒是一直很孝顺。一天，他正与人下围棋下得紧张时，忽然有家人来报告，说是阮母已在后堂病逝了，与他对弈的人立刻站起来，慌慌忙忙长长一揖，准备告退。

"急什么，下完这一盘再走！"

不由分说，阮籍硬拉着人家决了胜负，然后放声痛哭，哭完了，吐血数升。在居丧期间，照样每日非酒不可。

朋友前来吊丧，阮籍披头散发，呆呆地蹲在一旁，依丧礼，有人吊丧，家属应答礼，一直到今天我们在殡仪馆仍是如此。阮籍不哭，也不跪，他的朋友告退后，外边有人批评道："主人如此无理，你何必哭得这般伤心？"阮籍的朋友说："他是方外之士，我是俗中之人，不可无礼。"而当时竟然还有人赞美阮籍与他的朋友都"相当难得"。

阮籍家隔壁有个卖酒的少妇，面貌十分艳丽，阮籍天天去买酒。醉了，就躺在少妇身旁呼噜呼噜睡着了。

"喂，你这是干什么？"少妇的丈夫起初看到，大为不悦，卷起袖子就要揍人，后来发现阮籍没有恶意，也就任凭他去。他当步兵校尉时，手下一个军士的女儿，色艺双全，不幸忽然得了急病死去了。阮籍并不认识他们家里任何一个人，听说了这件事，备了几份厚礼，亲自去致哀，哭得昏天黑地，趴在坟前不肯站起来，旁人讥诮（qiào）他不懂礼法，神经不正常，阮籍扬着脸道："笑话，礼教岂是为我阮籍所设？"

阮籍常常驾着一辆小马车，毫无目标地在野外乱闯，哭哭笑笑，举止怪异，然而脑筋却十分清楚，提起笔来就是一篇佳作，连一个字都用不着改。

阮籍的种种行为，都是一种消极的逃避心理，他不满现实，借酒装疯，麻痹神经，其实心里非常痛苦。

由于当世人对现实不满，看到阮籍这种违反传统的叛逆行为，起初看不过去，慢慢地却形成一种风气，认为就是要像阮籍这样玩世不恭，凡事都不在乎，才时髦，才脱俗。谁要是再讲救国救民的大道理，真是"俗气"，于是社会上形成一片衰靡（mí）之气。

阮咸与猪同醉

说到三国历史，不能不提到正始玄风，因为正始玄风对三国以后的魏晋南北朝有很大的影响：风俗败坏，礼教崩溃，国家分裂，民生涂炭，长达三百余年，是中国历史上的黑暗时期。

什么叫正始？正始是魏明帝去世以后，魏少帝曹芳即位后的年号。这期间，士大夫们恣（zì）情放纵，排弃礼教，每日高谈玄理而不求踏实的学问。

为什么会产生正始玄风呢？原来自从曹操揽权以后，一方面他看不惯东汉有些伪君子沽名钓誉，另一方面曹操讲究实利，曾三次下诏书征求人才，内容强调注重才能，不考虑品德，使得社会上一般人道德观念一天比一天淡。

后来，魏文帝曹丕即位，臣子陈群建议用"九品中正法"选拔人才。九品中正法，简单地说就是州设"大中正"，郡县设"小中正"，由这些中正官来评定人物的优劣，把人分为"上上、上中、上下、中上、中中、中下、下上、下中、下下"九等，作为政府用人的标准。久而久之，选拔人才日渐不公平，豪门大族担任中正官后彼此勾结，造成了"上品无寒门（出身门第清寒之人），下品无世族（世家大族的子弟）"，家里穷的，永远挤不入上品，而下品官内也不会有世族子弟。这种不公平的选举办法，使人们有前途黯（àn）淡悲观的凄凉之感，人心日趋萎靡。阮咸的放荡行为正好对此作一个说明。

阮咸是阮籍的侄儿，性情放达不受拘束，他很崇拜叔父阮籍，时常跟着叔父一块儿游山玩水。

在阮籍的家乡，阮是一个大姓，北边的阮族——北阮个个衣着光鲜，都是有钱人；南边住的都是阮姓的贫户，人们称之为南阮。

每年到了七月七日，北阮的富户就把家中的绫罗绸缎统统晾了出来，彼此赞叹，也显一显家里的阔气。否则，这些绫罗绸缎成年压在箱底，没有机会"亮相"，实在太可惜了。

阮咸属于南阮，对于北阮的作为大为不满。"你挂，我也挂"，阮咸不甘示弱，立刻找了根竹竿在大街上撑了起来，他家中哪有什么锦绣罗绮呢？阮咸把些粗布衣、臭裤子、烂了一半的短衣全都亮出来献宝。

南阮的穷户觉得丢人，纷纷要阮咸把竹竿收起来，怂怂地说："丢人现眼。"

"嘻嘻，不能免俗，有总比没有好。"阮咸嬉皮笑脸地回答。

阮咸的姑母有个婢女，人长得挺标致，阮咸每次去姑母家，总要借机会去逗逗她玩，胡闹一阵子。

有一天，阮咸家中有贵客降临，正在招待着，忽然听见家人说："姑母要搬到远处去了。"

阮咸一听此话，觉得非同小可，也顾不得贵宾在座，夺门而出。更过分的是，阮咸竟然抢了宾客的快马直往姑母家中奔去。

一路上跨马扬鞭，尘土遮天，惹得路人侧目而视，阮咸也不管，追上了姑母的车后，硬把婢女自车上夺下，搂抱着婢女，亲亲热热，双双而归。

许多人都涌过来看热闹，指指点点，窃窃私语。阮咸也不在乎，高声地"哈哈哈"大笑，猛地用鞭子一抽，马儿立刻嘶鸣着急奔而去，远处传来阮咸更加狂妄自大的笑声。

阮咸自命为不守礼法的时髦人士，因此，他请族人喝酒，不用杯子，大家围在酒缸旁，有的随便用容器，有的直接用手掬起来便喝。

"好酒，好酒！"喝得微醉了，有位族人把头伸进酒缸里喝个痛快，其他人跟着效法，脸上、发上，全沾满了酒，酒缸中也沾了不少人的污垢、头发、汗水，大伙也不以为忤（wǔ），喝喝笑笑，手舞足蹈，快乐似神仙。

也许这些名士崇尚自由吧，将人心比"猪"心，他们想猪大概也不喜欢受拘束，所以阮咸家里的猪可以自由地走来走去。

"嗯，嗯。"猪也闻到了酒香，拖着笨重的身躯，蹒跚地爬了过来，靠近了酒缸。

"砰"的一声，猪也学着阮咸，把脑袋浸入了酒缸，"呼噜呼噜"大口地吸着，阮咸等既不生气，也不嫌猪臭，反而认为人猪共饮，倒也别开生面，觉得新鲜而有趣。

酒鬼刘伶

　　竹林七贤是魏晋时期的所谓名人雅士，他们自命清高，喜欢谈论老庄，即使居高位，对国家治乱仍漠不关心。下面再讲一个七贤之一刘伶的故事，让大家更进一步了解他们的作风。

　　刘伶，字伯伦，西晋沛国人，容貌丑陋，他的人生哲学是世间一切得失都是相对的，富与穷、生与死都差不多，宇宙极小，万物一般，没有任何事物值得去奋斗、去追求，除了一桩——酒。

　　刘伶因为自命脱俗，不屑与平常人往来，只与阮籍、嵇（jī）康等相交，时常携手在竹林遨游，当然也少不了以酒助兴。

　　刘伶平常不做事，靠祖宗的田产过活，他喜欢乘着一辆鹿车，带着一壶酒，优哉游哉到处游山玩水。

　　他出去玩的时候，总叫一个小童扛着锄头跟在后面。刘伶拿起酒壶"咕噜咕噜"往喉咙里灌，对小童说："随时随地，死便埋我，死在哪儿，就葬在哪儿。"交代完后事，他便提着一壶酒上路了。当时士大夫对于刘伶这种把生命看得毫不在乎的作风，佩服得不得了，纷纷仿效，称之为"放达"。

　　刘伶的太太最怕听他讲这种不吉利的话，但是，看他那副要酒不要命的德行，有一天死在路上也不是没有可能。因此每回刘伶驾着鹿车出游，她就心里七上八下，着急万分，一直要等刘伶歪歪倒倒醉醺醺地回到了家才安心。

"我们家里穷，你又不肯做事，也就算了。身体不好，又天天喝酒，这样下去怎么办？"刘伶的太太一天到晚嘀嘀咕咕，他一句也没听进去。

刘伶，唐孙位绘。

有一天，刘伶的太太大发脾气，把他的美酒、酒器统统一起砸得稀烂，强迫刘伶戒酒。

刘伶叹了一口气道："也不是我不肯，只是个性如此，要戒酒，除非祷告鬼神助我断酒。"

"真的？"刘伶的太太看他终于有悔悟之心，十分欣慰，连忙杀鸡宰羊，张罗酒菜，在庭前布置起香案，先毕恭毕敬拜了几下，然后满怀兴奋把刘伶拉来。

刘伶"扑通"一声直挺挺下跪，大声祷告道："天生刘伶，以酒为名，一饮非一斛不可，要五斗才能尽兴，妇人之言，慎可不听！"说着扯下一只鸡腿大嚼，"哈，妇人之言，慎可不听！"捧起祭祀的美酒便喝。

刘伶的太太被气得脸儿一阵白，一阵红，又羞又恼，啼笑皆非。

过了几天，刘伶在外面又因为喝酒和一个粗人起了冲突。那个粗人野蛮得很，卷起袖子抡着拳头就要揍刘伶。

"慢着，慢着。"刘伶倒退了几步，用手护着前胸道，"我这几根鸡肋禁不起你的拳头。"那粗人看看刘伶的几根肋骨，的确有点儿像鸡肋，笑得上气不接下气捧着肚子走了。

刘伶还有一个怪毛病，喝酒喝得酒酣耳热了，就开始动手脱衣服。一直脱到一丝不挂为止。

一次，他又喝醉了酒，脱光了衣服，坐在书桌前读书。忽然有一个客人闯入，发现刘伶赤身裸体，大吃一惊，面红耳赤。

客人把脸别过一旁，怒声责备："你这个人怎么这般无礼？"

刘伶昂然答道："我以天地为房舍，屋宇为衣裤，你莫名其妙走到我裤子里，是自讨没趣，少见多怪。"

竹林七贤果真像他们自己所说，与天地万物合一，淡泊寡欲吗？当然不是，他们是以唾弃礼教而求名，把世人不齿之事，看作是风流雅事，用来沽名钓誉。前些年，欧美有些青年在大街上裸奔，惹得路人尖声怪叫，他们自己觉得十分过瘾，这和魏晋之时的刘伶差不多，都很无聊。

竹林七贤潇洒的另一面

嵇康是竹林七贤中被公认为最多才多艺的。他少有奇才，读书的悟性很高，身长七尺，挺拔潇洒，有仙风道骨的风采，当时人称赞他"龙章凤姿"。

魏晋时期的人对外貌非常注重，嵇康俊美，文章又写得好，很受一般民众崇拜。有次他在山林中采药，一位樵夫看见他那飘逸的身影竟然以为是仙人下凡。正因如此，魏国宗室急着把女儿嫁给嵇康。

嵇康曾担任过短期的中散大夫，对做官没有兴趣，也不愿尽力。不久，他就隐居山林，与阮籍、刘伶等结为好友。嵇康也喝酒，更喜服药，当时人喜欢服食据说有长生不老功效的丹药，丹药中有铅和砷（shēn），或许是铅中毒吧，所以服食之人会变得愈来愈疏懒。

竹林七贤表面上看不起俗物、礼教，好谈玄妙虚幻的道理。其实，多半人对名利非常向往，不多时，竹林七贤之一的山涛，首先逃离了隐士生活，靠着与司马昭有表亲的关系，攀上了高位，而且一再升迁，他又推荐嵇康继任自己原来的职位。

嵇康写了一封信与山涛绝交，这是一篇极为有名的文章，说明他野性难改，不耐流俗。他说："我幼年丧父，因为母亲娇惯，没读什么经书，性情疏懒，肌肉松弛，经常半个月不洗脸，不到痒得难受绝不沐浴；连上厕所也懒得去，一直忍着，不到尿要胀出来，我不起床……除非你我有深仇

竹林七贤，清代杨柳青年画。

大恨，否则你不要拉我去做官。"信中还对官场大大讽刺一番。

　　山涛一向看不起做官的，自己当了官，处处不负责任，表示"仍然不稀罕此职位"。山涛后来担任选拔人才的职务，也就是向皇帝推荐某人任某一职位。每一回有一个官出缺了，山涛就拟了十几个人让晋武帝司马炎选，先试探晋武帝的意思，然后再上奏。

　　晋武帝不了解外情，挑中的人经常不是众望所归的优秀人才。一般人不清楚，以为山涛很走红，他说谁好，谁便可以出头，哪个人得罪了山涛，也就堵住了自己的官路，对山涛十分巴结。山涛也就大大方方收取贿款。

　　山涛还有一个本领——以退为进。每次升官，他就苦苦上表，说自己"老了、病了，实在不能再做了"，逼得武帝又用更高的职位挽留他。然后山涛再假惺惺地故意谦让一番，才"勉勉强强"去上任。

　　让我们再回过头来看嵇康。

嵇康因为家贫，以锻铁维持生计。他家门口有一棵大树，十分阴凉。嵇康常与向秀（也是竹林七贤之一）在树下敲敲打打。

此时，大将军钟会正春风得意。他撰（zhuàn）了一篇文章，自以为见解独到，因仰慕嵇康之名，特地怀揣着新作，邀集了贤士名人来拜访嵇康。

嵇康正和向秀在铿（kēng）铿锵（qiāng）锵地打铁，看到钟会来了，连招呼都不打，依旧埋头打着。

嵇康与向秀两人说说笑笑，仿佛没见到钟会一般。

钟会在带来的名士前丢尽了颜面，脸孔涨得通红，气得拔脚要走。

"待会儿，"嵇康叫住了钟会，"你听到什么而来？看到什么而去？"

"我听到所听的而来，看到所看的而去。"钟会气愤地回答。

回去以后，钟会立刻在司马昭面前参了一本，说嵇康言论放荡，有害社会风俗教化，这种人不该留着。于是，司马昭下令把嵇康处死了。

嵇康的朋友向秀恐怕受到牵累，胆战心惊。正好地方上要推举人才，素来鄙视官场的向秀急忙去应征，来到了京城洛阳。

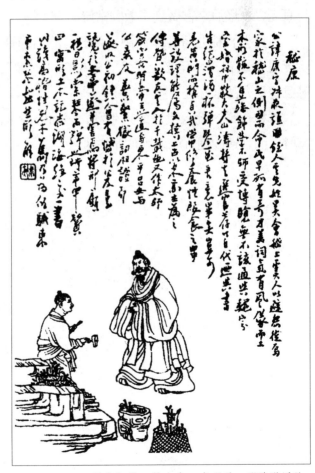

嵇康打铁，钟会在一旁观看，明陈洪绶绘。

司马昭看到向秀来了，笑着讽刺道："听说你有箕（jī）山之志，你怎么来了？"

向秀回答："像许由、巢父那种人，不了解尧、舜安邦治国的苦心，哪值得羡慕？"

许由、巢父是尧舜时代的隐士。许由听到要他做官的消息，就到河边洗耳朵，说："别让这些话玷污了我的耳朵。"巢父为了逃避官场，干脆住在树上。这两人隐居在箕山，所以后代用"箕山之志"代表隐居。竹林七贤自命为隐士，所以司马昭用箕山之志讥刺向秀。而向秀也居然好意思自打耳光，难怪后来官做到了散骑常侍。

可见得竹林七贤故作潇洒，为的是沽名钓誉，口中批评官场，却又厚颜无耻去求官，一旦当上了官，还是以"玄虚"为幌子，不肯好好做事，甚且想尽办法拿好处。

竹林七贤这批人代表的人生观，表面上看来清高脱俗，其实只是自我麻醉，而且造成魏晋南北朝的糜烂风气。

王戎与李树

竹林七贤七个人已讲了六个，这回要说最后一个人——王戎的故事。

王戎小时候非常聪颖，悟性极高，他有一个本领，面对着灼灼的太阳光，眼睛不会眨，也不会眯起来，有人形容王戎的眼睛灿烂犹如闪电。

王戎六七岁的时候，胆量已经很大。一天，大伙在宣武场观杂戏，看得有趣，都走近瞧瞧，忽然老虎在槛（jiàn）中发起威来，大声一吼，声震天地，吓得人们抱着头转身就跑，只有王戎直直地站在原地不动，神色自若。魏明帝在阁里看到惊奇万分，直夸："这个小孩子真勇敢。"

王戎不但胆量大，而且反应机敏。

一天，王戎和几个小朋友上街玩耍，发现道旁有一株李树，果实累累，李子一个个鲜艳欲滴，又大又红，大家口水都要掉下来了。小朋友们一拥而上，争先恐后爬上树去。

"咦，王戎快来啊！"小朋友发现王戎竟然没跟上来，觉得好奇怪。

"别去了吧，这些李子都是苦的。"王戎摇摇头道。

"哪有这种事，我不信！"一个馋嘴的小胖子抢先爬上树，摘下一个大的就咬。"哇！呸呸！"小胖子不断地吐着口水，生气地埋怨着，"从来没有吃过这么难吃的李子，不但苦而且酸得要命。"

一群人垂头丧气地爬下树，奇怪地问王戎："你又没有尝过，怎么知道李子是苦的呢？"

"这个嘛，很容易。"王戎从容不迫地回答，"你们想想看，李树长在道旁，又没有人管理，如果又香又甜，不早被摘光了，哪还会剩下这么多？"

大家听了都很钦佩王戎的观察力。

王戎长大了，与阮籍等六人成为好朋友，号称竹林七贤，很受社会人士的崇敬。

竹林七贤的作风是，官是要做的，责任却是不愿意负的。王戎也不例外，他历任吏部黄门郎、散骑常侍、河东太守、中书令等高官，却没有为民造福的意愿。

竹林七贤标榜"隐士"，认为不做官，隐居山林固然是"隐"，但是在朝廷也可以做隐士。王戎后来做到了司徒，虽然职位很高，他却把所有的事交给手下的幕僚，自己时常偷偷骑着小马，从边门悄悄溜出去玩儿，见到的人都不知道他是司徒，也没有想到本来应该忙得不可开交的司徒，竟然会在路上闲逛。

王戎十分贪财，广收八方田园，竭尽所能地攒钱。每天晚上，王戎自己拿着算筹（中国古代的计算工具），对着账簿，仔仔细细地核对。钱财滚滚而来，王戎还是不满意，他为人吝啬（lìn sè），小气万分，人家都说他是财迷心窍，病入膏肓（huāng）了。

王戎的女儿嫁给了裴𫖳（wěi），裴𫖳曾向岳父借过数万银钱，一直没有还，王戎每次想起这件事就像心里掉了一块肉般难受。

他女儿回娘家，上堂去禀见王戎。

"爹，女儿回来了。"

"哼！"王戎扭过脸去，仿佛没看见人似的踱着方步走开了。

王戎的女儿很清楚她父亲的脾气，急急忙忙把欠债全部还清，看到了钱，王戎的气也消了，父女和好如初。

王戎有个侄子快要结婚了，这次他倒很大方，送了一件小小的单衣作为贺礼。但是侄子完婚后，王戎竟然把侄子骂了一顿，把单衣又要了回来。

更叫人啼笑皆非的是王家有一株李树，结出的李子皮薄汁多，甜美无比，王戎把李子当宝贝，很舍不得吃。

一天，王戎灵机一动："何不拿去卖钱？"主意打定，他就开始忙着摘果子。

摘了一半，王戎突然想到："不好，我的李子是难得一见的好李，若被人买了去，用核栽植，岂不白白便宜了人家？不好，不好。"

不卖，恐怕李子都烂掉了，损失了金钱。

卖掉，又唯恐旁人得了好的李树。

王戎烦恼极了，最后，他竟想出一个妙法，先把李

王戎，选自《清刻历代画像传》。

子中的核剔除，再加以出售，他也不嫌麻烦，拿着钻子一个一个地挑果核。

买了王家李子的人都好生奇怪，怎么这些李子竟没有核，等到打听清楚情况以后，不免啼笑皆非，都说没看过如此小气的人。

李密孝顺祖母

司马昭想要篡位，自立为皇帝，他的野心是当时人所共知的，这便是成语"司马昭之心，路人皆知"的由来。

等到司马昭灭了蜀国，把刘备不成材的儿子阿斗俘虏以后，司马氏的大权已经稳固。司马懿死后，把权位传给儿子司马师。不久，司马师去世，权位由弟弟司马昭接管。当司马昭去世，权位又传给儿子司马炎。司马炎一掌权，立刻就逼着魏元帝让位并搬出皇宫，自立为帝，改国号为晋，是为晋武帝。

晋武帝即位后的第二年，立杨氏为皇后。杨皇后美丽大方，聪明贤惠，不幸的是，杨皇后生下的太子司马衷却痴痴呆呆，连话都说不清楚，很让武帝操心。

武帝看着司马衷傻傻的样子，想到将来天下要交到他手里，实在不放心，便和杨皇后商量："怎么办呢？不如另立太子。"

"不好。"杨皇后不赞成，"自古以来，立太子都是立长子，而不是立贤子，太子虽然不贤，然而名位已定，不可动摇。"

杨皇后说得也有道理，武帝只好打消了废太子的念头。这个太子正是日后的晋惠帝，也是中国历史上有名的笨皇帝，他可笑的事很多，以后我们会讲到。

既然太子换不成，武帝就积极为太子物色老师，希望能在良师的辅导下，化腐朽为神奇。

于是，武帝立刻下令征召犍为人李密为太子洗马（洗马是自秦代就有的官名，太子外出时洗马走在军队的最前面，晋朝以后掌管图书）。当大队人马不远千里赶到了犍为郡，传达了这个天大光荣的消息，李密却满脸哀愁，似乎有说不出的苦恼。

李密何以如此不识好歹？这要从头说起。

原来李密有一个极为悲惨的童年，他生下来，只有四个月大时，父亲就过世了；家里的环境很坏，到了四岁时，舅舅又逼着母亲改嫁，只剩下他一个人孤苦伶仃。

营养不良加上又受到刺激，不久李密生病了，而且病得很厉害，日夜啼哭吵着要妈妈。李密的祖母看他可怜，心里不忍，因此虽然年事已高，体力已衰，仍然收留了李密。由于先天体质虚弱，一直到了九岁，李密才会走路。

祖母的身体也不硬朗，每逢祖母生病，李密总是流着眼泪在病榻旁伺候，照顾得无微不至，只要祖母的病一天没有好转，李密就一天不肯上床睡觉。祖孙二人相依为命，感情好得不能再好。

李密的学问不错，而且善于辩论，曾在蜀国做到尚书郎，又曾以外交官的身份奉派到吴国，表现杰出，在江南一带享有盛名。蜀国亡后，李密隐居在家乡，除招收门徒传授学问外，其余的时间都在伺候祖母。

不料，突然接到了朝廷的诏书，李密相当为难。不说别的，单以他是个蜀国的旧臣，已一千个、一万个不想当晋朝的官，何况亲爱的祖母又染上了重病，随时都有生命危险，他更不愿赴京（洛阳）为官了。因此，李密总是一拖再拖，迟迟不肯动身。

但是，使者哪里肯放过他，看到李密一再延缓，脸色就不好看了，天天上门来催："还请早些上路吧，免得我们为难，况且去当太子洗马又不是坏事，你怎么……"说着，白眼扫了过来，大有指责李密"不识抬举"的意思。

李密只好打躬作揖，连连道歉，但他也知道事情是拖不下去了，等到武帝怪罪下来，全家都难逃厄（è）运，可是，撇下祖母远走京城，万一祖母有个三长两短，想到这里，李密的背脊一阵又一阵地发凉。

李密背着手在房间里转来转去，想不出任何办法，于是抹干眼泪，向武帝上了一个《陈情表》。在《陈情表》中，李密叙述了自己坎坷的童年遭遇、祖母病危的情形，最后婉转地请求："臣没有祖母，活不到今天，祖母没有我，也没法度过晚年，我们祖孙二人，相依为命，我实在不能离开祖母啊。我今年四十四岁，祖母今年已九十六高龄，我报答陛下的日子还很长，报养祖母的日子却没有几天了，我这个像乌鸦般反哺报恩的心情，希望陛下成全。"

晋武帝看了李密的《陈情表》，相当感动，特别准许李密等到祖母归天以后才到朝廷上任，并且赐给李密两名婢女帮忙伺候祖母。因此，当李密的祖母去世后，他纵使满心不愿，也不得不上任。

后来，李密被选为汉中太守，临上任前，武帝命他赋诗助兴，谁想到李密竟然坦白地写出"官中无人，不如归田"，意思是说，朝廷里没有人才，我还不如回家去耕田。这等于是在骂皇帝无能，武帝看了十分生气，不久李密被免职回乡，这也成全了他尽忠蜀国的心愿，果然"忠臣出于孝子之门"。

李密的这篇《陈情表》，文字浅显，一字一句从肺腑中流出，使人看了忍不住要掉眼泪，难怪有人说："读诸葛亮的《出师表》不哭的人是不忠，读李密的《陈情表》不哭的人是不孝。"

不讲理的孙皓

魏、蜀、吴三国之中，蜀国的阿斗向魏国投了降，魏又被晋所取代，剩下的吴国如何呢？

在晋武帝司马炎篡位的前一年，吴景帝去世，本来应该传位给太子，可是太子年龄太小，蜀国刚刚被灭，东南又有乱事，大臣们商议后认为，非要迎立一位有为的君主才能稳住局势。

于是，有位大臣提出了孙皓，夸奖这位孙权的孙子有才识，有判断力，聪明好学，奉守法度。就这样，二十三岁的孙皓正式即位为吴帝。

哪儿晓得孙皓即位以后，贪酒好色，骄傲粗暴，朝廷上下都失望极了。

一次，孙皓举行宴会，欢迎自晋回来的使者。这天，孙皓的兴致很高，传下命令："百官必须尽饮为欢。"许多没有酒量的官员都暗暗叫苦，却也不敢违抗旨意。

其中有位散骑常侍王蕃，一向严肃拘谨，不善饮酒，才饮了数盅，立刻满脸通红，走了没有两步路，"叭"的一声跌倒在地，醉得不省人事。

"扫兴，扫兴！"

孙皓看了，颇为不悦，大声叫道："把他给我抬出去。"

王蕃被侍卫七手八脚地抬出殿外，室外凉风习习，空气清新，没多久，王蕃悠悠地张开了眼睛，想起刚才在大殿前出丑，慌慌张张站了起来，一边扶正衣帽，一边往殿里面冲。

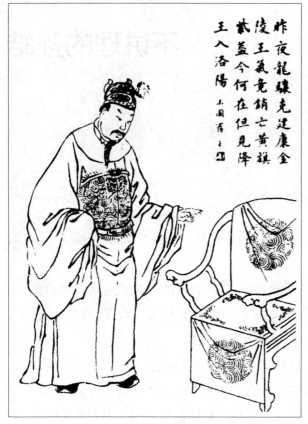

昨夜龍驤克建康金
陵王氣竟銷亡黃旗
戡益今何在但見降
王入洛陽

孙皓，选自清刊本《三国演义》。

王蕃一向是个循规蹈矩的正人君子，不免对自己的失态懊恼万分，因此特别打起精神，从容不迫地重新与人寒暄应酬。

孙皓转眼看到了王蕃竟然好端端地与人谈天，心头之火熊熊燃起，他认为王蕃方才一定是故意装痴卖傻，借酒装疯，欺君之罪岂可轻易放过？倒霉的王蕃就被喂了野狼。

孙皓除了脾气奇坏，还有一个毛病——不许别人看他，任何人一看他就要治罪。

因此上朝的时候，文武百官个个低着头，专心看着脚尖，没有人胆敢仰起脑袋，除非不要脑袋了。

陆抗是吴国的大将军，允文允武，为吴国立下了汗马功劳，他对孙皓不许臣子们注视不以为然，写了一篇奏章呈给孙皓："古今哪儿有君臣不许相视的道理？如此则臣子不晓得谁是天子，万一有一天，君主发生不测，臣子到底该救什么人呢？"

孙皓因此下诏，陆抗上朝可以上视天子，别人还是只许看脚尖。

孙皓虽然不喜欢臣子们注视，却喜欢窥视臣子们的一言一行。

所以在朝廷上，孙皓派了十名小宦官分立左右，瞪着眼观察每一位臣子的举动，称之为"司过"。

"司过"对文武百官真是一种酷刑，试想，穿着朝服大袍，一动也不能动，又得当心不要把头抬起来，以免不小心看到孙皓，这已经够受罪了，身旁还有虎视眈眈的太监等着在朝会后把自己的举动秘密报告给孙皓，只要有一点可疑，抽筋、剥皮、拔舌就随孙皓高兴了。因此人人上朝心里头就在打鼓。

"探人隐私"是最要不得的行为，孙皓对此却兴趣顶浓，他很喜欢在宴会上玩这种游戏，逼着甲大臣说出乙大臣的丑事，丙大臣透露乙大臣见不得人的秘密，然后，仰天大笑："有趣，有趣！"把臣子们弄得尴尬万分，窘态百出。

后来，晋武帝发兵南下，幸而陆抗大将军运用奇兵才转危为安，孙皓却十分自得，自以为有天助，更加荒淫无道。终于在晋武帝咸宁六年（280年），吴国被晋军攻入，孙皓投降，吴国正式灭亡，存续五十九年，三国结束，晋朝统一了全国。

说到这儿，我们发现一个问题，中国古代君主专制政体，很容易走向君主独裁暴虐的路子，但是历史上像孙皓般暴虐的君主并不多见，而且这些暴虐的君主都逃不了被人民推翻的命运。为什么？

因为中国古代对政治有大同世界的理想，大同世界的理想像灯塔般照耀着君臣们，使实际政治朝向灯塔努力，所以再坏的君主也知道自己行为不合理。更有许多忠臣，宁肯冒着一死也要上谏皇帝，中国人有这种为理想而不惜牺牲性命的精神，这是古代政治不致过分专制之因，也是我们的宝贵资产——中国读书人的风骨。

堕泪碑的故事

　　在上一回《不讲理的孙皓》中说到，吴国传到最后一位君主——孙皓，他荒淫无道，终于被晋所灭，今天就要讲灭吴名将——羊祜（hù）的故事。

　　羊祜是汉末大学问家蔡邕（yōng）的外孙，出身于书香门第，从小就博学能文，安贫乐道，有人赞美他是"当代的颜子"。颜子指的是孔子的大弟子——颜回。

　　羊祜长大以后，在晋为官，泰始五年（269年），被派到荆州管理军务。羊祜到了荆州一看，糟糕，军队里的粮食不够一百天食用了，而一开战，粮运中断经常是最大的问题，于是，羊祜下令拨一半巡逻兵去开垦荒田。

　　到了第三年，荆州整整开垦了八百顷荒田，足足存了十年的粮食。羊祜又在荆州地方办学校，很得当地人民的敬重。羊祜虽然官拜大将军，平常不穿戎装，总是一袭宽宽的儒衣，系上一条轻缓缓的带子，看来有说不出的舒服，他为人又是那么温文儒雅，因此人人都说羊将军倒像是个书生。

　　羊祜虽然看起来文雅，打起仗来可不含糊，他和吴国的大将陆抗，被人比喻为诸葛亮与周瑜。

　　由于两名大将都很厉害，谁也没法把谁打败，于是两人改用稳扎稳打的办法，对峙（zhì）在襄阳一带。羊祜首先决定用以德服人的方法。

　　每次羊祜与吴人交战，约定哪天交兵就是哪天，绝对不诱敌，也不偷袭。有兵士建议："我们不如早一天出袭，杀得他措手不及。"羊祜说："不可以。"然后用烈酒把那名兵士灌醉，免得兵士到处乱说。

羊祜的军队偶然进入了吴国境内，顺手偷割了不少稻谷，羊祜知道了，大为不悦，已经割下来的稻子也接不回去，因此他算算约值多少钱赶紧赔给人家。甚且双方兵士出外打猎，擒到的野兽，如果是吴国兵士先射的箭，羊祜一定命令送回吴人。晋兵虽然心头舍不得，也只好听从羊祜的嘱咐。

陆抗曾派人送来自酿的美酒，羊祜喝了一个痛快，旁边的兵士倒捏了一把冷汗。后来陆抗得了疾病，羊祜命人送来良药，陆抗也马上煎来服用，左右都反对，唯恐药中有毒，陆抗不以为然道："羊祜哪里是会下毒的人呢？"果然，不久病愈。

送敌将治病的良药，这似乎不可思议，其实陆抗与羊祜是在比"德政"，比赛谁的道德更高，以赢得民心，这是中国战争史上一段难得的佳话，可惜以后很少看到。

羊祜有一个习惯，阅过的文件立刻焚毁，绝不外流，对公事守口如瓶，别人不论如何套他的话，他绝对不透露半个字。羊祜平生推荐的人很多，他从来没有告诉对方是自己推荐的，当然也不期望被推荐的人有所报答。

羊祜，选自《马骀画宝》。

羊祜与陆抗的"德政",境界太高,吴国君主孙皓不能理解,当他听说陆抗竟然送酒给敌人喝,气得暴跳如雷,大骂陆抗"混账"。孙皓自作主张发动攻击,次次大败,陆抗就忧郁而死。没有多久,羊祜也病倒了,晋武帝来看他,羊祜有气无力地说:"现在孙皓暴虐无道,此时发动攻击,可以不战而胜,如果孙皓不幸死了,吴人另外拥了新主,那时就不容易了。"

晋武帝听从了羊祜的话,对吴国展开猛厉的攻势,果然孙皓一下子就被击溃且做了俘虏。

咸宁四年(278年)冬天,羊祜去世。当他的死讯传到了荆州,荆州一片哭声,不但晋军哭,连吴军也痛哭流涕,老百姓没有心情做生意了,索性关上门,家家户户都似乎在办丧事。由于羊祜生前喜欢登岘(xiàn)山,后来襄阳人士就在岘山建造了一座巍峨的纪念碑,碑旁盖了一座庙,以纪念这位受人爱戴的大将军。襄阳人每次登山见碑,无不哭得满脸泪痕,因此称之为堕泪碑。一直到唐朝这项风俗仍流传不息,大诗人孟浩然有一首《与诸子登岘山诗》,其中说道:"羊公碑尚在,读罢泪沾襟。"意思是说,羊公碑还竖立在那儿,我读完碑上纪念的文字,哭得眼泪湿透了衣襟。

从堕泪碑的故事,我们可以发现中国人爱好和平,中国人所崇拜的英雄都是有学问有道德的君子,中国人瞧不起只会斗狠侵略的莽夫,这也是中国文化了不起的地方。

美男子潘岳

在前面讲竹林七贤时，曾提到当时的人很重视容貌，到了晋朝，这种爱美的风气日渐盛行。

依据晋朝人的审美标准，男子的美并不是雄赳赳、气昂昂、仰首伸眉的阳刚之美，而是白白嫩嫩、弱不禁风的病态美，有的男人还搽起粉来，真可谓娘娘腔，其中潘岳正是一个世所公认的美男子。

潘岳的脸蛋十分俊俏，眼睛特别明亮，说话娇声娇气，走路扭扭捏捏，非常矫揉造作，充满了女人味道，晋朝的人迷他迷得要死，尤其是妇女们一听到"潘郎"二字，骨头都酥软了，魂儿都出了窍！

潘岳每回在洛阳上街，坐在车上，手上总挟着一个弹弓，那个模样既潇洒又英俊，妇女们简直为之疯狂，愈聚愈多，纷纷靠拢来看心目中的"白马王子"，到了后来，竟然手牵着手，围成一个圆圈儿，不让马车通行，以便好好看一个仔细。

除了看以外，这些妇女为了表达心中的爱慕之情，总是准备了许多水果，远远看到潘岳的车来了，就拿起水果纷纷往车里扔，因此，潘岳每回上街，无不满载水果而归，他自己也为此得意万分！

另外有一个人叫张载，容貌极为丑陋，大龅（bāo）牙、凸眼睛，既黑又矮，教人看了，作呕三日。他每回出去，妇女都掩面而过，不但如此，小孩子们还拿着瓦石，一路追打他："这么难看还成吗？打死算了！"所以可怜的张载次次上街，都是落荒而逃。天下竟有如此不讲理之事。

潘岳除了容貌长得漂亮，他笔下辞藻更是美丽，尤其擅长为死人写追悼的哀诔（lěi）文。但是他人美心不美，此人品德极差，热衷富贵，是个拍马屁的能手。晋武帝司马炎在泰始年间曾亲自下田，司马炎并不是一个好皇帝，偶尔下田只是装模作样，表示皇帝重视农业而已，潘岳却以此为题，写了一篇赋，吹嘘捧拍了一番。

潘岳，选自《萧山钱清北祠潘氏宗谱》。

此篇歌功颂德的大作写得文情并茂，为潘岳赢得了"才名冠世"的荣耀，也使得朝中大臣对他嫉恨不已。大臣们又不齿潘岳的为人，对他加以排挤，所以十年之中，他都没法弄到一个小官。

后来，总算让潘岳勉强挤上一个小官位，他心里非常不满意，于是和石崇等人结为二十四友，专门逢迎贾谧（mì）。

贾谧是何许人？原来是晋惠帝的皇后贾后的哥哥，当时惠帝无能，大权都握在贾家兄妹手中，所以潘岳和以豪俊出名的石崇动起了贾谧的脑筋。

为了拍马屁，以潘岳为首的一干人，每次听说贾谧要外出，就预先守候在道旁，远远看到车子来了就立刻跪下去，等到马车"吱呀吱呀"一路冲来，立刻迎着马蹄扬起的灰尘，恭恭敬敬在道旁磕头，一向最爱干净的美男子如今也顾不得肮脏了。

潘岳的母亲看到他撅着屁股望尘下拜的丑态实在恶心，屡次劝他："你其实用不着像奴才一般巴结贾谧。"潘岳不听，他有把握地说："这一跪下去，将来的荣华富贵就不用愁了。"

可惜，事与愿违，潘岳如此低声下气，结果并没有平步青云，因此他就写了一篇《闲居赋》，叹自己的无能，闲居在家。到了后代，我们常用"赋闲"二字代表一个人失去职业，没事做。

俗话说："偷鸡不着蚀把米。"潘岳正是如此，拍贾谧的马屁拍了半天，一点儿好处也没有捞着。不久，发生了"八王之乱"，等到赵王司马伦篡位以后，贾谧被杀，潘岳也因此连带获罪，被扣上了谋反的罪名。潘岳非常后悔，连连说："我辜负了母亲，我辜负了母亲。"

潘岳到了刑场一看，他的老朋友石崇也五花大绑跪在地上。石崇说："咦，怎么你也来了？"潘岳摇摇头，一颗泪珠滚了下来道："这才是白首同所归啊。"

原来，潘岳曾写了一首诗谄媚石崇，其中有一句"白首同所归"，形容他俩友情坚固，"到了年纪大了，死也要死在一起"。果然一语成谶（chèn），两人死在了一起。

说到这儿，我们发现一件有趣的事，在中国历史上，审美标准象征国运盛衰，像晋朝、宋朝标榜文弱，国势也一蹶（jué）不振。汉朝、唐朝讲究雄健之美，国威远播。我们现在有些男人喜欢作女人打扮，头发留得长长的，衣着打扮，举止神态，处处模仿女人，实在不是一种好现象。

针灸专家皇甫谧

近年来，中国传统的医术针灸大行其道，尤其它竟然可以代替开刀前的麻醉，很受国际医学界的重视，皇甫谧正是我国历史上一位杰出的针灸专家。

皇甫谧的曾祖父皇甫嵩是东汉末年攻打"黄巾"的名将，曾经做到了冀州牧，传到皇甫谧时，家道中落。皇甫谧由叔父抚养长大，穷得连买米的钱都成问题。

皇甫谧小的时候不知学好，一直到了二十岁依然成天游游荡荡，邻居的小孩时常捉弄他，嘲笑他是个败家子，皇甫谧也不在意，扮个鬼脸又去玩儿了，因此左邻右舍常讥讽他，恐怕是个痴儿。

虽然喜欢游荡，皇甫谧倒还是个孝子。有一天，他偶尔得到一点瓜果，急忙捧回去孝敬叔母任氏，因为跑得太急，到门口时还摔了一大跤。

当皇甫谧满脸欣喜献上瓜果，兴奋地说："尝尝看，您从来没有吃过这么甜的瓜果喔。"任氏的脸一沉，正眼也不瞧，伤心地说："哎，你就是把牛、羊、猪三牲全搬了来，还是没有用，还是不孝顺。"说着，说着，任氏的眼泪一滴滴地流下。

满心讨好，却挨了一顿骂，皇甫谧懊恼极了，也委屈极了，眼泪扑簌簌地流。这一哭，却把皇甫谧哭醒了，觉悟到一个人必须有能力才能受到尊敬。

于是，从来不肯摸书本的皇甫谧开始拜乡人席坦为师，因为家里穷，缴不起学费，他只好半工半读，一边读书，一边种田。

这一读，竟然读出兴味来了，他发现书本中的许多道理都是以前没有看过、没有想过的，值得好好地研究。每次耕田耕得累了，抽出一点空当，他就迫不及待掏出书本，愉快地吟哦着，脸上浮着满意的笑容。

"皇甫谧。"邻家的伯伯走过来叫他。皇甫谧一心一意沉浸在书本中，完全听不见。"皇甫谧。"伯伯狠狠拍了他一下肩，"怎么，没听见？"

皇甫谧"哦"的一下，抬起头来连忙道歉："对不起，对不起，有什么事吗？"话没讲完，眼睛又溜回书本了，似乎书对他有无比的吸引力。伯伯看着他，叹口气走了，因为他太爱看书，邻居们给他一个外号——"书淫"。

"书淫"早也看书，晚也看书，连睡觉、吃饭的时间都舍不得。有人劝他："你这样消耗精神会伤身体的。"皇甫谧也不管，笑着回答："孔子说，一个人早上得道，懂得道理，晚上死了也甘心（朝闻道，夕死可矣），况且寿命长短本是天意！"

经过十年的苦读，皇甫谧已成为远近驰名的大学者，连晋武帝司马炎都久仰大名，派人请他到朝廷为官。皇甫谧上了一个奏章，婉谢武帝的好意，说明自己志在研究学问报效国家，并且请求皇帝把宫廷里收藏的书借给他。

武帝倒也不为难皇甫谧，赐了一车的书给他看。皇甫谧如获至宝，看得更起劲了，自号为玄晏先生，过着隐士般的生活。

或许是读书太用功了吧，皇甫谧在四十岁左右就得了瘅（dān）湿症（中风），半身不遂，耳朵又重听，痛苦万分，他先是服寒食散，药性不合，总是医不好。

俗话说得好，久病厌世，病久了，心情日渐灰暗，每次病发，皇甫谧都是又悲哀，又烦躁，难过得直掉眼泪。

"算了，算了，还活着干什么，长痛不如短痛，不如早死早好！"皇甫谧一时想不开，拿起利刀就往脖子上抹，幸亏他的叔母看到，急忙奔来一

皇甫谧，佚名绘。

把抢过利刃："你这是干什么？"阻止他自杀。

后来，皇甫谧遇到一位医师，医术高超，而且医德很好，极有耐性，从不发脾气，总是和颜悦色为他治疗，皇甫谧感动得不得了，不知如何报答。

由于身受其苦，皇甫谧深深了解一个人生病时身心受到的煎熬，这引发了他对医学的兴趣，从此钻研医书。他对针灸——一种中国古传，按经脉用针刺，或是用艾叶熏灸的治病术大感好奇。原来人体中有许多穴道，针刺下去竟不会鲜血直流，也不会痛，而且能治病，简直妙透了，皇甫谧就以自己的病为例，写出了许多心得，是为《甲乙经》。

《甲乙经》是中国针灸术的宝典，书中记载了针灸的理论、经穴的正确部位、操作的方法等，是中国历史上最伟大的针灸专书之一。

周处除三害

周处原是魏晋时期义兴地方上的恶霸，好勇斗狠，臂力惊人，他很小的时候父亲就去世了，家境并不差，但他不务正业。每当周处大摇大摆地往街心一站，人们赶快缩着头急急避开，连商店也不声不响掩上了门。

周处最喜欢骑着快马在原野上驰骋（chěng），经常为了追逐野兔，践踏良田，破坏收成。如果谁向他索取赔偿，周处两脚一分，怒声一吼："你说什么？"吓得老实的农人回头就跑，因此，谁也不敢接近这个魔王。

在义兴这个地方，有些母亲哄孩子哭便吓道："周处来了！"小孩子一听到周处两个字，仿佛见到了鬼一般，大气也不敢出。周处对此得意万分，认为自己乃天下第一英雄也。

一天，周处打完了架，把一个不自量力的家伙摔在地上以后，信步走向街头，看到有个白头发的老公公正在长长地叹气："哎，我们义兴县好苦啊！"

"怎么会呢？"周处奇怪地问，"义兴县物产富饶，今年收成又好，苦什么？苦个屁！"

老头慢慢地一摇头道："啊，年轻人你不晓得，我们义兴县出了三害，就是收成再好，也快乐不起来。"

"有这种事！"周处搬了一块石头坐下，很有兴趣地问着，"哪三害啊？"

"嗯，第一害是南山有个白额头的老虎，第二害是长桥底下的大蛟，时常危害老百姓的生命，第三害嘛，第三害不是牲畜，是……"老公公咽了一口口水，很吃力地说，"是，是一个人，比猛虎、大蛟还要恐怖。"

"是谁？待我教训教训他。"周处说着抡起了拳头，摆出一个要揍人的姿势，"快说啊。"

"我不敢说，说了我会没命。"老公公说。

"有我在，谁敢欺侮你？你说那第三害的人是谁，我保证你的安全。"周处大声吼道。

"好，好，我说。"老公公东张西望，看看四周没有人，才对周处说，"他名叫周处。"

"什么？"周处听到老公公说第三害竟是自己，就像遭雷击一样，呆住了，动也不动。

"你也害怕了吧！"老公公拍拍周处的肩膀，安慰着，"别怕，没有人知道，我也不会说出去。"

周处很痛苦地摇着头，老公公诧异地问："你怎么了？"

"没事。"周处做了几次深呼吸，慢慢地镇定下来。

"请问你贵姓大名？"老公公和蔼地问。

"我……"周处几乎说不出话来，他用从来没有过的细微声音，低着头说，"我就是周处。"

"哎呀！壮士饶命呀！"老公公脸色苍白，双膝一软就跪了下去，"是我多嘴，请壮士开恩饶命！"

周处只觉得遭到了电击，脑袋嗡嗡作响，他一直以为人家怕他，是尊敬他，把他当英雄崇拜，没想到自己竟和猛虎、大蛟般讨人厌。

"请快起来。"周处轻轻一提，就把老公公扶了起来。他握住了老公公的手，羞愧地说："谢谢你告诉我，我一点儿也不怪你，我从小没有父母，家里有几个钱，却没有好好受过教育，也没有人告诉我怎么做人，我只觉得别人怕我，我就很神气，自己好像是个英雄。"

"英雄？"老公公神情严肃地对周处说，"年轻人，你错了，英雄是要为国家为社会做有益的事，让大家尊敬你。如果逞强好斗、仗势欺人，让大家怕你，那不是英雄，那是社会的害虫。"

"我从来没有想到这些，我也有羞耻之心，我不愿意成为三害之一，我一定要让大家改变对我的看法。"

于是，周处提起了弓箭，走向了南山，一箭射去，刚好射中了猛虎白色的前额，然后把死老虎拖下山来，放在大街展览，让人们知道一害已除。周处拍一拍手，脱去上衣，带着钢刀，纵身一跳，跳下长桥。庞大凶悍的水怪巨蛟相当厉害，张着锐利的钢牙扑向周处，周处一偏身，巨蛟扑了个空，愤怒地再向周处袭来。这一场生死之斗足足拼了三天三夜，长桥下的河水一片鲜红，人们猜想人蛟一定是同归于尽了，欢呼叫好声不绝于耳。

当周处满身伤痕从水中爬上来，远远听到有人高叫："三害已除，周处已死，万岁。"周处心中难过极了，他颓丧地倒了下来，一遍又一遍地想着："我拼了性命为百姓除害，却换来了百姓为我死而庆贺，这算什么呢？"如果在以前，他早就提着大刀，把这些忘恩负义的混蛋杀个精光，但现在，周处只觉得浑身乏力，只想痛哭一场。

周处入水杀蛟，选自《马骀画宝》。

"别难过，年轻人。"不知何时老公公又走到周处身旁，"原谅他们吧，他们不了解你的苦心，真正的英雄是为自己负责的，义兴的父老对你的成见太深，你还是离开吧。"

周处望着老公公叹了一口气说道："老先生，我不会和他们计较，这是我以前做坏事的报应。不过，看这种情形，我不能留在义兴了。"

"离开义兴也好。"老公公站了起来，拍一拍周处的肩膀，"不过，年轻人，你千万不要气馁（něi），不要消沉，你还年轻，努力求学，好好做人。你要记住，一个人人害怕的人不是英雄，一个受人尊敬的人才是英雄。"

"谢谢你，老先生，我会永远记住你的话。"周处用感激的眼光看着老公公，深深地作了一个揖，迈开大步走向城外。

虽然起步迟了一些，但勤能补拙，几年下来，周处竟成为一位知名的学者，而且受了书本的熏陶，再也不是当年凶狠的流氓了。

不久，周处被任命为新平太守。新平当时是边疆地区，有许多羌人，他恩威并用、软硬兼施，使百姓心悦诚服，又捡郊外无主的死人骸骨加以埋葬，当年杀人不眨眼的魔王变成了菩萨心肠。后来，外族酋长齐万年作乱，朝廷臣子厌恶周处过分正直，建议派周处去讨伐，周处以五千兵马，力战七万敌军，终于寡不敌众，壮烈成仁。

周处除了武功高强，还写了《默语》三十篇及《风土记》，并且撰辑《吴书》，这是很少人知道的。一个恶霸地头蛇，转变为允文允武的国家栋梁，可见得"放下屠刀，立地成佛"不是做不到的事。

晋武帝君臣生活腐化

在中国历史上，开国创业的帝王大多是励精图治的君主，这样的人才能推翻前一个朝代，建立一个新的政权。同时因为他们生自民间，了解老百姓的痛苦，因此当上皇帝以后，能体恤一般大众，例如汉朝的开国君主刘邦。不过也有开国君主是荒唐的，例如晋武帝。

晋武帝司马炎虽说是晋朝的开国皇帝，然而他是继承祖父司马懿、伯父司马师和父亲司马昭已建立的权势，本人并没有多大才能，而且是我国历史上有名的好色奢侈的帝王，因此晋朝一开国马上出现根基不稳的现象。

武帝后宫的佳丽本来已经很多，但是他还不满足，想要一网打尽天下美女，供他一人享受。于是在泰始九年（273年）、十年（274年），大选嫔妃，下诏良家及小将吏女五千人入宫。

在中国古代，一般的妃嫔命运相当凄惨，虽然吃、穿等享受都是第一流的，可是住在后宫里，冷冷清清像冰窖般，没有亲人、没有朋友、没有任何感情生活，而且稍不小心卷入政争中，随时都有杀身之祸。

凡是被挑选入宫的美女，不但她自己伤心，家里的人更是痛心疾首。在入宫的那天，到处看见母女抱头痛哭，那一片哭声真是惊天动地，使人听了不禁泪下。

最后，管事的在赶人了："好了，好了，你们可以走了。"这些哀伤的母亲不得不忍痛离开，个个都是红肿着一双眼，频频回头，恋恋不舍，这一相别，很可能一辈子再也见不着女儿一面。

总共加起来，武帝后宫的佳丽近万人之多，一个人哪儿消受得了呢？就算他一天找一个，一年也不过三百六十多天，也只能找三百六十多个妃嫔啊！

所以大多数被选入宫的女子可能一辈子都见不到皇帝一面，只能孤孤单单老死于宫中。如果皇帝能来自己的住处，相聚一夜，或许讨得皇帝欢喜，皇帝就会常来，成为皇帝的宠妃，那么身价就不一样了。这样，凡是进宫的女子莫不希望皇帝有一天会临幸自己的住处。

数以万计的美女，看得武帝眼花缭乱，各有各的风姿，每天晚上该到哪一位美女的住所去，常令武帝决定不下。终于，武帝想出一条妙计："不如叫我这只羊儿来帮我选美人儿。"

于是，武帝闭目养神坐在羊车上，任凭羊儿在宫中乱走，走在谁的宫前，他就选中谁当玩伴，好像猜谜一般，武帝觉得好玩极了。

于是，有一个聪明的女子想出一个引诱羊儿的办法，她知道羊儿喜欢吃嫩嫩的竹叶，于是在自己住所的附近路上插竹枝。果然，羊儿就为了吃竹叶而到了这女子的住所。

不过，这一个办法很快被其他宫人知道了，也就纷纷插起竹枝，一时之间，内

晋武帝乘羊车游幸后宫，选自明刊本《帝鉴图说》。

宫到处是竹枝，于是，用竹条引诱羊儿的办法就失灵了。

另一个聪明的宫人又想到一个办法，她在自己住所的路上撒了细盐，羊儿喜欢盐味，低着头舔盐，这样就能把羊车引来。果然，这一招也有效，羊儿真的来了。不过，这办法并没有获得专利权，别的宫人也跟着撒盐，弄得内宫里到处全是盐。

武帝后宫财产丰积，室宇宏丽，厨房里的山珍海味，奢侈浪费，那是不在话下。他的大臣们也学着讲究铺张排场，而且彼此还以"富有"互相比赛，其中王恺（kǎi）、石崇两人比得最凶。王恺曾用紫纱布做了四十里长的屏障，炫耀他的富有。石崇不甘示弱，用上好的锦做了五十里长的屏障。

石崇每次请客，一道菜接着一道菜上个不完，王恺更过分，他派了许多美人劝酒，如果客人不喝一个痛快，王恺就要杀死在旁伺候的美人，为了救人一命，王恺的客人还非纵酒醉倒不可哩！

武帝对大臣们比着浪费的行为，非但不劝阻，反而凑上一脚起哄。他比较喜欢王恺，就送王恺一株二尺高的珊瑚树，枝叶扶疏，非常漂亮。王恺很高兴，自言自语道："这是世上罕见的，待我拿去给石崇看，他看了恐怕眼珠都要掉出来喔！"

石崇一看那二尺高的珊瑚，拿起铁如意"当"的一下，把珊瑚敲成碎片。

王恺一下看呆了，又伤心，又气愤，厉声地指责："你妒忌也不可如此！"话还没说完，石崇派人拿了四株珊瑚来，光彩耀目，红得发亮，神气地说："没什么好遗憾的，这些还你！"果然，这几株比武帝赐的更胜三分。

武帝面前有一个叫何曾的大臣，也是家财万贯。何曾自家每天菜钱一万，他吃饭时还挑剔地说："这些菜，简直没有让我下筷子的地方嘛！"可见得在上位的人，不能以身作则，下面的人一定跟着学坏，而且更坏。因此，晋朝一开国，就已隐含了重大的危机。

晋武帝选错儿媳妇

晋武帝司马炎对他的太子——司马衷头疼极了，司马衷呆呆傻傻，又骏（dāi，傻）又痴，实在不适合作为一国之君。因此在司马衷十三岁的时候，武帝便积极为他物色媳妇，希望挑一位能干贤惠的内助，帮助司马衷治理天下。（司马衷是日后的晋惠帝）

太子要娶妻的消息传出后，朝廷里上上下下议论纷纷，许多家里有女儿的都跃跃欲试，希望能高攀这门亲事，其中最有兴趣又最热衷的，要数贾充了。这是有原因的……

贾充是晋朝朝廷里一个阴险狡猾的官儿，平素与任恺等不合，因而任恺等向武帝推荐贾充到西北出任秦、凉二州的都督。从汉朝以来，投降中原政权的胡人，散居在边境四周，他们一方面为中原所同化，另一方面仍保有强悍的本性。贾充很怕这些胡人，万分不想去就任。

临上任前，贾充的亲朋好友为他在夕阳亭举行饯别宴。贾充在宴席上唉声叹气不已，扯着中书监荀勖（xù）的衣袖道："我实在不想去，可是又不得不去，唉，真是痛苦万分。"

"你身为宰相，竟然被人玩弄于股掌之上，岂不可耻？"荀勖替贾充抱不平。

"难道你有什么妙计可以让我免掉这趟差事？"贾充一听十分喜悦，站起来向荀勖深深一作揖。

荀勖说："如今皇帝正在为太子物色婚事，如果攀上这门亲事，要走也走不成了！"

"对啊！"贾充一听，茅塞顿开，积极展开提亲的事。

在众多的应选人中，武帝选中了两个女孩子——贾充的女儿和卫瓘（guàn）的女儿。那是因为这两个女孩的家世好，她们的父亲都是武帝信任的大臣。

但是，武帝派人打听的结果，贾充的女儿竟然有"五不可"：个性妒忌、命中少子、面貌丑陋、身材短小、皮肤粗黑，简直糟糕透顶。

倒是另外一位大将军卫瓘的女儿，颇能当得起"母仪天下"（古人以为皇后就是天下妇女的模范）的美名，她有"五可"，适于嫁给太子。个性贤惠、有宜男之相（预料会生儿子）、容貌秀美、身材修长、皮肤细白，是为"五可"。

以"五可"对抗"五不可"，理所当然应该是卫家女儿中选。不料贾充的太太郭氏相当厉害，运用金钱攻势，买通了皇帝左右，于是个个都夸贾充的女儿秀丽端庄，才貌兼备，再适合做皇后不过了。

这下子倒把武帝搅糊涂了，不晓得到底该听谁的话才好，于是他就把与贾家相熟的荀勖找来，一问究竟。

"贾家的女儿你是见过的，听说她不但长相难看，而且性情刚烈，气量狭小，有无此事？"

"哪有这话？"撮合贾氏与太子联姻本来是荀勖的主意，他当然不会在皇帝面前讲真话，少不得把贾氏大大赞美了一番，说她不但容貌好、气质好，而且知书达礼，贤淑能干。

武帝怀疑道："那我派出的人怎么都说她有'五不可'？"

"这还不是有人和贾充作对，故意和他为难吗？名门闺秀，怎么可能像他们所描述的这般不堪？"荀勖又加重语气道，"没想到谣言如此可怕！"

既然荀勖说"五不可"是谣言，于是武帝便选中了贾家的女孩，接着武帝就兴冲冲地开始办喜事。太子娶亲可比不得寻常百姓家，筹备就足足

贾后交际城中美少年,选自《东西晋演义》。

筹备了半年。贾氏被选为太子妻,贾充这个老丈人当然不能远离京师。不多久,朝廷下命令,命贾充暂留宫中,暂缓上任。这件事就不了了之。贾充果然逃过了赴西北这件差事。

第二年,泰始八年(272年)二月,红烛高悬,敲锣打鼓,热热闹闹把贾氏迎入宫中,等到拜过了天地,太子掀开盖头一看,吓得不得了,贾氏非但就像别人说的矮小短丑,而且皮肤黑得像给炭烤过一般。最可怕的还是贾氏那冷酷的眼神,仿佛要把人吃下去一样,是个不折不扣的母夜叉。

司马衷本来就愚笨胆小,一看到贾氏的庐山真面目,吓得拔腿就跑,大叫:"救命!"贾氏一声:"回来!"司马衷两腿发麻,瘫了下来,一回头看到贾氏的尊容,她生起气来脸孔愈发丑陋,而且扭曲成一团,再加上贾氏本来就比司马衷大了两岁,司马衷愈发不敢动弹,吓得像被捉住的蝉一般发抖。

从此,贾氏就牢牢控制了司马衷的一切。司马衷继位为皇帝后,贾氏成为皇后,日益泼辣,不仅凶悍,还在外乱交男朋友,更因为她的胡作非为,种下了八王之乱的祸根,造成了西晋的灭亡。

杨皇后与小杨皇后

　　晋武帝的皇后杨氏，聪慧善书，姿质美丽，而且长于针线女红（gōng），很得武帝的疼爱。她所生的太子司马衷却愚痴呆笨，武帝屡次想废太子，都被杨皇后阻止。后来，为了替太子找位贤内助，武帝提前为他完婚，又因为杨皇后等人的怂恿，让司马衷娶了貌丑心恶的贾氏，真是一错再错。

　　杨皇后的身体很差，时常生病，在泰始十年（274年）的初秋，冷风一吹，她又病倒在明光殿中，延请了各方名医诊治，始终不见起色。杨皇后自宫女口中得知，武帝新宠一位美人胡夫人，她很担心自己死以后，武帝会立胡夫人为皇后，这样一来，太子衷的地位就不保了。

　　因此，当武帝到榻前慰问病情时，杨皇后虚弱地枕在武帝膝前，吃力地抬起头道："妾死不足以悲，只是有件事，希望陛下能答应妾的请求。"

　　武帝当时心乱如麻，眼看着一个娇艳的美人儿，病得两眼深凹，不要说是一件请求，就是十件、百件也都会答应，他含着泪不断点头。

　　杨皇后说："我叔叔杨骏的女儿，也就是我的堂妹，德容兼备，希望我死后，陛下立她为后，这样妾死也瞑目了。"说完，呜咽不止，武帝也不禁放声大哭，紧紧地握着杨皇后的手，表示绝不负约。杨皇后两眼一闭，死在武帝的膝上，死时才三十七岁。

　　杨皇后去世后，武帝果然把杨骏的女儿立为皇后，人称小杨皇后。小杨皇后非常漂亮，又德行婉顺，武帝就把对杨皇后的思念全投入对小杨皇后的宠爱中。

此时，太子妃贾氏渐渐露出了阴险的面目，由于她不能生育，非常嫉恨其他嫔妃怀孕。有一次贾氏发现太子宫中的一个宫女大腹便便，她一火，拿着斧戟（jǐ）就扔过去，那位怀了孕的宫女随刃倒地，肚子里的小孩当然也死了。如此这般，贾氏竟然一连杀了几个怀有身孕的宫女。

武帝听了消息大为震怒，立刻下令修筑金墉城冷宫，准备把贾氏打入冷宫。小杨皇后在一旁说情："贾氏的父亲对国家有贡献，请看贾充的面子原谅她吧，何况贾氏年轻，难免嫉妒心理重，长大一点，自然会懂事。"武帝一向优柔寡断，又宠爱小杨皇后，此时也不再坚持。

当然，小杨皇后少不得把贾氏训了一顿，贾氏非但不领小杨皇后为她开罪的恩情，反而把黑嘴唇翘得高高的，气愤不已，还以为是小杨皇后在武帝面前打的小报告哩。

小杨皇后虽然很有美德，她的父亲——杨骏可不一样了。自从女儿封后了以后，杨骏做到了车骑将军，被封为临晋侯。朝中一些有先见的大臣纷纷以为不可，但是武帝依旧让杨骏享高位，任凭杨骏作威作福。

不久，武帝染上重病，当年的佐命功臣都已去世。杨骏斥退群臣，一手遮天，朝中一切政令都出自杨骏的手，他

晋武帝司马炎，唐阎立本绘。

又擅自更换公卿大臣，一个一个都换为自己的心腹。有人有意见，杨骏立刻怒喝一声："这是皇帝交办的！"谁也没可奈何。

武帝成天都昏昏沉沉，不省人事。一天，武帝忽然回光返照睁开了眼睛，一看朝廷全换上了猥猥琐琐不像样的臣子，气得大骂杨骏："你怎么可以如此胡来？"立刻下诏命汝南王司马亮入宫来辅佐王室。

杨骏一面叩头谢恩："是，是，是。"一面退出门外。他很担心汝南王司马亮来了以后，他就没法控制一切，因此杨骏便对中书监华廙（yì）说："刚才皇帝下的诏书，请拿来借我看一看。"

谁知华廙把诏书拿给他以后，杨骏竟带回家，把诏书偷偷藏起来。华廙着急得要命，第二天一大早亲自上门来索，杨骏居然说："什么诏书？我没有看到啊！"

明明知道杨骏狡赖，华廙一点办法也没有，既不能用强力夺回，也不能到处嚷嚷杨骏抢了诏书，何况自己身为中书监，怎可如此不小心，华廙简直快急疯了。

正在此时，武帝不行了，勉强睁开眼皮道："汝南王来了吗？"当然没有。于是，小杨皇后请奏以杨骏为辅政，武帝也只好点头答应。不久，武帝长叹一声而死，享年五十五岁。

国不可一日无君，傻呆的太子衷即位为皇帝——是为晋惠帝。阴险的贾氏正式成为贾皇后，三十三岁的小杨皇后升为皇太后。

贾后与八王之乱

在上一回《杨皇后与小杨皇后》之中，曾说到晋武帝临终时留下遗诏，由杨皇后的父亲杨骏和汝南王司马亮共同辅政。结果，杨骏故意隐藏了武帝的诏书，一手把持朝政。

杨骏也晓得自己无才无德，又没有威望，实在没什么人愿意信服他。他为了收买人心，就到处封官加爵。皇帝大崩，向来是全国戴孝的，于是有人劝阻杨骏："古来哪有帝王刚去世，臣下就论功加封的呢？"杨骏不听，朝廷上下乱成一团。

晋惠帝司马衷本来就傻傻愣愣的，当了皇帝，大权旁落，他不生气也不在意，可是他的妻子贾后却不能忍耐了。

贾后一向对政治抱有浓厚的兴趣，但上有杨太后，下有杨骏，她插不进手，因此把杨家父女视为眼中钉、肉中刺。最后，贾后的脑筋动到了楚王司马玮（wěi）的身上。

于是，年少气盛、暴戾（lì）凶狠、驻守荆州的楚王玮，勾结宦官，以杨骏谋反的名义，发动了政变。

杨骏得到宫廷内变的消息，十分紧张，召集同党开会讨论。有人建议："放火把宫中云龙门给烧了，然后趁闹哄哄的时候，拥立皇太子为帝，不怕对付不了。"

平常一向阴狠的杨骏迟疑了半天，嗫嚅（niè rú）地说："魏明帝造此宫，花了不少钱，烧掉不太好吧。"正在这时，大军涌入，杨骏府中烧起熊熊大火，各个阁楼上都站满了神射手，对准大门，拉满弓矢，等着杨家的人来送死。杨骏无处可逃，竟然躲入马厩（jiù），惨死在乱刀之下。

贾后怕杨太后会设法营救她父亲杨骏，便命人日夜守候在太后宫外。果然，不久贾后的心腹发现太后从宫中射出一卷帛书，上面写着"救太傅者有赏"，贾后就以此作为"太后与杨骏同谋反"的证据，把杨太后关入大牢，废为庶人（庶人是平常的百姓之意）。

当年，贾后善妒，晋武帝准备将她打入冷宫——金墉城，后来因为杨太后的说情才饶了贾后，贾后非但不知感恩，如今竟把杨太后打入了金墉城。

即便如此，心肠恶毒的贾后还不肯罢休，连杨太后的母亲庞氏也不肯放过。杨太后哭着跪下来向贾后求情，甚至以太后之尊称自己为"妾"，贾后依旧杀掉了白发皤（pó）然的庞氏。

杨太后被关进了金墉城，最初贾后还拨了十几个侍婢供她使唤。后来贾后撤去了侍女，连日常膳食也中断了，可怜的杨太后活活被饿死，死时才三十四岁。贾后坏事做多了，难免疑神疑鬼，她老是担心，杨太后会向阴间的晋武帝诉冤，那么，晋武帝的鬼魂会来找她算账。所以贾后从巫婆那儿弄来符咒、药物盖在杨太后的尸体上。

这一次贾后发动的政变死了数千人之多，当时有一个太学生听说恶媳妇逼死婆婆的事后，长叹一声："哎！世界无道，怕要天下大乱了。"

果然，贾后前脚与楚王司马玮合谋杀了杨骏，一不做二不休，又合谋杀了汝南王司马亮，后脚就反过来把楚王司马玮杀掉。此时赵王司马伦不满意贾后，也出兵为乱，攻入京城，杀掉了贾后。

此后乱事愈牵扯愈多，从贾后杀掉杨骏（元康元年，291年）到东海王司马越辅政（永嘉元年，307年），整整十六年间司马氏兄弟互相砍杀，史称八王之乱，其实绝不止八王，这八个只是比较重要的。

为什么晋初的八王之乱会演变得这样惨呢？原来晋武帝初得天下的时候，东吴没有平定，再加上领土广大，交通不便，于是晋武帝大封同姓子弟为王，给他们土地、人口、甲兵，希望这些宗室能成为朝廷的屏障，万万没有料到兄弟们竟依仗着雄厚的实力火并。

自从八王之乱开始，西北的羌人也不安分，同时西晋又连年发生水灾，老百姓的生活痛苦不堪，晋惠帝还是不改他的昏愚。

有一天，一个臣子向他报告有百姓饿死，甚至发生人吃人的惨事，臣子摇着头说："可怜哟，许多人已好久没有尝过米饭的味道了。"

"哦？没有饭吃？"惠帝奇怪地问，"他们为什么不去吃肉糜（就是肉丸子）？"

八王之乱，选自《东西晋演义》。

惠帝平日最好吃肉糜，所以才有此一问。他哪里晓得，一般百姓逢年过节才有点肉丝可塞牙缝，现在闹饥荒，能活下去就不错了，怎么还敢想吃肉？这也说明惠帝生在深宫中，根本不明白百姓的疾苦。

惠帝就是如此昏愚。难怪晋朝才传到第二代，交到他手里，国家元气已大伤了。从八王之乱的故事里我们发现，中国人说"家齐而后国治"是很有道理的，晋朝皇帝的家事一塌糊涂，儿子呆笨，媳妇乱来，宗室跋扈，难怪国家一蹶不振。

小小女英雄——荀灌

　　八王之乱，晋惠帝一筹莫展，百姓痛苦万分，这些都是意料中事，早在晋武帝选中司马衷（惠帝）为太子时，朝臣们已忧心忡忡，因为司马衷出奇的笨。

　　其中有个叫卫瓘的大臣几次想上奏废太子，话到嘴边又忍下来了，因为这不能随便乱讲的，搞得不好，脑袋可要搬家的啊。一次，武帝在凌云台赐宴，宴会完毕，卫瓘假装喝醉了，跪在武帝的床前说："臣有话禀奏。"

　　武帝问："你想说什么啊？""我……我……"卫瓘一连说了三次，还是不敢说。最后，他用手抚着龙床道："这张床可惜了。"

　　武帝一听，心里自然有数，担心卫瓘再讲下去不好看，连忙喝止道："你恐怕酒喝多了吧？"卫瓘从此不敢再提废太子的事。

　　惠帝即位以后，果然不是一块当君王的材料，再加上连年旱灾，蝗虫为虐，到处闹饥荒，到了人吃人的地步，许多父母养不起小孩，只有忍痛卖掉。惠帝元康七年（297年）竟下了一道诏令："骨肉相卖者不禁。"意思就是准许父母出卖自己的子女。

　　一些灾荒特别严重的地区的居民，只有弃家逃难，可是邻近地区的光景也不好，他们只有逃亡到更远的地方。当他们初离本土之时，身上或许还带有少许钱财，经过几次逃亡以后，口袋里空空如也，老的、弱的禁不起辗转流离之苦，一个一个死了，留下年轻力壮的，他们没有了生路，加上满肚子的怨气，只有当土匪。

中国人向来爱好和平，在太平盛世谁都不愿当土匪。而且我们自古有个观念，看重"家世清白"，一个人再穷都没有关系，人穷志不穷。可是，万一哪家出了一个土匪，表明家世不清白，将会祸延子孙，被人瞧不起，这也是维系社会安定的一个力量。

当时，晋初的饥民可说是被逼上梁山，家里的人饿死了，自己也不容易活下去，于是，只好丢弃"祸延子孙"的想法，把心一横，当土匪去了。他们到处攻城剽（piāo）邑，杀人放火。

到了后来，土匪的势力愈来愈大，全国各地都不安宁。襄城是古来比较富庶之区，自然也是土匪心目中的好目标。有个姓曾的土匪带人把襄城团团围住。

当时襄城太守荀崧，是晋初有名望的读书人，他率领官员百姓死守城池已有数月之久，眼看着粮食马上要吃光了，城外的土匪仍虎视眈眈，荀崧心里头很着急。

于是，荀崧召集襄城的文武官员开会商讨，讨论来讨论去，大伙儿都皱着眉头，大眼瞪着小眼，一片茫然。

"有了！"荀崧说，"我有一个朋友，名叫石览，驻守在大约一百里外的地方，如果向他求援，我想他会答应的。"

"那么谁去送这个消息呢？"其中有一个官员发问道。

立刻有人接口道："对啊，一出城门，外面就是土匪，岂不是死路一条，太危险了。"

"是啊，太危险了！"众人都缩着头，大厅上又一片死气沉沉。

"没有自告奋勇的人吗？"荀崧向大家发问。没有人回答，四周静悄悄的，襄城的命运实在危险。

忽然，从大厅后面窜出一个女孩，拉着荀崧的衣袖说："爸爸，没有旁人去，不如我去！"

所有的文武官吏都瞪大了眼睛。

"灌儿，不许胡闹，我们在谈正经事。"荀崧严肃地呵斥。

"我才没有胡闹，我愿意出城向石伯父求援。"荀灌双手叉着腰，帅气十足。

文武官员交头接耳，议论纷纷。有一个人高声反对："向石将军求援是件大事，我们岂能把全城性命交给一个十三岁的小女孩？"

"好，我不去。"荀灌也提高了声音，"你们谁愿意去，赶快站出来。你们个个都不敢去，又不相信我，那么，只有等土匪攻破襄阳，谁也活不了。"

"各位，"荀崧下了决定，"灌儿说得也有理，事到如今，我们不能束手待毙，只能让灌儿一试了。"

于是，这天夜晚，荀灌穿了紧身黑色劲装，带了刀箭，准备出发。荀崧交

晋代女俑，江苏省南京市出土。

代："这是给石览将军的信，千万藏妥，一切小心。我挑了几十名壮士随你突围，你好自为之。"

"爸爸放心。"荀灌叩了三个响头，坚毅地说，"等我的好消息。"

"灌儿，"荀崧眼眶湿了，"我真是舍不得让你去冒险，你要记着，别逞强，小心保护自己。"

"孩儿会牢牢记着。"

荀灌不敢再看父亲依依不舍的表情，快步上马，勇往直前。

她带领几十名勇士，希望趁着黑夜，避开土匪的包围。可惜，一出门，土匪立刻发现了他们，双方展开激战，战斗之中，荀灌带去的勇士牺牲了不少。

荀灌年纪小，行动快，由于她平日喜欢骑快马，又对附近地形十分熟悉，一溜烟地逃入鲁阳山，甩掉了土匪的跟踪。

荀灌翻山越岭，快马加鞭，终于到达石览将军的基地，呈递了求救信。

石览对荀灌说："我愿意帮忙，可是兵力不足，得请南中郎将周访协助。"

"我用家父的名义向周伯伯求援。"荀灌允文允武，立刻濡（rú）笔写信。

周访接到快信，命儿子周抚带三千人马与石览的兵力会合，共同营救襄城。

土匪听说了消息，自知不敌，没等到大军前来，自动撤回了襄城附近的队伍。

石览与荀灌神气地骑马入城，襄城百姓都围在城门附近，瞻仰这漂亮的小小女英雄。

荀崧热情地握着石览的手："谢谢石兄搭救。"

石览笑道："该谢谢你的宝贝女儿。"

荀崧嘉许地摸摸荀灌的头："灌儿真勇敢。"

永嘉之乱与祖逖

八王之乱，是中国历史上封建宗室之乱中规模最大、时间最久、牵涉最广的一次骨肉之祸，整整大闹了十六年，中央和地方的政治及社会秩序完全被破坏。其间，胡族势力乘机扩大。其中势力最大的是匈奴、鲜卑、羯（jié）、氐（dī）、羌等五族。

西晋政治败坏，壮大的胡人乘机作乱。永嘉五年（311年），匈奴兵攻进了首都洛阳，俘虏了晋怀帝（惠帝已被东海王司马越毒死，怀帝是他的弟弟）。匈奴兵杀了太子、诸王、百官等三万多人，造成历史上的惨剧，历史上称之为"永嘉之乱"。

晋怀帝被俘虏了以后，有一天，匈奴王刘聪在光极殿请客，命怀帝穿着百姓的破旧青衣，一一为客人斟酒。晋朝的旧臣庾珉（yǔ mín）等看了心酸，悲愤得号啕大哭，这使得刘聪非常厌恶。哭声表示人们心目中还思念晋朝，万一日后他们再拥立怀帝就不妙了，因此刘聪一不做二不休，杀掉了怀帝及庾珉等人。

怀帝被杀以后，晋朝的臣子拥立愍（mǐn）帝在长安即位，不久也被匈奴击败，西晋就正式灭亡了。这时西晋大批的贵族、百姓纷纷迁往江东，形成一次民族大迁移，历史上称之为"衣冠南渡"。

竹林七贤的放荡作风是西晋人所羡慕的，虽然这七个人在西晋时代都已死去，但他们留下来的颓败风俗却随着名流渡江而南下。因此当琅邪王司马睿（晋元帝）在建邺（后改称建康，今江苏省南京市）建立东晋时，已注定了东晋失败的命运。

东晋的士大夫放荡纵欲，没有责任感，却自以为清高脱俗，但在乱世之中竟也有爱国的"俗人"——祖逖（tì）。

祖逖小时候家里环境很不错，祖上留有不少田财。他为人慷慨大方，极关心乡里贫苦的邻居，经常拿出稻谷衣帛周济贫苦，深得乡党同族的敬重。

长大以后，祖逖博览书籍，时常往来于京师之间，看到他的人都说他英气勃勃，日后当有一番作为。

祖逖和刘琨（kūn）都是司州主簿，两人很谈得来。当时的一些年轻人在一起都喜欢说些玄妙的怪理，研究如何使皮肤白嫩的妙法，完全一派娘

祖逖，清周慕桥绘。

娘腔。祖逖和刘琨可不，他们具有男子气概，经常讨论国家大事，对世局的混乱非常忧心。

一天，他俩同被共寝，忽然听到荒野中传来"喔喔"鸡鸣，祖逖一脚踢开了棉被，叫醒刘琨："起来吧，让我们来练练身体，以备日后报国之用。"

于是，他们二人拿着剑，对着寒风，起劲地舞起来。从此天还未亮，只要公鸡一叫，他们便闻鸡起舞，有人笑他们："神经病，在被窝里多待一会儿不好吗？"庸碌凡俗的人怎能了解他们二人的雄心壮志？

过了不久，京师大乱，祖逖率领数百家亲戚朋友往淮泗避难，一路上祖逖把车马都让给同行老弱，自己徒步而行；药材、衣物、粮草也毫不吝啬地与众人分享，大家感激得说不出话来。逃难途中遇到不少土匪，祖逖都好心地收留他们，待他们像子弟一般亲切。许多人不以为然，警告祖逖："当心这会损害你的名誉！"祖逖完全不以为意，他说："土匪也是被逼的，他们又何尝愿意当土匪？"

这时候，琅邪王司马睿刚在江南即位。晋元帝的得位，完全是时势所造成的，依靠祖宗的门荫而得到的，能保命已经不错了，哪儿还想得到北伐统一全国？

祖逖本着一腔热忱对晋元帝说："西晋的灭亡，并不是由于君主的暴虐引起人民的反叛，而是因为诸王彼此相斗，使得戎狄有机可乘。现在北方的人民都不满胡人的统治，如果皇上让我为统帅，率兵北伐，我相信一定可以一雪国耻！"

一方面晋元帝根本没有北伐心思，他只想偏安江南；另一方面过江的百姓没有报户口，政府没法子抽税，租税是随意乐捐，也找不到壮丁当兵。财政困难加上士兵缺乏，晋元帝只得任命祖逖为豫州刺史，勉强给了祖逖一千人的粮食，三千匹布，也不给铠仗，让他自己去设法取得。

换了别人可能会知难而退，但祖逖是一个有毅力的人，他率领了家乡部曲渡江北上，船开了一半，祖逖拿着楫（jí）敲击船舷发誓说："祖逖要

陶坞堡，广州东郊东汉墓出土，中国历史博物馆藏。

是不能清中原得到胜利，那我便如江水一去不返。"表现了视死如归的精神。同伴们也知此去是明知不可能成功，还要拼死一战，个个都慨叹不已。

祖逖渡过长江，在黄河以南与羯族领袖石勒发生激烈战争，由于祖逖获得河南地区许多坞（wù）堡主人的拥护，他的势力逐渐扩大。

所谓坞堡是晋室南迁时，留在长江以北的汉人，为了自保，不被胡人杀戮，而建筑的防御性的城堡，坞堡内有自己训练的军队，也从事粮食生产，所以很有力量。

黄河以南的地区大部分被祖逖收复。石勒也很佩服祖逖的领导能力，特别下令替祖逖的母亲修墓（祖逖的老家被石勒控制）。

祖逖整军经武，安抚百姓，和胡族苦战了八年，战果辉煌，正准备挥兵渡过黄河，继续北伐，不料，晋元帝忽然派遣戴渊为都督，坐镇淮阴，命令祖逖接受戴渊指挥。戴渊在江南虽有名望，但完全没有军事能力，更没有积极进取的志向，祖逖觉得十分失望。同时，又听说京师（南京）之内大臣不和，明争暗斗，恐怕会变成内乱，祖逖身在前线，忧心忡忡。

在焦虑煎熬之下，祖逖生了重病。祖逖自知不久于人世，望天长叹："我正准备渡过黄河，收复河北，老天爷却要我死，真是不保佑我们国家啊。"

不久，祖逖去世，年仅五十六岁。河南地区人民如丧考妣（bǐ），哀痛极了，还为祖逖建了祠堂，供后人瞻仰。

西晋亡于无耻

    西晋仅仅传了短短五十二年就灭亡了，除了政治败坏以外，最主要的原因是风俗颓唐，士大夫毫无廉耻之心。

    例如王衍是西晋时代响当当的人物，被人们仿效的对象，却是"男无气节"的代表。

    王衍相貌清秀，风姿安详娴雅，是人们心目中的美男子。有次竹林七贤之一的山涛看到王衍，惊为天人，酸溜溜地说："是什么人能生出这样的美人，但是误尽天下苍生的，未必就不是他！"

    小杨皇后的父亲杨骏曾经想把他的一个女儿嫁给王衍，王衍竟然不肯。晋武帝曾问王戎："当代之中谁可和王衍相比？"王戎答："没有人能比得上他，要比只有从古人中去寻找了！"这一比把王衍的身价抬得更高了。

    王衍有才名又有美貌，十分得意，自比为孔子的学生子贡。他喜欢谈一些虚幻的道理、老庄的哲学，也就是时髦的清谈。

    王衍清谈，特别引人注目。为什么？因为他太俊美了。美到什么程度？据《晋书》上记载，西晋人清谈时，喜欢手上拿着一支拂尘，边说边甩，长长的流苏一晃一晃，把人衬托得有如神仙般飘逸。而王衍皮肤细白，和拂尘的玉柄是一个颜色，远看简直分辨不出玉柄和玉手。西晋人士最崇拜小白脸，王衍又白又嫩，所以广受欢迎。

    清谈的人都口谈浮虚，不遵礼法，当然也没有什么做人做事的原则。

吴姐姐讲历史故事

西晋名士手挥拂尘清谈，选自明刊本《樱桃梦》。

王衍就是这样，遇到情势不对，立刻见风转舵，投机讨好，绝对不坚持立场和原则，当然，更谈不上正直与正义。社会上一般青年都很羡慕王衍，也学他的浮华放荡。

王衍的妻子郭氏，是贾后的亲戚，借着这层关系，奢侈贪鄙，爱钱如命。王衍自命淡泊，从来不肯碰钱。

一天，郭氏为了试验王衍，趁他睡觉时，命婢女把钱绕着床围成一圈，让王衍通不过，要通过则非碰钱不可。王衍早晨起来看到钱，气得对婢女说：“快把这些阿堵物拿走！”连“钱”这个字眼都不肯讲！王衍本身不贪污，但坐视妻子大收红包，似乎也说不过去。

后来，胡族来攻，洛阳城危在旦夕，大家纷纷避难。王衍却把车、牛统统卖掉，表示绝不远逃。王衍这不是要为晋朝尽忠，与洛阳共存亡，原来他另有安排：

胡人石勒一进洛阳，王衍不但没抵抗，反而立刻热情地迎接胡人军队入城，劝石勒称皇帝。

石勒把王衍叫到幕下问：“你身为晋朝太尉，怎么使国家乱到这个地步？”

王衍胸有成竹，从容不迫地回答："我不过备位而已，朝廷里大小政事都由亲王掌理。至于晋朝危乱，这是天意，天意要石将军当皇帝！"王衍自以为马屁拍到家，含笑望着石勒。

没料到石勒掀须狞笑道："瞧，你年纪轻轻就在朝廷当官，到了年纪大时，身居重任，名扬四海，却说自己不过备位而已，天下大乱，就是你们这些混蛋搞出来的！"

这番话说得王衍哑口无言。他虽然身居要津，却从来不负责任，任由部下胡作非为，王衍引以为荣，没想到被石勒指为罪名。

石勒嫌王衍讨厌，无大丈夫之气，把王衍和一群俘虏赶到房间中监禁起来，然后叫兵士合力把墙推倒，所有的人都被活活压成肉饼。王衍在临死前后悔地说："我们虽比不上古人，但如果不慕浮虚，实实在在治理天下，也不会到今天这个地步了。"

王衍是"男无气节"的代表，让我们再看看东晋时代"女无贞良"的风气：

八王之乱发生不久，赵王司马伦杀掉了贾后，惠帝另立羊氏为皇后。

永嘉五年（311年），胡人石勒打败十余万晋军，匈奴首领刘曜（yào）攻入了洛阳城，是为"永嘉之乱"。刘曜进入内宫，一眼便瞧见如花似玉的羊皇后，羊皇后也立刻笑嘻嘻地迎上前去。

不久，刘曜当了皇帝，羊皇后也做了刘曜的皇后，再次荣登皇后宝座。

一天，刘曜好奇地问："我比你前任的丈夫，那个姓司马的如何？"

"皇上怎么好与那个司马蠢材相提并论？"羊皇后娇嗔地白了刘曜一眼，"陛下是开国圣王，那司马蠢材连他自己、儿子和我三人都保不住。乱事发生以后，我简直不想活下去了，哪晓得会有今天。哎呦，自从认识你以后，我才了解什么叫大丈夫！"说着，不胜娇羞地向刘曜靠去。

男无气节，女无贞良，国家怎能不亡？

王与马共天下

在讲到东晋初年的政治时，我们常会听到"王与马共天下"这句话，意思是说王家的亲族子弟和司马氏（晋朝的皇帝姓司马）共同掌有天下大权。王家的人如何能成为左右朝政的一股力量呢？这要从王导说起。

在晋元帝尚未称帝，还在当他的琅邪王之时，王导便是琅邪王的心腹谋臣。王导很有远见，他早看出西晋不保，天下已乱，劝琅邪王集结力量，兴复国家。

当西晋最后一位皇帝愍帝被害的消息传到江南以后，琅邪王听从王导的建议，改元称帝，是为晋元帝，建都于建邺。

元帝即位以后一个多月，江南地方的士人竟没有一个人上朝去拜见元帝，这使元帝万分尴尬。原来当地人早已习惯"天高皇帝远"的生活，拥有一股本身的实力，对新上任的元帝不怎么服气，也不愿意附和，王导为此十分忧愁。

正好这个时候，王导的堂兄王敦来了，王敦是个大将军，在江南一带很有名气。王导对王敦说："皇上虽然有仁德之心，到底名望不够，分量嫌轻。你如今威风凛凛，想请你帮个忙。"

于是，王导安排了一次游行。这时刚好是阴历三月三日去观禊（xì）的日子，元帝神气地坐在轿子上，很有帝王威仪，王敦、王导各骑着一匹骏马，"嗒嗒嗒"紧紧跟着，后面还有一支长长的队伍沿路敲敲打打，许多江南人纷纷跑出来看热闹，街上挤成一团。

本来不肯去朝见皇帝的士绅纪瞻、顾荣这些有名的望族，看到元帝的风采，特别是后面那位王敦大将军，是人们所熟悉的，便跪拜在道路两旁。老百姓看到顾荣等人都如此尊敬元帝，也都纷纷拜倒在道旁。

王导又向元帝献计："古时的君王，莫不宾礼故老，虚心求教。现在天下丧乱，九州分裂，正是需要人才的时候，我们应该先争取当地的望族才是。"于是，元帝派人把士绅们请了来，晓以大义，从此百姓逐渐归附，勉强维持住偏安的小康局面。

不久，洛阳沦入胡人之手，中原地方大批人民南渡，王导积极抚辑流民，并且挑选其中贤人君子参与国事。

这时，有个叫恒彝（yí）的刚渡江，看到朝廷衰弱，不像可以匡济中原的样子，非常失望，对他的朋友道："我千方百计逃到这里，没想到就是如此局面，难成大事！"

可是，等到恒彝见过了王导，看到王导充满信心、奋发积极的样子，又改口道："我好像见到春秋时代帮忙齐桓（huán）公建立霸业的管仲了，我不再忧虑了！"

这些自中原避难到此处的人士，每逢佳节经常相邀在新亭饮酒聚餐，以叙愁闷。

王导，选自《历代名臣像解》。

一次宴饮时，坐在首位的周颛长叹一口气道："江南风景如画，仍然和以前一般美丽，只是中原河山却换了主人啊！"说着眼泪都掉了下来，在座者想起故国，也纷纷举起衣袖抹眼泪，心中都有说不出的悲哀。

其中只有王导立刻变了脸色，很生气地指责众人："我们应该各尽自己的力量，效忠国家，光复神州，如此'楚囚相对'是干什么？"

"楚囚相对"是《左传》中的一个故事：晋侯在军府，看到一群人戴着脚镣手铐，相对哭泣，满脸无可奈何的彷徨样儿，就问旁边的人："这些人是做什么的啊？"旁人回答："这是郑国献来的楚国囚犯啊！"以后，楚囚对泣被后人引用为窘迫无计的意思。王导责怪这些过江人士，国家还没有亡，倒像囚犯一般唉声叹气，实在骂得有理。

然而东晋受西晋清谈的影响太深，没有几个人像王导般有热情，有救国救民的理想，所以东晋始终国势衰弱。

王导在朝中握有大权，他的堂兄王敦又被任命为扬州刺史，更因讨平蜀贼有功，声威显赫，控制着武昌上游。一时之间，王家的亲族子弟，多半做到高官显爵，甚至可以和皇室分庭抗礼，所以当时江东人有句谚语"王与马共天下"。这造成日后天子无权，权在豪门大族的畸形政治局面。

王导与王敦

在晋元帝即位之初，他对王敦、王导兄弟非常信任，也因此才建立江左一个小康的局面。后来，王氏的威权日益升高，造成"王与马共天下"的局面，元帝逐渐起了猜疑之心，王敦也露出了谋反的意图。

王敦虽是中兴名臣王导的堂兄，但个性与老成持重的王导大不相同，王敦娶了晋武帝的女儿襄城公主，官拜驸马都尉、太子舍人，一向很有公子哥儿浪荡不羁（jī）的派头。

西晋末年，臣子们喜欢比阔，其中斗得最凶的是石崇和王恺。一次石崇请吃饭，王敦与王导兄弟都被邀请。酒宴之时，石崇命一群女伎在旁演奏音乐，以娱嘉宾，其中一名女伎不小心，吹的笛音稍稍走了调，石崇大发脾气，认为有失颜面，当场把女伎活活打死。在座的客人都看得心惊肉跳，很受不了如此待客之道，只有王敦依然笑声朗朗，完全不当一回事。

过了没几天，石崇又请客，王敦兄弟再次赴约。石崇这次想出了一个新主意：他派了许多美丽的婢女去向客人敬酒，如果客人不干杯，表示美女不够体贴，没有尽到责任，就要把美女杀掉。

由于有上次的例子，人们知道石崇说到会做到，为了怜惜美女，大家都是浮一大白，喝得杯底朝天，而且把杯子高高举起在头上绕一圈。

等到美女敬酒到王敦、王导的桌前，当美女笑盈盈地捧起金爵敬酒，王敦竟然故意把脸朝向别处，装成不懂的样子。

"大人，请。"美女一连敬了几回，王敦还是一脸傲然，动也不动。美女一急，眼圈红了，所有的人都很紧张地望着，为美女的性命捏一把冷汗。

坐在王敦身旁的王导着急万分，他因为自己向来不能喝酒，频频催王敦："快干啊，快干啊！"王敦还是不理，似乎存心要美女去死。

"哎呀，没办法。"王导急坏了，一把抢过酒杯，咕噜咕噜一干而尽。喝完以后立刻醉得摇摇晃晃。

当王导踉踉跄跄回去以后，忍不住为王敦的刚愎（bì）残忍深深叹息。

王敦的眼睛阴狠狠的，远远望去像一个黑黑的洞。潘滔有次见到王敦的目光冷酷无情，说了一句评语："王敦的蜂目已露，只是豺声未振，若不噬（shì）人，也当为人所噬。"

果然，当王敦做了荆州刺史，统率了六州军事，坐镇上游以后，逐渐显出了跋扈的本色。元帝为了对付王敦，就起用刘隗（wěi）作为镇北将军，以防止上游军队的叛变。

这个时候，祖逖正在北伐，急需要后方支援，哪知道朝廷非但不能共御外辱，反而处心积虑防止内变，祖逖因此忧愤而死。不久，晋元帝逝世，晋明帝即位。

明帝即位以后，内外大权几乎都落入王敦之手，所幸王敦不久病重，王导突然在京师宣布王敦已经去世，然后明帝下诏讨伐王敦，平定了这一场乱事。

王敦聚兵谋反，东晋大臣温峤屡次好言相劝，《永乐大典》插图。

东晋好不容易撑起的局面，因为一场王敦之乱，又走向衰败的命运。然而王敦其人在当时仍是人们所羡慕的对象，他口不言财利，尤其喜欢清谈，更能击鼓。当他振起衣袖打起鼓来，音节谐韵，神气自得，旁若无人，大家都夸一声："雄伟，爽利，好！"

由于东晋的风俗颓唐，对这些一挥千金的公子哥儿大家都很崇拜，所以谁有什么豪举无不津津乐道。

例如石崇喜欢以奢豪骄人，连厕所都布置得美轮美奂，撒上甲煎粉、沉香汁，到处都是香喷喷的，另外还有十几名国色天香的婢女伺候如厕。不但如此，每有客人上一回厕所，石崇就叫婢女帮忙换一套新衣，客人都觉得不太好意思。

这些都反映了当时社会的奢靡、腐化和没有朝气，东晋在这种社会风气之下，怎能够北伐中原，收复失土呢？

"八达"荒唐的故事

前面说过，竹林七贤的放荡作风，造成了社会颓废的风气，间接导致西晋的衰亡。到了东晋，清谈玄风愈演愈烈，从当时"八达"（八个放达的人）的小故事，我们可以看出东晋的社会风气。

谢鲲（kūn）是个好色之徒，他邻家有个姓高的女孩长得花容月貌，谢鲲对她很感兴趣，每次见到总要讲几句轻薄话儿。

姓高的女孩对谢鲲极为厌恶。一次谢鲲又死皮赖脸前去挑逗，嘴里讲些不干不净的话，把她惹火了，她回去拿了织布用的梭，对准谢鲲射了过来，不偏不倚敲掉了谢鲲的两颗门牙。

从此，"缺牙"成了谢鲲的标志，邻人都觉得好笑，谢鲲还骄傲地说："这有什么？不妨碍我长啸高歌。"说着又唱起来，颇以风流自豪，以"无齿"自许。

"八达"之中有的好色，有的贪财，他们有一个相同的爱好，那就是喝酒。

毕卓是吏部郎，常因喝酒误事。有次晚上他又偷偷摸摸到了藏酒的瓮间开怀畅饮，或许是喝得太高兴了，咕噜咕噜声惊醒了看酒的人。掌酒者把毕卓五花大绑捆了起来，生气地说："我说呢，瓮里的酒原来是你这小子偷的，难怪经常无缘无故地短少，明早再好好处置你。"

第二天一大早，天亮了，掌酒者也看清楚了，原来偷酒的梁上君子竟是毕吏部郎，吓得连忙松绑，再三赔罪。毕卓也不脸红，继续痛饮，直喝到酩酊大醉才离去。

毕卓曾经对人说："我生平有一个大愿望，装满一船的美酒，船头船尾放上四时甘味，右手拿着酒杯，左手持着螃蟹大嚼，能够如此，死了也甘心……"

毕卓的心愿赢得许多人的赞同，在他们看

毕卓，选自《清刻历代画像传》。

来，天下最值得追求的正是美酒。因为中国士大夫数百年来，受了礼教的拘束，没有办法一下子脱离礼教，变得浪漫狂放，而晋代的公卿大夫又非要得到狂放之名，表示自己不同流俗，只有借酒壮胆，饮酒乱性。

"八达"为了得到"放达"的美名，经常聚在一起喝酒，喝得昏天黑地，披头散发，然后脱光衣服，放浪形骸。

光逸有次去晚了，其他几个人已喝了几天几夜，他想要加入，偏偏守门的不让他进去。

急中生智，光逸在门外脱光了衣服，把头钻在狗洞中汪汪大叫。

胡毋（wú）辅之等听到声音，伸头一望，看到这种疯狂镜头，胡毋辅之笑着拍手道："这一定是光逸了，旁人绝对做不出这样的事。"赶快开门把光逸请入。

光逸一进门，大家都笑着称赞他："真有你的，如果不是我们八达，还做不出这等妙事。"然后饮酒作乐，不舍昼夜。

　　因为当时的人都很羡慕"八达"的名声，于是也学着"八达"的样儿，希望打开知名度，王澄就是最好的例子。

　　"八达"动不动就喜欢脱光衣服，表示自己放达，而且自谓"复归于婴儿"，纯洁又返归自然。

　　王澄被任命为荆州刺史，上任之前，许多宾客前来道贺，王澄一看客人把房间塞得满满的，心想这个好机会不要轻易地放过了。

　　于是王澄到了门外，把上衣一件一件地脱去，脱光以后竟爬到树上去了。客人们都看得目瞪口呆，接着王澄又把头伸到鹊巢里去张望，玩弄着巢里的鸟蛋，一脸严肃的神情，好像自己在做一件了不起的大事，完全旁若无人。

　　王澄的举动实在是幼稚无聊，而且也不顾礼教。当时，凡是敢做不顾礼教之事的人，都受到人们的喝彩，所以，王澄裸体上树玩鸟蛋的举动可轰动了整个京师，人人争着传诵王澄脱衣上树的故事。后来，王澄到了荆州当刺史，也是日夜纵酒，不理政事，因为这样才称得上时髦，但其实是放荡和不负责任。

　　中原大乱，元帝建立东晋后，一般人不晓得卧薪尝胆一雪耻辱，依旧仰慕谢鲲、王澄等人的狂放，甚至自暴自弃，努力地去追求个人的享乐，东晋的人还认为贪污纳贿是应该的，是最好的致富之道。

　　在这种情况下，金钱成为测定价值的最高标准，人格的高低，学问的深浅，才干的有无都可以用金钱测定。当时有一个书生鲁褒看到风俗贪鄙的现象，写了一篇《钱神论》，讽刺人们的爱财如命。

　　鲁褒在文章中说："钱之为体，有乾坤之象，内则其方，外则其圆……亲之如兄，字曰孔方。"古人的铜钱是一枚圆币，中间有一个方洞，因此他戏谑地称之为"孔方兄"，这也是今天我们把钱称为孔方兄的由来。

陶侃收集木屑

东晋的政风颓废，陶侃（kǎn）是晋代少数正直的官吏之一，今天我们来看看陶侃一些脍炙人口的小故事。

陶侃的父亲很早就去世了，他和母亲过着清苦的日子。和陶侃同郡的范逵（kuí）素来有名声，被选为孝廉。一天，范逵到陶家来投宿，当时大雪纷飞，陶侃家中一无所有，穷得像个空空荡荡的破瓶子，而范逵的侍从、仆人加上马车来了一大堆，拿什么待客呢？

范逵的车马近了，陶侃急得搓手叹息。陶母沉着地说："你只管放心去留客人，我自有法子。"

有什么办法呢？陶侃心里想着，又不能变魔术啊。没想到到了晚饭时，陶母果真变出一盘盘的珍馐（xiū）美味，而且一连几天，范逵和他的侍从都吃得眉开眼笑，摸着肚子叫好。

原来陶母情急之下，把她一头乌黑油亮、直拖到地的头发剪了，拿去卖掉换了酒菜；砍了台子作为柴火；割了席子作为马草，这才供得起贵客。

后来，范逵晓得了，极为感动，他称赞陶母的贤德，同时对陶侃的才思敏捷又万分佩服。到了范逵告别时，陶侃一路送了百里之遥，范逵说："已经很远了，你可以留步。"陶侃还是坚持再送一段。等范逵到了洛阳，就到处宣扬陶侃的美名。

因此，陶侃被举为孝廉，但因为他出身寒微，东晋人多半是势利眼，当陶侃到了洛阳去看张华，张华对他很不礼貌。他去拜望一位同乡，同乡竟羞辱道："我怎么能和小人同车？"

但是陶侃不为恶劣环境所困，努力奋斗，曾为南蛮长史，破妖贼张昌之乱；继为江夏太守，平陈敏之乱，又为国家立了很大的功劳。他在广州之乱平定以后，政清无事，每天一大早起来，把一百块大砖搬运到斋内，到了晚上又把砖搬回去。

旁人看了好生奇怪，问道："陶刺史要搬砖，随便派个小兵搬就可以了，何必如此费力，太辛苦了！"

陶侃母剪发买酒，招待贵客，选自明刊本《闺范》。

陶侃笑着说："你误会了，我搬砖是为了练身体，现在中原尚未平定，我恐怕自己生活优逸，精力懈弛，将来不能任事。"

他不但勤勉，而且俭朴，担任荆州刺史时，常命令造船的官吏把锯下的木屑，不论多少，全部搜藏放好。大家都莫名其妙，但因为长官有令，也不敢不照着做。

不久，积雪融化，天气放晴，厅堂前面的院落湿漉漉的一片满是烂泥，脚一踩便陷了下去，行走相当不便。陶侃派人用木屑覆在地上，如此一来，连车马都可以通过了，人们这才明白陶侃是有备而做的。

官府里平常用的竹子留下许多厚头（竹子的根部），陶侃下令不许扔，到了后来竟堆积如山，人们怨道："小气过了头，自找麻烦。"

可是等到桓温要伐蜀时，这些厚头刚好用来作钉，大家又钦佩陶侃懂得利用废物。

一次，陶侃出外游玩，远远看到一个人持着一把未成熟的稻子，一边挥舞，一边哼着小曲。

陶侃叫住了行人："你拿着这把稻干什么？"行人若无其事地回答："没什么，路过嘛，好玩就摘了一把。"

"什么？好玩？"陶侃大怒，"你自己不种田，还偷人家的稻穗来玩！"便把行人捆起来，结结实实打了一顿屁股。因为他重视农事，所以军民勤于稼穑（sè），家给人足。

陶侃运砖，选自《马骀画宝》。

陶侃最恨赌钱，曾把赌具扔掉道："民生在勤，大禹圣人，犹惜寸阴，至于我们凡俗，当惜分阴，怎可游玩荒逸，在世时无益当时，死后不留一点名声？这叫自暴自弃。作为君子，应该正正派派穿好衣裳，一举一动要有威仪，哪里可以乱头养望（头发蓬乱来博取声名），反而说自己宏达。"

陶侃这番话是讽刺当时东晋的士大夫王澄脱衣上树，光逸钻入狗洞的轻薄行为。

然而陶侃的话并不能使东晋人觉悟，他们仍然向往浮华，看重门第。陶侃刚出道时，固然受到种种奚落，就是到了后来陶侃做了征西大将军，因讨伐苏峻，立了大功，那时他已七十高龄，仍有人看不起陶侃的出身，还骂他为"溪狗"（因为陶侃的乡里正是溪族杂处区）哩。

佛图澄法力无边

佛教在汉代已经传入中国了，但直到魏晋时代才在中国盛行。此与当时的时代背景以及佛图澄的推行大有关系。

魏晋时代的老百姓天天过着悲惨的生活，又眼看着贵族名士过分的享受与奢靡，他们只会成为贵族娱乐的牺牲品，他们悲观而绝望，渴求一种新的人生观来抚慰心灵。

一个人在悲观痛苦时，常常产生神秘心理，此时人们发现国家不能拯救他们，皇帝不能拯救他们，官吏不能拯救他们，名士不能拯救他们，于是在水深火热的战乱中，他们很欢迎外国神，一种全新的宗教——佛教。尤其佛教是讲来世的，人们可以把希望寄托在下一辈子，以忍受今生今世的折磨。

佛教是由北方流行到南方的，其中有个叫佛图澄的和尚对推行佛教极有贡献。

据《晋书》的记载，佛图澄是天竺人［实为西域龟兹（今新疆库车一带）人］，本来姓帛。他在永嘉四年（310 年）来到了洛阳，自称活了一百多年，能够几天几夜不吃不喝。佛图澄的肚皮上有一块中间白色、四围黑圈的圆孔，很像是肚脐眼儿，里头塞了一团白棉絮，奇怪极了。

每天晚上，佛图澄念书时，他就把白棉絮慢慢拉出来，放在一旁。圆孔里竟然发出一闪一闪的亮光，照耀全室，佛图澄便就着"自来光"看书写字。

　　每当斋戒之时，佛图澄便从这个圆孔中，把热烘烘的五脏六腑全掏了出来，用水冲洗干净，然后逐一放回腹中，塞好棉絮。

　　后来永嘉之乱，匈奴攻入洛阳，杀戮极惨，许多和尚被害，佛图澄投奔到石勒手下大将郭黑略家里避祸。

　　从此郭黑略每次随石勒出外征战，总能事先预卜胜负。石勒觉得奇怪，把郭黑略找来问："我实在看不出你有什么出众智谋，为什么每次都能知道行军的吉凶？"

　　郭黑略回答石勒，有个和尚叫佛图澄，灵验得很。石勒立刻召来佛图澄，试验他的本事。佛图澄取来一钵（bō）清水，烧起一钵香，口中说了一些旁人听不懂的咒语。

　　说也奇怪，只见钵中冉冉生出一株青莲花，孤挺美丽，令人吃惊得说不出话来。石勒从此很听佛图澄的话。

　　不久，石勒从葛陂（bēi）撤军到河北，经过枋（fāng）头镇时，佛图澄对郭黑略说："待会儿敌军会摸黑偷营。"果然，到了三更半夜敌军偷偷潜至，因为石勒早有准备，打了一场大胜仗。

　　虽然如此，石勒还是想再试试佛图澄，看他到底能否"未卜先知"。石勒头戴钢盔，身披铠甲，手提大刀，派人告诉佛图澄说："石大将军不见了，不晓得跑到哪儿去了。"

佛图澄念动咒语，钵中生出青莲花，选自《马骀画宝》。

哪晓得来人还没开口，佛图澄就问道："又没有敌寇来袭，石大将军为什么全副武装？"石勒知道了，对佛图澄更加信服。

但没有过多久，石勒大生和尚的气，连佛图澄也在内。佛图澄躲在郭黑略的家里，对别人说："万一石将军问起，就说不晓得我到哪儿去了。"

石勒找佛图澄遍寻不着，心里懊悔万分，日夜不安。第二天，佛图澄竟登门拜访石勒。石勒问："昨天你跑到哪里去了？"

"昨天你发脾气，我暂且避一下，昨晚你悔悟了，我才敢来。"佛图澄从容不迫地回答。

这句话一语道破石勒的心事，石勒不好意思承认，哈哈笑道："和尚，你猜错了！"

以后，石勒当了皇帝，建立了后赵，对佛图澄更加恭敬。石勒有个堂兄石葱想谋反，被佛图澄看出了阴谋，出家人又舍不得害石葱丧命，他便对石勒说："今年的葱里有虫子，吃了会中毒，赶快下令要人民不可食葱。"

"食葱"与"石葱"同音，石葱一听，心里有数，连夜逃了。因此石勒对佛图澄更为看重，尊称他为大和尚。

每次石勒召佛图澄上朝，佛图澄都乘坐四人抬的轿子直到大殿，那些王公大臣抢着去抬轿子，他们认为替佛图澄抬一抬轿会得到好运，石勒的儿子们则跟在轿子后面，高叫："大和尚到。"佛图澄成为当时人人敬仰的人物。

石勒在五胡诸王之中，算是一个不平凡的枭雄，虽然出身微贱，却有过人才略，称赵王以后，置宗庙，营宫室，设经学史学祭酒，奖励农桑。

因为石勒很听佛图澄的话，石勒想杀人时，经常由于佛图澄的几句话就打消了主意。许多人的性命，都因佛图澄的一句话，得以保全，所以当时中原地区的人民都很信奉佛教。

当然，史书上所记载的种种，不免有许多夸大及附会的地方。但由此我们可以知道，当权者看上了和尚的法术，纷纷皈（guī）依，一般百姓为求精神上的安慰，以及希望借由佛门保护性命，也都纷纷信仰佛教，事实上，这是一种逃避，救不了当时困苦中的人们。

王羲之爱鹅

提起王羲之，大家都会立刻想到书法，不错，王羲之正是我国著名的大书法家。

王羲之，晋朝人，为人爽朗，以有骨气知名，是王导的侄子。

当时太尉郗鉴想要在王导家选女婿。东晋人重门第，谁和郗家结了亲家，身份自是不同。因此，王家的子弟有的故意表现得文质彬彬，也有的假装矜（jīn）持，总之都非常不自然。

只有王羲之不理这些，一个人坐在东床（此时胡床已传入）吃东西，吃得好开心。郗鉴说："这正是我要找的好女婿！"便把女儿嫁给了他。

王羲之以气宇高华当了郗家乘龙快婿，这也是成语"东床快婿"的由来。

王羲之的官位做到了右军将军，所以后人称他为"王右军"，有"书圣"的美誉。王羲之的笔势飘逸如浮云，矫健如惊龙，在东晋赫赫有名。

穆帝永和九年（353年），王羲之和谢安等十一人宴集于会稽山阴的兰亭，饮酒赋诗。王羲之写了一篇序，记述盛会。

王羲之打开砚台，轻研香墨，提起鼠须笔，铺开蚕茧纸，趁着微微的酒意，写下了《兰亭集序》。序中二十个"之"字各有不同，都有不同的美感。他酒醒以后怎么都写不出这样好的字。他把《兰亭集序》妥善地珍藏起来。

到了唐朝，唐太宗对王羲之的字着迷不已，命令大书法家虞世南、欧阳询、褚遂良摹临数本，这些摹本成为日后人们学习书法的字帖。至于真

《兰亭集序》，晋王羲之书法。

迹，已随着唐太宗殉葬在昭陵。

鹅是王羲之的宠物。他听说会稽住了一个老婆婆，养有一只奇鹅，叫
的声音特别悦耳，王羲之派人去购买，没有买成。

王羲之还是不死心，邀了几位亲友，驾着车子亲自前往交易。老婆婆
看到王羲之如此重视，连忙殷勤接待。

到了中午，老婆婆留王羲之用午餐，她笑嘻嘻地自厨房小心翼翼捧出
一个大碗，掀开碗一看，赫然是那只他梦寐以求的鹅。

"我知道将军爱鹅，特别炖了一上午，你瞧，肉都酥烂了，一定很好
吃。"老婆婆讨好地说，把碗推到王羲之面前。

王羲之看了，眼泪都快掉下来，哪里有心情吃它的肉？他叹口气离开
了，以后一连好几天都闷闷不乐。

还好，不久，他又听说山阴有一个道士养了一群好鹅，他急急忙忙跑
去看，一看就相上了，再三请求道士卖给他，多少钱都在所不惜。

道士说："卖，我是不卖，不过如果你为我抄写一部《道德经》，岂止
一只，一群鹅全部送给你！"

"真的？"王羲之兴奋得很，立刻濡笔写字。写好了，道士很守信用地
把整笼鹅一起送给他。王羲之满载而归，一路上又唱又笑，又忙着低头看
鹅，快乐得像个小孩子。

有一天，王羲之在路上看到一个年纪大的姥姥在卖竹扇子，一把竹扇

子仅卖六钱，行人来来往往，没有人停下来理会姥姥。

太阳愈来愈烈，王羲之看着于心不忍。他向姥姥要了所有的扇子，姥姥以为来了一个大主顾，立刻把所有的扇子全部奉上。

王羲之拿出笔，在每一把扇子上面写几个字，然后还给姥姥。姥姥以为王羲之要给她钱，没想到这位客人在每把扇子上乱涂一下，却把所有的扇子都还给她，气得姥姥指着王羲之的鼻子大骂："你这个人真没道理，你不买扇子，还把我的扇子弄脏了，我卖给谁啊？"

王羲之笑嘻嘻地对姥姥说："你别紧张，你只要对人说，这扇子上的字是王羲之写的，包管你每把扇子可以卖一百个钱。"

右军书扇，清山寿绘。

"弄脏"了的扇子还可卖钱？姥姥不相信。没料她一说是谁题的字，不到一会儿工夫，扇子立刻被抢购一空，姥姥感到莫名其妙。这可见得王羲之的书法在当时受喜爱之一斑。

王羲之除了书法好，志气也高，和东晋一般名士不相同。

一次王羲之与谢安共登冶城，王羲之对谢安说："夏禹勤劳王事，手脚都起了厚茧；文王为了国事，连一餐饭都不能好好吃。现在四方都不太平，国家多难，每个人应该献出自己的才能，为国效力。如果只是清谈，把国家政治事务都荒废了，注重虚浮，不切实际，恐怕不太合适吧。"

可见得王羲之除了书法独步古今，在其他方面也值得人们尊敬，他是东晋时代极少数不尚清谈、不好虚浮的名士之一。

谢安的沉着稳健

"旧时王谢堂前燕，飞入寻常百姓家。"这是唐朝大诗人刘禹锡在《乌衣巷》诗中的两句，形容王家、谢家后代没落，连在檐上的燕子也另觅安身之处了。王指的是前面讲过的王导，谢便是今天故事的主角——谢安。

谢安的学问很好，当他年轻时，因为羡慕古代的隐士作风，虽然朝廷征召了几回，他总是不肯出来做官。

一天，谢安和孙绰等几个朋友雇了一条船出去玩儿。船开了一半。忽然天气变了，风起浪涌，孙绰等人都张皇失措，嚷着说："回去吧，太危险了！"

谢安也不搭腔，昂起头来吟了一首诗，低头下来又斟起一杯酒，好像游兴很浓。诸人看他一派悠闲，也只得继续饮酒赋诗。

过了一会儿，风浪转猛，扑打得小船摇摇晃晃。大家都很害怕，坐立不安，在船上走来走去，口里嘀咕着："糟了！"船身益加不稳，摇摇摆摆，好像随时可能翻船。

谢安说："像你们这个样子，大家一辈子都别想回去了。"果然，大伙儿的心慌意乱，使得船夫也被搅得心神不宁，连桨也拿不稳。

大家这才了解现在是危险的时候，必须镇定下来，于是，一个个不再多嘴饶舌，安安静静回到座位。船夫也定下心来，沉着地控制着船桨，凭着经验与风浪搏斗，终于把船安全地驶了回来。

上岸以后，大家拍着胸口长吁道："好险，这条命算是捡回来了。"也才省悟到，万一当时不镇静，在船上大呼小叫，奔来跑去，船夫也受到这种恐惧气氛感染，稍不留意，大家都成了水鬼。因此众人直夸谢安遇事不惊慌，能小心应付，有安邦定国的才能。

后来有人对谢安说："你高卧东山，朝廷屡次请你都请不动，你怎么对得起天下百姓？"谢安心里很惭愧，也就应允出来做事，此时他已四十多岁了。

东晋简文帝得了重病，这时朝廷中的大权操在桓温手里。桓温为荆州刺史，手握重兵，曾两次北伐，都因军粮不足，大败而归。桓温有自己做皇帝的野心，可惜两次北伐都不成功，声名大挫，不敢贸然自立为帝。

他的幕僚郗超建议他废掉晋朝的皇帝以立威。太和六年（371 年），桓温便亲自带兵进京师建康，假传太后之命废去当时在位的皇帝司马奕（因为司马奕做皇帝之前任琅邪王，被废后在宗庙就没有牌位，所以有些书上称司马奕为废帝，也有的就称为琅邪王奕，就如同魏朝要杀司马昭的曹髦，历史上仍称他为高贵乡公），降为东海王，另立会稽王司马昱为皇帝，是为简文帝。

所以，简文帝在位之时，形同傀儡，一切大权操在桓温手里。咸安二年（372 年），简文帝病危，桓温在姑孰（今安徽省当涂县），很想简文帝在死前传位给他。不料，简文帝死得太快，并不知道桓温的心意，所以遗诏中仅命桓温辅政，而立自己的儿子司马昌明为皇帝，是为晋孝武帝。

谢安，明郭诩绘，中国台北故宫博物院藏。

桓温大失所望，孝武帝即位的第二年二月，桓温从姑孰入朝，京师里纷纷传说，桓温入京是准备来篡位的，并且要杀掉阻挠桓温篡位的王坦之和谢安。一时之间人心惶惶。

桓温在大军护卫之下到了建康，文武百官在城门口两旁恭迎，桓温在宾馆之中接见大臣，当时朝廷中最有名望的是吏部尚书谢安和侍中王坦之。桓温特别召见谢、王二人。当时虽值寒冬，王坦之紧张得汗流浃背，衣服都湿透了，谢安却神色自若，从从容容在客厅里坐下来，对桓温说："我听说诸侯有道，守在四邻，明公（对桓温的尊称）何须在墙壁后面布置人手？"

桓温笑道："我要自卫，不得不这样啊！"于是，命左右将墙壁后的人手撤去。桓温和谢安互相不再戒备，坦诚地谈起天来，没想到两人谈得很投机，不知不觉谈了两三个时辰。

在王坦之、谢安进来之前，桓温命心腹参谋郗超先躲在客厅的帐（布帘）中偷听，没想到谢安与桓温谈了这么久，一阵风来，把布帘吹开，谢安发现郗超躲在布帘之中，便笑着说："郗生可谓入幕之宾。"于是，主客大笑。

桓温和谢安的晤谈以和气收场，化解了京师人心的不安，这当然是靠着谢安委婉而沉着的应付。

桓温只在京师建康留了十四天，就因为生病而回姑孰去了。半年后，桓温病死，晋朝中央政府才算解除了一大威胁。

谢安为人持重，公忠体国，凡事能多听旁人的意见，深获人心。也只有在他主政期间，东晋的上下才能抛弃成见，互相协调。

一次，王羲之的三个儿子徽之、操之、献之上门拜见谢安。老大老二东家长，西家短，叽叽喳喳说了许多俗事，老三只寒暄几句便闭口不言。

等到他们三兄弟走了，旁的客人问道："刚才王家三个贤子弟之中谁最好？"

"小的最好。"谢安不假思索地说，继而解释道，"有才德的人话讲得少；浮躁的人废话多，这是可想而知的。"

正因为谢安懂得相人用人，东晋的政治为之一新。

淝水之战

八王之乱后，中国北方长期陷于割据分裂的局面，一直到氐族的苻（fú）坚才统一了北方，其他胡族和北方的汉人都接受苻坚的统治。

苻坚的国号是秦，由于五胡建立的政府还有氐族的姚苌（cháng）也把国号称为秦，所以后人为了区别两个秦，便把苻坚之国称为前秦，姚苌之国称为后秦。

苻坚虽是氐族，却任用汉人王猛担任丞相。苻坚本不认识王猛，听说王猛博学多才、精通兵法，便特别派使者邀请王猛前来见面。两人一见如故，谈得十分投缘，苻坚高兴地说："我见到王猛真是乐极了，就像是刘备遇到诸葛亮一样。"

王猛做了前秦的丞相，革新政风，选拔人才，劝课农桑，训练军队，整顿司法，使得国富兵强、老百姓安居乐业，国家有了极为难得的一段政治清明安定时期。

不幸，王猛生了重病，苻坚亲自到处求神保佑，又派使者到全国各地去求各种神，然而都没有效。王猛临终之时，苻坚亲自到王猛家中探病，并问王猛有没有什么事要嘱咐，王猛说："晋朝虽然偏安江南，但是，他们以正统相传，朝廷上下和谐团结。我死以后，希望陛下不要去打晋朝的主意。鲜卑人和羌人才是我们的仇敌，终是心腹之患，要慢慢消除，才能使国家基础巩固。"

不久，王猛便死了，符坚痛哭流涕，三次亲自前来吊祭。

王猛劝符坚不要伐晋，有人认为王猛是汉人，所以要保护晋朝，其实，王猛是忠于符坚，他知道秦朝的内部有许多鲜卑人和羌人心里不服符坚，随时会找机会独立。所以王猛劝符坚注意内部的鲜卑人和羌人，是有道理的。

但是，符坚的自信心太强了，他认为既能统一北方，又岂能坐视江南呢？

东晋孝武帝太元七年（382年）符坚正式宣布伐晋，当时秦的大臣权翼、石越、符融，甚至太子宏，符坚的宠妃张夫人都反对，符坚都不理会。符坚说秦有九十七万大军，"投鞭于江，足以断流"，自信攻晋是轻而易举的事。

第二年八月，秦军出发，出动了步兵六十万、骑兵二十七万，分几路进兵。由于军队太多，队伍拉得很长，当符坚到达项城（今河南项城县）时，后队的秦军才到达咸阳（今陕西咸阳市），前后距离很远。

秦八十万大军南下的消息，使得晋国举国震惊，人心惶惶。幸而，谢安早在几年之前，就命刘牢之在江北训练了一支军队，取名为"北府兵"，战斗力很强。谢安命侄儿谢玄领兵八万抗秦。

十月，符融领三十万大军攻陷寿阳（今安徽寿县），已和晋军接触。符坚也亲率八千骑兵赶到寿阳，准备和晋军正面厮杀。

符坚的部下有个叫朱序的人，本是晋朝的将领，战败而降。符坚对朱序说："你知道晋军前线指挥官是谢安的弟弟谢石，你和谢石是好朋友，你可以溜到晋军，去劝谢石投降，事情办成之后，我有重赏。"

"遵命！"朱序回应道。

朱序偷偷来到晋营，见到谢石，他不但不劝谢石投降，反而把秦军的虚实全部报告出来，并且劝谢石不要等秦的八十万大军结集，立刻进攻，朱序自己可以做晋朝的内应。

秦大军压境，谢玄急急忙忙跑来请示谢安御敌之方法。

　　谢安只说了一句："已另有命令。"便不肯多言，谢玄也不敢再问，回营之后，想一想，不安心，派了张玄去请示。

　　这次的回答更妙，谢安竟说："走，我们到山外的别墅去下围棋。"于是，谢安带着谢玄等一群人浩浩荡荡到了别墅，没有人有心思玩，只有谢安一个人下得最为起劲。谢安平时不是谢玄的敌手，这一天，谢玄心中不安，结果一连输了几盘棋。

　　到了半夜，谢安从别墅回到城内，这时，谢安才把各个将帅找来，面授机宜，各当其任，将帅们看谢安从容不迫的神情，也好像吞下一颗定心丸。

　　秦晋两军隔着淝水（今南淝河）对峙，谢玄派使者要求秦军稍作后退，待晋军渡过淝水决一死战。苻坚心想，何不趁着晋军渡河一半的时候，秦军出击，晋军必然无力还手，于是，同意秦军后退。

　　三十多万秦军看着晋军一船一船正在渡河，忽然之间，接到命令向后撤退，大家弄不清楚为什么要撤退，当时，既没有无线电，又没有扩音器，撤军的命令全靠着口耳相传，口耳相传就会失真。

东山报捷图，清苏六朋绘，广州美术馆藏。

秦军士兵以为是最前线的秦军吃了败仗，这时，朱序在秦军之中到处大叫："秦军已败。"那些奉命后退的秦军便失了秩序，没命地向后跑，结果互相推挤践踏，死了不少人，等谢玄的晋军渡过淝水，发现秦军竟自动后逃，便立刻挥刀舞剑，追杀上去，弄得秦军更加狼狈。到了晚上，秦军还在逃，旁边八公山上的草木被夜风吹得摇摆不定，再加上鸟叫的声音，秦军吓得以为是晋军，所以更加没命地逃亡，这就是"风声鹤唳（lì）"成语的由来。

淝水之战的捷报飞快地传到京师建康，谢安正在跟人下围棋，看完捷报，顺手往旁边一放，继续下棋。

"是不是前方的军情报告？"左右的人焦急地问。

"没有什么，不过是小儿辈打了胜仗而已。"谢安的脸上并没有得意的喜色，仍然专心下棋。

下完了棋，客人走了，谢安急忙回到内室，经过门槛子，绊了一下，连木屐都碰断了，原来谢安下棋只是强作镇静，其实内心是十分紧张的。

苻坚的失败印证了王猛的话，秦的最大敌人是内部的鲜卑、羌人，他们人数比氐族多，暂时屈服在苻坚领导之下，总想有一天能脱离氐族的控制而自立。淝水之战中，秦的军队实际上是由五胡军队拼凑而成，所以听到朱序放出"秦军败了"的谣言，便以起哄的心理四处逃散，以至于不可收拾，所以，淝水之战与其说是晋军打胜了，不如说是秦军自己败了。

刘裕做了皇帝

自从淝水之战苻坚战败以后，他所统一的北方再次分裂。五胡十六国之中，有十国都是在淝水之战以后建立的。同时，淝水之战以后，东晋得以偏安江南，维持了汉人在南方的政权。

虽然北方混乱，晋人却未能趁此机会光复中原，因为晋朝内部不安定。

东晋的老百姓受不了连年的剥削与压迫，终于在晋安帝隆安三年（399年）起兵造反，带头的是天师道的孙恩。不到十几天的工夫，就有十多万民众响应，孙恩的军队占领了八州之多。朝廷急忙派淝水之战的名将刘牢之出来镇压。

刘牢之手下的刘裕，在历次战役之中表现最为杰出。刘裕是平民出身，曾经当过农夫，他勇敢善战，而且很有智谋。

一次，孙恩派了大军来攻城，城里的兵力相当弱，根本不是对手。刘裕心生一计，挑选了数百名敢死队员，脱掉了铠甲，拿着短兵器，一路打鼓叫喊而出，来势汹汹，把孙恩的部将吓了一跳，纷纷丢下武器逃跑。

虽然敌人暂时远离，但晋军到底寡不敌众，困在城里也不是个办法。于是刘裕下令把旗子收好，士兵们藏起来，四下静悄悄的，好像已经逃走一般。

第二天清晨，孙恩的军队折返回来，只见几个老弱残兵在城门上走来走去，随便提了一个老头问道："刘裕呢？"

那老头翻一翻白眼，没好气地说道："在夜里早就走了！"

"哼，害我们昨天中了这小子的计！"贼兵叹了一口气，既然走都走了，仗也没什么好打了，自然而然放松了戒备。大家兴奋地放下武器，准备进城去痛快大抢一番。不料，就在此时，刘裕率了大军自城中杀出，贼兵措手不及，连队伍都没有排好，便被刘裕打得落花流水，抱头鼠窜。

虽然刘牢之的北府兵打败了孙恩，但官兵的纪律跟贼兵却是差不多，到处焚烧掳掠。人们原巴望官兵前来解救他们，没想到遭此浩劫，失望透顶。只有刘裕的部队法令明整，人民都争相欢迎。如此一来，刘裕的名气更响亮了。

接着，刘裕又平定了东晋的桓玄之乱。桓玄的父亲是桓温，桓温原是晋之大将，一直都想篡位当皇帝。桓温曾经三次北伐，希望借着战功增加威势，不幸败于枋头，没有达成心愿。所以他儿子意图再试试看，却被刘裕一举平定。

在中国古代平时安定的日子里，君臣之间的名分，像天与地一般不可以随便动摇，皇帝是全国的领袖。可是在战乱中，往往可以暴露出帝王的无能，不足以领导全国。于是，大多数的人民自然而然地想跟随一位有才能的领袖，以拯救自己。八王之乱后人民饱受痛苦，希望有人出来领导。有野心的臣子看到君王无能，也对王位起了觊觎（jì yú）之心。

桓温是这样的想法，刘裕也是。他首先灭了南燕，平定卢循之乱，再平后蜀；二次北伐，克复了洛阳，入长安，灭后秦、西秦，北凉请降。晋人竟然光复了沦陷一百零一年的关中之地。

忽然之间，刘裕听说他留在京师建康的大将死了。他唯恐后方发生兵变，匆匆忙忙班师回国，如此一来，关中又丢掉了。刘裕又羞又气，为着巩固权威，派人杀掉愚蠢得连冷热饥饱都不知道的晋安帝，迎立晋安帝的弟弟司马德文为皇帝，是为晋恭帝。这时，刘裕虽受封为宋王，但是并不满足，他急着想登上帝位，自己又不方便开口，非常苦恼。

有一天，刘裕在寿阳邀集朝臣宴饮，他站起来致辞道："我首先倡导大义，南征北伐，平定四海，功成名就。现在年纪大了，也应该奉还爵位，告老还乡，就像是一杯水装得太满也不好，满招损啊。"

于是，立刻有人站起来向刘裕敬酒，盛赞他功业彪炳。马上又有第二个人站起来，大大歌功颂德一番。

大家都猜不透刘裕心中真正的意思，他又不好意思说："笨蛋们，我想等你们拥我为皇帝啊！"只有一个劲儿苦笑。

宴会散了以后，中书令傅亮走出大门，看到天上一颗流星飞逝而过，心中顿有所悟，他一拍脑袋，自言自语道："哈，我说呢，他为什么今天晚上说了许多奇怪的话，什么要退休，什么要告老还乡，敢情是以退为进，想当皇帝，可惜，缺一个帮他开口说话的人。"

傅亮也顾不得大门紧闭，敲了门就进去求见刘裕。

"你有事吗？"刘裕问傅亮。

"我想暂时回京师建康去一下。"傅亮含蓄地说。

"嗯！"刘裕看着傅亮，心照不宣地说，"要派多少人送你？"

"数十人就够了。"傅亮说。

第二天，傅亮就从寿阳回到京师建康，觐（jìn）见了晋恭帝，对恭帝说："现在全天下都仰慕宋王刘裕的威德，所谓众望所归，陛下应该禅位给宋王了。"说着，便从怀里掏出一份写好的让位诏书，请恭帝签字。

晋恭帝名义上虽然是皇帝，却毫无实权，不过是个傀儡而已，同时，又看到

刘裕，佚名绘。

哥哥（安帝）被杀，心里一天到晚恐惧不安，现在傅亮要他让位，他不但不以为忤（wǔ），反而很高兴地说："要我让位，我心甘情愿。"他立刻提起笔，用红纸把傅亮所拟的文稿照抄一遍，宣布禅位诏书。恭帝自以为让位以后，就可以避免像哥哥一样被杀的命运。

刘裕接受晋恭帝的禅让，即皇帝位，改国号为宋，是为宋武帝，这是南北朝时期南朝的开始。

从汉末到两晋，中国的社会极重门第，唯独刘裕出身平民，全凭战功当上了皇帝。所以刘裕深知民间疾苦，能破格任用人才，不重视豪门大族。

刘裕相当节俭，睡的是用铁钉制成的直角床，脚上踏的是连齿木屐，一改魏晋以来的浮华之风。他去世的时候，把自己以前耕田用过的耒耜（lěi sì）陈列在宫中做纪念。后来他的儿子宋文帝看到这项遗物，想起刘裕一再告诫自己刻苦朴实的话语，颇为羞愧。刘裕若非即帝位不满两年就死去，他的成就应该更大。

田园诗人陶渊明

我们常用"世外桃源"形容一个地方的美好似乎是世界上所不该有的。这是因为晋朝的大诗人陶渊明曾经写过《桃花源记》，叙述有个渔夫偶然间到了一个大家从来没有到过的地方，这个地方与世隔绝，风景美丽，人民安居乐业，原来这些居民的祖先是为逃避秦朝苛政迁来的，渔夫回去后再想重游旧地，却怎么也找不着了的虚构故事。这篇文章使人读了，对桃花源神往不已。

陶渊明是中国历史上最伟大的文学家之一。提起陶渊明三个字，中国人总是亲切而温暖地会心一笑，而且立刻会想起他所写的"采菊东篱下，悠然见南山"那种耕田、赏菊、饮酒、隐逸的生活境界。历代对陶渊明作品的研究数量之多，除了对唐朝的杜甫以外，恐怕没有什么人赶得上他。

陶渊明，字元亮，东晋末年人，后来晋朝亡了，他改名为潜。前面说过的那位搬运砖头、搜集木屑的陶侃，就是陶渊明的曾祖父。

陶渊明少年的时候，家里非常穷困，但是他很乐观，自称"猛志逸四海"，想要轰轰烈烈为国家做番事业。后来看着国家一天天衰弱，人民流离失所，最后刘裕篡晋，他一介书生没有扭转国运的力量，心情苦闷，只有寄情于诗酒。

陶渊明家有高堂老母，娶妻生子以后家庭负担更重，只好出来当一个江州祭酒的小官。过了没多久，就因为受不了官场上的拘束，与小人不合，他便跑回家里种田了。可是他的收入不足以维持家中开销，只好又出来，做过几次参军之类的小官。他对亲戚朋友说："我呢，也不求多的，只希望能有办法喝到酒便可。"

后来，陶渊明当了彭泽县令。

陶渊明到了彭泽县，命令县里的公田，全部改种秫（shú）稻（是一种可以酿酒的黏稻）。

他太太知道了，立刻劝阻："全部种秫用来酿酒，这像什么话，让上级长官知道了，你好不容易得来的彭泽县令又要丢了！还是改种粳（jīng）稻吧。"

陶渊明不肯听，双方争执不休，最后采取了折中政策，一半种秫，一半种粳稻。

陶渊明性情纯真，讨厌一切虚伪和欺骗，更学不来对上司逢迎巴结。一天，郡里派了一个督邮来考察县里的政绩。按理，他应该立刻换上礼服，系上束带，恭恭敬敬去迎接督邮驾到。

陶渊明把束带一甩，叹口气道："我怎么能为了区区五斗米的薪俸，低着头弯着腰，去侍候这种乡里小人，算了，我不干了！"说着，立刻辞职回家。

他还写了一篇《归去来兮辞》，表明"富贵非吾愿"的心迹，如今是"鸟倦飞而知还"，从此他一辈子再也没有做官。这篇《归去来兮辞》，是中国文学史上光芒万丈的好文章，写得好美、好丰富，又发自陶渊明坦荡无邪的心灵，难怪如此受人欢迎。

后来朝廷征他做著作佐郎，他不肯去。江州刺史王弘很赏识他的才华，他也不理。

有一天，王弘事先知道陶渊明要到庐山去，他就请陶渊明的老友庞通之在山道摆了酒，准备把陶渊明留下。

陶渊明的脚不好，不方便走山路，由两个门生抬着篮舆（yú）（一种像篮子般的轿子）前来。他遇到了庞通之，听说有好酒，便开心地到亭子里一杯又一杯地喝起来。

这时躲在后面的真正主人——王弘出来了，两人相谈甚欢。虽然陶渊

田园诗人
陶渊明

陶渊明，明陈洪绶绘。

明还是不愿出来做事，王弘却对陶渊明佩服万分，以后常差人送酒给他喝。陶渊明家里如果有客人来，只要有酒，一定拿出来待客。陶渊明自己醉了，也就不客气地说："我醉了，想要睡觉，你可以走了。"他就是如此率真。

陶渊明虽然喜欢喝酒，可是常常穷得买不起酒，如果有人送了他几斗酒，他一定在酒里掺点水，凑合着多喝几天。他虽然家里穷苦，一度还乞食，却不改其乐，正如他在脍炙人口的《饮酒》诗中所说："结庐在人境，而无车马喧。问君何能尔？心远地自偏。采菊东篱下，悠然见南山。山气日夕佳，飞鸟相与还。此中有真意，欲辨已忘言。"把一个清静恬淡、诗酒为乐、安贫乐道的陶渊明，生动地呈现在我们眼前。

魏晋南北朝的大多数文人奢侈、矫情，所以表现在文学上的，也是做作、浓艳。陶渊明可不，他是一个率真的文人，用浅显白话的文字，描写农村田园的日子，自然又充满了感情。陶渊明的这些诗，提高了魏晋浪漫文学的地位，建立了田园文学的典型。

总之，陶渊明那纯净的思想，高超的人格，优游而闲适的生活，完全与他的作品合而为一，构成了他永恒的生命。

刘彧被称为猪王

虽然中国历朝历代都有荒淫的君主，可是南北朝荒淫的君主似乎特别多，现在先讲刘裕建立的宋朝（史称刘宋）时期的荒淫君主。

由于刘裕是平民出身，又忙着以武力谋取天下，没有时间顾及家庭教育，也没有好好请师傅教导子侄，加上即帝位不满两年便去世了，因此宋朝的后代皇帝多不成材。

宋武帝刘裕去世以后，继位的宋少帝、宋文帝还算可以，到了宋孝武帝渐渐不行了。

前面说过，刘裕很俭朴，所以去世时特别把用过的耒耜留在宫中，希望子孙勿忘当年耕田的辛苦。

孝武帝一日翻修宫殿，看到了耒耜，群臣都夸赞武帝的勤俭美德。孝武帝"哼哼"地冷笑了两声："这个乡巴佬，能得到这些，对他来说已经太好了！"

孝武帝已经相当不肖了，不料他的儿子刘子业更不像话。孝武帝死，子业继位，是为前废帝。

子业即位时，正是十六岁的年纪，他从小狂妄霸道，常常受到孝武帝的责备，骂他不长进。因此，孝武帝去世时，子业非但不哀伤，反而手舞足蹈。

不仅如此，子业想起当年做太子时很不得孝武帝的宠爱，一发脾气，立刻嚷着要去掘孝武帝的坟墓。

群臣急忙阻止这项疯狂的举动。太史劝他道："这样做，将被天下耻笑，对皇上不利。"但子业一肚子的火气没处消，他就差人运来许多粪便浇在他父亲的坟墓景宁陵上面，算是他扫墓的方式。

子业对父亲不孝，对母亲也一样。

太后病危时，想要唤子业来见最后一面。差人去请了好多次，子业就是不肯来。

"病人的房间里有鬼，我才不要去哩。"子业对宫女解释道。

太后知道了，气得对宫女大叫道："来啊，拿把刀子来把我的肚子剖开，看一看我肚子里有什么妖怪，害我生出这样的妖孽儿子。"

一天，子业到太庙去看画工画的画像。他指着武帝刘裕的画像说："他是个大英雄，生擒了几个天子。"又指着文帝的画像说："这个也还不错，可惜晚年被儿子干掉了。"再转到他父亲孝武帝的画像前，惊奇地说："不对，不对，他有一个又红又大的酒糟鼻，怎么没有画出来？"立刻传令画工补上一个赤鼻子。

酒糟鼻是一种病症，又叫赤鼻症，因为消化不良，加上饮酒造成红红的大鼻疱，非常难看。子业存心羞辱他父亲，所以叫画工特别强调这个缺陷。

子业很讨厌宗室诸王，又怕他们造反作乱。于是，他将叔父始安王休仁、山阳王休祐、湘东王彧（yù）都拘禁在

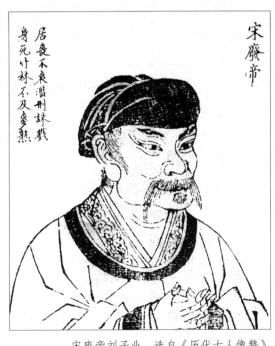

宋废帝刘子业，选自《历代古人像赞》。

建康，常常把三王押到殿上，用鞭子抽打，命令他们在地上打滚，施以种种凌辱。三王都很胖，子业把他们关在笼子里，称休仁为杀王，休祐为贼王，刘彧身体最胖，干脆就叫猪王。

子业用一个大木槽，里面装满了米饭与杂食搅拌在一起，再建了一个土坑，里面盛满了泥水，他要刘彧全身裸体，像猪一样，站在泥水坑里，学猪的样子，以口就食槽里的食物。子业看了刘彧的样子，乐得拍手大笑。

一次，倒霉的刘彧又忤逆了子业，子业派人把他像猪仔一般五花大绑起来，命令道："今天要宰猪。"

杀王休仁要救刘彧一命，知道直言劝诫是没有用的，弄不好自己一条命也赔了进去。于是他笑嘻嘻地说："不对，猪还不能宰。"

"噢，为什么？"子业问道。

"等到明年皇子生下来，再杀猪作为汤饼宴，这样不是更有趣吗？"

"有道理。"子业大笑着说。刘彧算是逃过了一劫。

子业又盖了一座竹林堂，命令宫女脱光衣服，在堂内互相追逐。有一个宫女觉得实在太羞耻，不肯脱衣。子业大怒，命令把那宫女给杀了。

当天晚上，子业做了一个梦，梦见一个女人对他大骂荒淫无耻。子业醒后，在宫里搜索那些和梦里见到的女人面孔相似的，一起都杀了，可怜不少宫女就做了冤死鬼。

晚上，子业又梦到那些冤死的宫女，指着他骂道："你冤杀我们，我们要告到老天爷那儿去。"

子业醒来，立刻召女巫来查，女巫说竹林堂有鬼，于是子业命令几百个宫女和自己一起去捉鬼。

鬼怎么捉？其实是胡闹。宫女们在竹林里跑来跑去，子业手执弓箭随便乱射，说是射鬼，有些倒霉的宫女被射中，没有捉到鬼，却真的变成了鬼。

子业荒淫残暴，不但宫女们人人自危，子业身边侍候的倖（xìng）臣也很恐惧，因为子业喜怒无常，高兴时会厚赏，可是一转眼，心里忽然不高兴，就会杀掉这些倖臣。当然，心里最恐惧的是号为猪王的刘彧，他时时刻刻都担心子业心血来潮就会"杀猪"。

有一天，子业宣布去洞庭湖游玩，同时出发前一天杀掉刘彧、刘休仁与刘休祐。刘彧心想，这次恐怕是逃不过了，当天夜晚与子业身边的侍者寿寂之、姜产之等十一人密谋，在宫中杀掉了子业。众人立刘彧为皇帝，是为宋明帝。

宋明帝当年受子业的种种羞辱，自己当上皇帝以后竟然也和子业差不多荒淫。明帝在位八年就死去了，他的儿子刘昱即位，是为后废帝。刘昱也有许多荒唐的故事。

肚皮当箭靶

上回说到，宋朝的前废帝被杀，号为猪王的刘彧即位，是为宋明帝。明帝不是一个好君王，宋朝不重视教育，使得明帝的儿子刘昱更加无法无天。

刘昱五六岁的时候，已经相当调皮捣蛋。他喜欢爬竿，一爬就爬了一丈之高，而且在上面做出种种危险的举动，谁也拦他不住。

渐渐长大以后，刘昱益加蛮横，喜怒无常，使得侍候他的宦官非常不幸。他稍不如意，伸手便"啪"的一记耳光。

古代皇帝出宫是一件少有的大事。刘昱贪玩，不理会这些，几乎每天都偷偷外出，半夜出了承明门，要到第二天清晨才返宫。有时清晨出宫，傍晚才回宫。

跟着刘昱出宫的侍从，手上都拿着刀矛。路上遇到的，不管是行人，是狗是马或是驴子，只要刘昱看不顺眼，当场一剑刺死。吓得老百姓听说是刘昱出宫，马上把大门掩上，也没有人敢上街。

一回，刘昱发现随从孙超口里蒜味很重，他竟下令"剖腹"，说要看看这股蒜气到底从哪儿冒出来的。

刘昱每天出游，不杀人不见血便不愉快。杀人当然是可怕的事，左右随从的人如果看到杀人时皱一皱眉头，刘昱就会立刻拿矛尖去刺那人的眉心，被刺的人当然也就一命呜呼了。

有时到了荒郊野外，看不到人可杀，刘昱也会去杀野狗，然后与左右随从大吃狗肉。

刘昱这种残暴的行径，实在是心理变态。

刘昱听说沈勃家里财宝很多，他想据为己有，便挥着大刀去沈勃家抢劫。

沈勃看见杀人魔王到来，自知难逃一死，怒由心生，一把揪着刘昱的耳朵，破口大骂："你这个该死的混账皇帝，你所犯的罪比起桀（jié）纣还要多！"当然，最后沈勃还是被宰了。

刘昱对读书、写字样样没有兴趣，可是说也奇怪，他没有学过缝纫，却裁衣做帽无不精通。他未尝吹奏过篪（chí，一种像笛的管乐），竟然一拿起来，就吹得抑扬顿挫，很有韵味。或许他真不该生在帝王之家。

这个时候，朝廷里有一位大臣，名叫萧道成。远在明帝时代，四方叛变，就是萧道成以辅国将军的名义平定乱事。

后来，明帝去世时，遗诏萧道成为"右卫将军，领卫尉，加兵五百人，与尚书令……共同掌机事，又别领东北选事，寻解卫尉，加侍中领石头戍（shù）军事"。从这一长串的官名，可以想见萧道成当时的权势之盛。

在古代帝王时代，政治的权力完全集中在帝王一人身上，因此古代最高政治权力具有强烈的排他性。萧道成的力量太大，刘昱自然心中不是滋味。

有一天，刘昱闯入萧道成家中，这时正是盛暑的中午，天气热得不得了。萧道成把上衣卷了起来，露出一个光光的肚皮，正在呼呼大睡。

萧道成听到声音，睁开眼睛一看，原来是皇帝驾到，连滚带爬翻身下来，哈着腰准备下跪。

"慢着，"刘昱瞪着萧道成圆圆大大的肚皮，忽然心生一计，呼道，"站好！"萧道成不知做错了什么事，挺着肚子呆立一旁。

"来啊，萧将军的肚子不错，正适合用来作为我的箭靶，快快去帮我画好。"

博学能文　天性清俭
金上酒同美言可献

齐高帝

萧道成，选自《历代古人像赞》。

于是左右拿了颜料，在萧道成的肚皮上画上一圈又一圈的箭堋（péng），中间的肚脐眼就当成是靶心。

大家都知道刘昱是杀人有瘾，如果哪一天没杀到人，一整天都闷闷不乐。所以，谁也不敢上前劝阻，只好眼睁睁等着刘昱拉弓。

这时，有个聪明的侍从道："萧将军大腹便便，实在是难得一见的好箭靶。一箭射死，不能再用，岂不可惜，不如改用骨镞（zú）射之。"

"对，有理！"刘昱接受了这个建议，改用骨头制的箭矢射出去。一箭刚好射中萧道成的肚脐眼。

"哈哈！"刘昱大笑，把弓一抛，手往空中一扬，"怎么样，不愧为神射手吧！"

萧道成的肚脐挨了一箭，疼得要命。这还算好，要是没换上骨镞，早已一命呜呼了，因此，他冷汗直流。

隔了不久，又有人向刘昱打小报告，说萧道成威名太盛，不利皇上。刘昱气得磨着铁矛道："看我明天杀了萧道成！"

萧道成听说了，又直冒冷汗，于是决定先下手为强。

刘昱的左右随从对刘昱也是恐惧万分，因为弄不清楚什么时候刘昱一不高兴，他们就会遭殃了。有一个叫杨玉夫的人，很得刘昱的宠爱，常跟随刘昱左右。一天，刘昱忽然讨厌杨玉夫，指着杨玉夫骂道："明天杀你这个浑小子。"杨玉夫吓得不得了，萧道成便和杨玉夫勾结，当天晚上，趁刘昱喝得大醉，杨玉夫和几个同党便悄悄地杀了刘昱，然后以太后的旨意为名，废刘昱为苍梧王，并拥安成王刘准为帝，是为宋顺帝。

第三年，萧道成逼宋顺帝禅位，自己当上皇帝，建国号为齐，是为齐高帝。

刘裕建立的宋朝，只传了短短的五十九年。这期间纲纪败坏，道德没落，尤其在皇宫之中，骨肉相残之烈，是历代所少见的。例如孝武帝有九个儿子、四十多个孙子、六十七个曾孙竟然全被杀光。

刘宋朝之所以会落得如此下场，一方面是因为皇室不注重家庭教育，另一方面是因为从魏晋以来，风俗奢靡，道德败坏，多数人为达目的不择手段。

荒唐皇帝萧昭业

萧道成灭了宋朝，建立了齐朝，史称萧齐，是为齐高帝。

萧道成当了皇帝以后，曾对他的太子萧颐说："宋朝如果不是骨肉相残，怎么轮得到我们夺取天下当皇帝？"

当萧道成说这句话时，他和历史上所有开国的皇帝一样，希望齐能够世世代代永垂不朽。

却没有料到，宋朝还传了五十九年，齐朝只传二十三年就灭亡了。这是因为齐朝开国后的几位皇帝更加荒唐。

萧道成在位四年就去世了，他的太子萧颐继位，是为齐武帝。齐武帝在位十一年，政绩不错，史称"永明之治"（永明是齐武帝的年号）。齐武帝死后，皇太孙萧昭业继位，是为齐废帝（以后被废，所以称为废帝）。昭业颇有一些小聪明，狡猾又贪玩，在还没有做皇太孙时，常和无赖子弟在一起玩，可是父亲（齐武帝的太子）管得很严，不肯给钱，昭业便偷偷地向富人去借钱，那些富人不敢得罪昭业，只好照给。

昭业的那一批狐朋狗党陪着昭业吃喝玩乐，昭业许下诺言，如果自己做了皇帝，就一一预先封爵任官。昭业的父亲去世的时候，他在灵堂上哭得死去活来，来吊祭的人都十分感动，觉得昭业十分孝顺。

可是，昭业从灵堂一回到内室，立刻欢笑作乐。葬礼完毕，武帝到太子宫去，昭业跪在地上痛哭流涕，武帝觉得这个孙子真是有孝心，便决心立昭业为皇太孙，而不另外立太子。

昭业早就想做皇帝，要求女巫杨氏作法。父亲死了，自己被立为皇太孙，昭业认为是女巫灵验，又求杨氏祈祷武帝早死。不久，武帝病重，昭业一面在武帝床边假装照顾，一面给自己的妻子送一张字条，纸中央写了一个大大的喜字，周围绕着三十六个小喜字。

武帝死后，昭业即位，他每日迷于赌博、歌舞、斗鸡、和女子鬼混，不理会朝政。辅政大臣萧鸾（萧道成的侄子）有篡位的野心，见昭业如此荒唐，便派人入宫去杀掉昭业，废去他的帝位，改封为郁林王。

昭业被杀，萧鸾改立昭业的弟弟昭文为皇帝，不久，又废昭文为海陵王，萧鸾自立为帝，是为齐明帝。

因为齐明帝得位不正，所以他的心里惴惴不安，时常担心高帝、武帝的子孙会谋夺他的皇位。一不做二不休，他准备杀光一切可疑的宗室，以除后患。

有人说，这是金翅鸟（明帝名鸾，鸾是金翅鸟）下殿庭，要搏食小龙无数。

在明帝建武年中，人们只要看到他烧香火、拜佛，对天跪拜，呜咽流涕，泣不成声，这表示明帝准备今晚要动手杀人了。至于为什么要烧香又要哭，不晓得是猫哭耗子假慈悲呢，还是心里也有一点儿怕？

明帝每回杀人，总是选在三更半夜，率领大批兵马把要杀的对象的家宅团团围住，然后派人用斧头把墙砍倒，冲入宅院杀人。

当时高帝、武帝的子孙命运悲惨，朝不保夕，每天上朝，个个都是弯腰驼背，鞠躬俯偻（lóu），不敢把脸扬起，生怕被明帝看上，性命就不保了。

有天，桂阳王萧铄（shuò）见了明帝后，出来对人说："我前天看到皇帝哭得好伤心，当天晚上邓阳王便遭殃了。今天皇帝又哭哭啼啼，面有愧色，我怕该轮到我了。"果然不幸言中，就在当天晚上，萧铄一命呜呼。

后来，明帝陆陆续续地把高帝、武帝的子孙都杀光了，像宋朝那样的骨肉之祸，又再次重演。这也是魏晋以来风气使然。

明帝去世，他的儿子宝卷即位，宝卷是一个更宝气的皇帝。

宝卷小时候不喜欢读书，他最爱玩的游戏是捕老鼠，经常晚上不睡觉，率领着大小太监在宫里捕鼠为乐，闹得通宵达旦，人人都不得安眠。

虽然宝卷不学无术，但他杀人的本领却很高明。明帝在临终前交代他："做事不可落人之后。"所以宝卷杀人都是神不知鬼不觉，让人措手不及。

宝卷又大造宫室，穷极奢侈。他宠爱一个叫潘妃的，不惜耗费巨资为潘妃打扮，单单一个琥珀钏就用了一百七十万钱。他又把金子铺在地上，将金子凿成莲花状，命潘妃在金莲花上一路款摆而来，号称为"步步生莲花"。他还喜欢和潘妃玩买卖游戏，自己当屠夫，杀猪剁肉忙得不亦乐乎。

潘妃行于金莲花上，南齐皇帝萧宝卷号为"步步生莲花"，选自《吴友如画宝》。

百姓纷纷叹息，甚至编了一首歌谣《至尊屠肉》讽刺他。至尊是至高无上的意思，指皇帝。

买卖游戏玩久了也玩腻了，宝卷又想起一个新主意——种树。种树也不是一件简单的事，尤其在炎炎夏日。宝卷种的树，每次一早种下去，到了晚上就死了，把他气得要命，一肚子的火无处可消。

一天，宝卷出外游玩，远远看到有株大树，亭亭如盖，一片绿荫。宝卷很不服气道："我是皇帝，这样好的一株大树，当然应该是我的。"

于是，宝卷下了一道命令："把树给我搬回宫里去——"

那株大树是百年老树，根枝盘错，哪儿可以说搬就搬。宝卷不管，他差人把墙给毁了，屋拆了，硬是把这株合抱大树搬回宫里去。

大树刚刚移植下去，宝卷开心得很，找了一群宫女围着树又笑又唱。到了中午，太阳一晒，这株没有根的大树马上焦枯而死，宝卷觉得十分扫兴。

他不研究种树的方法，也不耐烦把种子撒下去，一天一天看它长大，仍旧用的是蛮干的方法，派兵去搜查，看看哪家有大树，便把大树给硬抢过来，弄得老百姓苦不堪言。

东昏侯萧宝卷的昏庸残暴

东昏侯萧宝卷荒唐的事还真不少，我们再继续说一些他的故事。

东昏侯宝卷的父亲齐明帝刚死，依照中国的规矩，要择吉日才能下葬。宝卷厌恶明帝的灵柩（jiù）停放在皇宫内太久，便想草草了事，赶快埋葬掉算了。

大臣徐孝嗣期期以为不可，据理力争，才算没有草率下葬。当明帝吊祭之日，依照礼节，孝子是要跪在灵柩旁边大哭，表示思念亡故的父母，可是，宝卷就是怎么样也不肯哭。

"陛下，"主持丧礼的官员悄悄地对宝卷说，"你坐在灵柩旁边，看到有人进来拜祭的时候才哭一两声，这样可以省一点力气，也同时顾到了礼节。"

宝卷点点头，不久，一位大臣入殿拜祭明帝，宝卷却一声不响，根本没哭。

"陛下，"主持丧礼的官员跑到宝卷身旁，小声地提醒道，"你该哭一两声。"

"不行，我喉咙痛，哭不出来。"宝卷大声地说，弄得主持丧礼的官员和前来拜祭的大臣惊愕地呆住了。

接着，有一位名叫羊阐（chǎn）的大臣前来拜祭，羊阐跪在明帝灵柩前痛哭流涕，不断叩头。忽然，羊阐的帽子在他叩头时掉到地上，羊阐是个秃头，就露出一个亮亮的光脑袋，宝卷看了，忍不住乐得大笑："看啦，这个大秃头哭起来好好玩啰！"

左右的人对宝卷这种行为真是不知所措。

宝卷虽然做了皇帝，却不理政治事务。古代大臣们上朝时都在清晨，可是，宝卷每天夜晚要喝酒作乐，清晨当然起不了床，总要弄到中午时分才会见王公大臣，可怜那些王公大臣自清晨起一直等候皇帝，真是苦不堪言。

有一年春节，宝卷前一晚疯得一夜没睡，一大清早被宦官们逼到大殿前，接受大臣们拜年，一套拜年仪式刚完，宝卷觉得好困，他也没宣布散会，就独自跑到大殿西侧的一个房间，一侧头便呼呼大睡。那些参加拜年典礼的大臣，没得到皇帝下令散会，都呆呆站在原位不敢走动，这时，寒风凛冽、雪花飞舞，从清晨站到中午，许多人都当场冻僵昏倒。

中国古代皇帝大权在握，各机关的公文都得呈报皇帝，请皇帝批示。宝卷对那些公文毫无兴趣，经常将公文堆在宫里，不加以处理，时间一久，许多公文都找不到了。原来皇宫里的宦官常会把宫里的鱼肉，偷一些带回家去，当然不能明目张胆地把鱼肉拿在手上带出宫去，他们发现皇帝的书房里堆了许多纸，皇帝很久都没有动过。于是，有些宦官便把那些纸拿来，包了鱼肉带回家去。那些包鱼肉的纸，后来才被人发现竟然是政府各个机关呈报给皇帝的重要公文。

宝卷虽然不处理政治事务，对玩乐却是兴趣浓厚，而且天性残忍。宝卷喜欢骑马带着大批卫队出游，每次出游，不喜欢被老百姓看到，便规定出游之时，前导的卫队击鼓，人们听到了鼓声马上走避，如果走避不及，被卫队发现，便立刻格杀。

宝卷每次出游，没有固定的路线，没有一定的时间，所以弄得京城建康附近的居民每天恐慌不安。

最可怜的是一些病人，不能行动，听到鼓声，家属们赶快把病人扛到路边的草丛躲起来，扛得慢了，地方官吏会立刻追打，有些病人竟然当场被打死。

有一次，有个病人被家人扛到小溪旁边，也许是扛不动了，便把病人放在溪边，地方官吏怕被皇帝发现，会责怪下来，便一把将病人的头埋入水中，病人就给淹死了。

还有一个女人快要生产了，听到鼓声，在床上叫肚子痛，宝卷经过这个屋子，听到屋内有人声，进去一看，才知道这个女子快生产了。

"你们猜，她肚子里的孩子是男是女？"宝卷问。

"男的。"有人说。

"女的。"也有人说。

"我来看一看，究竟是男是女。"宝卷拿出长剑一剑刺下去。于是，那个可怜的女子便一命呜呼了。

有一个叫朱光尚的人，自称能够看到鬼，他向宝卷说："我看到先帝面对皇宫，一副怒气冲冲的样子。"

"这个死鬼，看我怎么对付他。"宝卷说着，便用稻草扎成一个人形，背后写着齐明帝的名字，然后将稻草斩首，把头挂在皇宫的门口。

由于宝卷太过昏庸残暴，在雍州拥有重兵的萧衍便起兵作乱，进攻建康，宝卷便下令招募士兵，招募不到，就强迫征召，弄得民怨沸腾。

萧衍的军队到了建康城外，宝卷的军队屡战屡败，大将茹法珍请求宝卷赏赐士兵以激励士气，宝卷不肯，反而对茹法珍说："萧衍是要来捉我，不是抢我的钱，你们为什么反而要我的钱？"

宝卷舍不得钱，不肯赏赐，士气十分低落。将军王国珍、张稷害怕宝卷会随时借战败的名义杀人，又怕萧衍进攻建康时对自己不利，真是焦虑万分。

于是，他们暗中勾结了宝卷身边的宠臣钱强、崔叔智，共同计谋。有一天晚上，钱强和崔叔智偷偷打开了皇宫大门，王国珍、张稷带兵入宫。这时，宝卷正在和一个妃子吹笙唱歌，尽兴欲睡，听到报告，说有军人入宫，宝卷赶快从床上跳起来想找一个地方躲一躲。

不料，身旁的宦官黄泰平竟然抽出一把小刀刺过来，宝卷一闪，小刀刺到宝卷的膝盖，宝卷痛得向后倒下去。更想不到，一个叫张齐的宠臣正好冲进来，大刀一挥，就把宝卷的头给砍了下来。这个昏庸残暴的皇帝就死在自己宠信的佞（nìng）臣手下。

萧衍顺利地进入建康，以太后的命令废去宝卷的皇帝名位，封宝卷为东昏侯，当然，这个封号是一种讽刺。

宝卷既死，齐和帝继位，萧衍被封为梁王，掌握政治大权。过了两年，萧衍篡位，自立为皇帝，以梁为国号，是为梁武帝。

梁武帝迷佛

萧衍灭掉了齐朝，建立了梁朝，是为梁武帝。梁武帝是南朝（宋、齐、梁、陈）之中在位时间最长的一位君主，即位有四十八年之久，是南朝最兴盛的时代。

前面说过，宋朝、齐朝两代的君主都是不学无术，没有家教，干尽了天下的荒唐事。梁武帝虽然也是用武力抢夺天下，倒是很有学问修养，骑射、声律、阴阳八卦无一不精。他经常到了半夜，还点燃了烛光，埋首研究学问。他制礼作乐，提倡儒术，正式建立国学，除了王公大臣子弟以外，皇室和宗室子弟也一律要入学读书。他又在京师建康设立士林馆，聘请学者来讲学。所以，梁武帝时代是南朝教育最为兴盛的一段日子。

同时，梁朝和北方的北魏时有战争，梁还打过大胜仗。天监五年（506年），梁将曹景宗大败北魏，北魏将士死于淮水中者达十余万人，另外，有数万魏兵被俘，这是淝水之战以后，南朝难得的大胜利，因此，梁武帝的前期，国势蒸蒸日上，历史上称之为"天监之治"（天监是梁武帝的年号）。

自从魏晋以来，社会风俗奢靡，梁武帝却是非常节俭。据说他穿的是粗布衣、破棉袄，一顶帽子戴了三年，一件衣裳穿了三年，还是舍不得换新的。他还规定，后宫的嫔妃衣裙不可拖到地上，免得浪费布料。

梁武帝不喜欢喝烈酒，也不爱听音乐，自律很严格，即使一个人坐在暗室，衣服、帽子都穿戴得整整齐齐。

在大热天，旁人都把衣服松开，凉快凉快，梁武帝永远是穿得整整齐齐的，即使在卧房中。

在寒冷的冬天，人们都恨不得在温暖的被窝里多待一会儿，梁武帝却四更天起床批阅公文，以至于手指冻伤不能握笔。

梁武帝个人操守极佳，历代皇帝所喜欢的声色犬马他全不爱。但是，梁武帝有一个大毛病——优柔寡断，缺乏魄力，所以他不能重用大将之才，反而宠信败将，例如萧宏。

萧宏是梁武帝的弟弟，当他率军进攻洛口时，心中胆怯，数十万大军不战而逃。梁武帝不但没有处罚萧宏，反而还任命他为骠骑大将军。

萧宏虽无作战的本领，却有贪污的才干。他到处搜刮勒索，把敲诈来的货品满满地堆了一百多个房间，房间的门上都加了大锁。

有人看了奇怪，疑心房间里偷藏了武器，准备日后造反之用，秘密报告梁武帝："骠骑将军府后有一百多个房间，门户森严，看守极紧，恐怕有问题。"

梁武帝亲自前去察看，打开封条发现里面有三十个房间堆满了铜钱，其他七十多个房间中全是布帛、丝、绢等物。他看了好高兴，笑着对萧宏说："老六，你真有办法，我就知道你不会谋反。"从此对萧宏更加信任。至于萧宏贪污一事，竟丝毫不加以过问。

从这件事，可以看出梁武帝没有魄力，过分姑息、包容。到了梁武帝晚年，这种特性更加明显，因为，他迷上了佛教。

佛教虽然在汉朝时代已传入中国，但直到魏晋时代，才逐渐盛行。这是因为当时的人民天天过着悲惨的生活，悲观而绝望，他们渴求一种新的人生观来抚慰心灵。

梁武帝自从迷上了佛教以后，对于日理万机的政务感到无比厌恶，对佛教愈迷愈深。到了后来，他竟然穿着僧衣，升上法座，为僧尼讲解涅槃经。然后梁武帝说："朕不走了，朕要留在庙里……"

"什么，皇帝要留在庙里？这不成啊！国不可一日无君。"群臣纷纷跪

萧衍舍身佛寺，选自明刊本《帝鉴图说》。

在地上请求梁武帝打消主意。但是梁武帝意志坚决，自认为当年双手沾满血腥，现在要在佛寺中吃斋、拜佛、赎罪，作为寺中的奴隶。

于是，梁武帝竟真的留在庙里修行了，群臣一筹莫展，最后想出了一个办法：从国库里拿出了一亿钱给庙里，算是为梁武帝赎身。臣子们又跪在地上，三请四请，梁武帝才极不情愿地回到了皇宫。

从此以后，梁武帝经常前往同泰寺讲经。到了太清元年（547年），他竟然又再次舍身同泰寺，要做和尚，最后还是用一亿钱赎了出来。

梁武帝本来已经很节俭，信佛教以后，更刻苦到近乎自虐。每天只吃一餐，鱼肉是绝对不进口，连吃素也吃的是极差的菜蔬。

他受了佛教"不杀生"的教义影响，慈悲为怀，每次碰到要判死刑，总是一天郁郁不乐，痛苦万分，以后他更干脆不判死刑。哪怕是部下犯了谋反的大罪，梁武帝也哭着原谅了他。

"皇帝是菩萨心肠，舍不得杀人"的消息传开以后，不得了，地方官吏任意侵害百姓，公然进行贪污纳贿，王侯贵族骄横淫暴，完全无法无天，反正皇帝不忍心处罚人。在这种心理下，国家一天比一天混乱，而梁武帝还在为自己的"修成正果"自鸣得意。

到了后来，竟然有人白天拿着刀子在街上杀人，更有那亡命之徒躲在王侯家里，官吏也不敢去逮捕，因为万一去了，反而被王侯杀了，也没有法律为之伸张正义。

有人去向梁武帝报告政治腐败、社会混乱的消息，梁武帝两眼一闭，跪在佛面前，口中喃喃念着："阿弥陀佛，善哉，善哉！"希望自己的诚意能使歹徒改邪归正，这种自欺欺人的结果是使梁朝走向了衰亡。所以，梁武帝晚年，国势大为衰落，和前半期简直不能够相比。

此外，中国和尚食素，也是起自梁武帝。在此之前，僧人是食用"三净肉"，所谓三净肉是"不见杀，不闻杀，不为我杀"。按释迦牟尼创建佛教之时，要求僧人过着简朴的生活，不准蓄积财货，只能沿门托钵，施主施舍什么僧人也就吃什么，施主施舍肉，当然也就吃肉。

梁武帝慈悲为怀，不忍食众生之肉，他曾撰写过《断酒肉文》《与周舍论断肉敕》等，规定僧人断食酒肉。梁武帝贵为皇帝，他的话是圣旨，所以，自此以后，僧人食素。

侯景之乱

自从梁武帝迷上佛法以后，政务废弛。朝廷里的一班小人，认为皇帝宽大仁慈，容易欺骗，重要大事都蒙蔽着梁武帝。

梁武帝心中并非完全不知道，但是没有心思顾及，他成天在担心自己会下地狱，担心子孙会因为他而食恶果。他早也拜佛，晚也拜佛，求菩萨原谅他当年杀了许多人的过失。

就在这种情况下，爆发了历史上著名的侯景之乱。

侯景本来是北方东魏丞相高欢的部下，为人阴险残忍，目空一切。他曾拍着胸脯对高欢说："只要给我三万兵将，我可以横行天下，看我把梁朝皇帝逮来。他不是喜欢拜佛吗？就让他当太平寺住持吧！"

由于侯景自命不凡，因此他很看不起高欢的儿子高澄，曾经对人道："高王（指高欢）在，我不敢有异心，没什么话好说。可是万一高王死了，我可不能与这个鲜卑小儿共事！"

因此，当高欢染上重病时，高澄十分忧虑。

高欢便对儿子高澄道："儿啊，虽然我生了重病，但此后你可以一个人独霸天下，你为何看起来如此忧心忡忡？"

高澄不回答。

"是不是担心侯景叛变？"高欢问道。

高澄点点头，说道："正是。"

高欢说："侯景在河南地区专制已十四年，为人狡猾多计，反复难知，飞扬跋扈，我还能控制他的野心。可是等我离开后，他一定不会接受你的驾驭，你要小心啊！"

于是，高澄便假造了一道命令想把侯景召回，却被侯景发现命令是假的。侯景立刻率领所管的豫、鄂、荆、襄等十三州投降梁朝。

当时，梁朝和北方维持了一段和平相处的日子，侯景要来投降，梁朝的大臣们多半不主张接受，以免破坏双方和平友好的关系。可是，梁武帝不但接受侯景投降，马上封侯景为河南王，而且下令北伐，派遣侄子萧渊明为大将军。不幸，萧渊明被俘，梁军战败。不久，连侯景也被慕容绍宗打败，弄得梁朝人心惶惶。

这个时候，高欢刚刚去世，高澄地位未稳，他不想和梁朝开战，所以对萧渊明十分优待，并且放出话，说是如果两国恢复邦交，萧渊明可以放回。

梁武帝一向疼爱萧渊明这个侄子。听到高澄肯放回萧渊明的消息以后，梁武帝快乐得哭了起来，即刻派人前往东魏吊高欢的丧，表示愿意议和。

但是，侯景听到这个消息可火大了，他本是东魏的叛将，十分担心自己会成为两国议和的牺牲品，所以屡次上书，劝梁武帝不可与东魏议和。梁武帝不理会，侯景更加不安。

为了试验梁武帝的态度，侯景假造了一封东魏的书信，要求以贞阳侯（萧渊明）交换侯景。

梁武帝的答复是："贞阳侯旦至，侯景夕返。"

侯景看到回信，气得跳脚："我早就知道梁朝皇帝是个薄心肠的家伙。"他决定造反。

接着，侯景占据了梁朝在淮水的重镇，到了寿阳以后，开始向朝廷提出种种要求，朝廷却表示同意。

不久，侯景又要求娶王家或谢家的女子为婚，这可给梁武帝出了一个难题。前面说过，南北朝继承魏晋的遗风，门第观念很重，贵贱阶级通婚

梁武帝萧衍，选自《乾隆年制历代帝王像真迹》。

简直是不可能的事。一些世家大族，连皇帝都惹不起他们。

所以梁武帝只好对侯景说："王、谢门高非偶（配偶），可以从朱家、张家以下寻访。"

除此之外，侯景还要求一万匹锦做军袍，要求冶炼新武器，梁武帝都一一答应了。

梁武帝的理由是："就算是一个贫苦的老百姓，家里有十个、五个客人也都能让客人称心如意。朕只有一个客人，都不能让他满意，这是朕的过失。"于是又送了侯景许多锦彩钱布。

侯景看梁武帝好欺负，开始在寿阳起兵。梁武帝听说侯景造反，起先还不相信，笑着说："侯景这小子能做什么？"不久，也就不由梁武帝不相信了。因为侯景的军队渡过长江，直逼京师建康。

梁武帝发现侯景真的造反，派遣他的侄儿临贺王萧正德领兵去抵抗。不料，萧正德竟然暗中和侯景勾结起来。当侯景军队到达建康，萧正德开了城门，迎接侯景入城。

梁武帝得到侯景入城的报告，赶紧派羊侃守卫皇宫。由于羊侃的英勇，侯景攻不进皇宫，于是，侯景拥立萧正德为皇帝，自己做了丞相。

梁朝各地为了声援皇帝，纷纷派军队赶来建康，这使得侯景心里害怕起来，他派使者与梁武帝商量，要求各地的援军回去，自己也不攻打皇宫了。

梁武帝信以为真，下令各地援军回去。不料，援军刚走，侯景便自毁盟约，向皇宫发动猛烈的攻击，皇宫终于被攻陷了。

梁武帝成了侯景的俘虏，侯景觉得萧正德已经没有利用的价值了，便杀了萧正德，自己做大丞相。

侯景逮住梁武帝以后，并没有立刻加以杀害，只是把梁武帝软禁在宫里，像个囚犯似的。

侯景的军士出入宫中，带着弓箭，骑着驴马，到处乱闯。梁武帝看着好奇怪，不晓得从哪儿冒出这些没有规矩的野蛮人。

直阁将军周石珍回答梁武帝说："这是侯丞相的甲士。"

"呸，什么侯丞相？他是侯景，哪里是什么丞相？"梁武帝气得发火。从此以后，梁武帝在宫中遭到非人的待遇，经常有了早餐没有午餐。不久，梁武帝气得生了一场大病。

在梁武帝太清三年（549 年）五月，他睡在净居殿中，口干得要命，想喝蜜水，没人倒给他，连呼"嗬，嗬"，最后又渴又饿而死。

后来，侯景被王僧辩所杀，梁元帝即位，却已无法收拾残局。北方西魏率兵南下，梁元帝一气之下，竟把江南自古以来的七万多卷藏书用火烧尽，自称"文武之道，今日尽矣"。这在中国文籍史上，造成不可挽回的损失。

到了隋朝，牛弘曾说，自古以来书有五大厄难：一、秦之焚书；二、王莽之乱；三、董卓之乱；四、永嘉之乱；五、梁元帝江陵之倾覆。而以梁元帝时代的损失最重，可说是侯景之乱的后遗症。

昭明太子萧统

在南北朝时期，梁朝文风最盛。因为梁武帝本人极有文学修养，而他的儿子——昭明太子萧统，更是历史上有名的文学家。

昭明太子是梁武帝的长子，生下来就非常聪明。他三岁开始读《孝经》《论语》，五岁遍读五经，而且都能背诵。他看书数行并下，过目不忘，速读本领高超，是个难得一见的天才儿童。他九岁那年，在寿安殿讲解《孝经》，小小年纪，竟然将《孝经》的含义讲解得十分透彻，使得在座的臣子大为佩服，梁武帝更是心花怒放。

昭明太子从小跟随母亲丁贵嫔住在永福省（皇宫中一座宫殿名），当昭明太子六岁时，依照规定，要搬到太子所住的东宫去。昭明太子很依恋他的母亲丁贵嫔，心里闷闷不乐，却又不敢说出来。

梁武帝摸着昭明太子的头问："是不是想母亲？"

昭明太子用力地点点头："对。"眼中闪着希望。他长得极为清秀可爱，一举一动都很有教养，流露出高贵的气质。梁武帝愈看愈疼，便准许他每五日一朝，其余时间留在永福省陪母亲。

昭明太子为人宽厚，从不轻易责罚下人。譬如说，他看到食物里有苍蝇，非但没有大呼小叫，反而悄悄地捡起来放置一旁，免得厨子因此受罚。

渐渐长大以后，昭明太子笃信佛教，爱好山水。他在风景胜地建立了一个"玄圃"，常常邀集名人雅士在此小聚。据传说，玄圃是昆仑山上仙人所居住的地方，所以昭明太子以此命名。

一天，昭明太子又邀了一些人到玄圃游玩，众人皆陶醉在此人间仙境之中。昭明太子诗兴大发，立刻卷起袖子写了一篇《玄圃诗》。

这时，同行的侯轨叹了一口气道："哎！可惜了，要是此处有几个美女吹奏丝竹之乐，岂不更妙？"

昭明太子微微皱了一下眉头，他也不批评侯轨"粗俗"，只随口吟了一句左思《招隐诗》中的一句："非必丝与竹，山水有清音。"侯轨便惭愧得低下了头。

后来，有人送昭明太子女伎、声乐，他都全无兴趣。他整整二十年中不留声乐，这也是古代后宫少有的现象。

在梁武帝普通年间，因为大军北讨，京师的谷价贵得出奇，百姓个个吃不消。

昭明太子听说这件事，命令日常膳食缩减，减省布帛米粮。每逢刮风下雪，他就派遣心腹左右出宫，沿街巡行闾（lǘ）巷，周济贫困，若有蜷缩在道旁无家可归的流浪汉，就塞给他一大包粮食、衣服。

昭明太子还拿出自己省下的布料，裁制了大量冬衣，在寒冷腊月里，一家一家送给冻得发抖的贫户。若是穷苦百姓死了无力殓丧的，他还为其准备棺木。而这一切措施，都是暗地里进行，他并不是要博得人们夸赞"太子仁德"的美名。

梁武帝信佛，昭明太子的母亲丁贵嫔也跟着信佛。丁贵嫔因为过分刻苦，营养不良，长久下来，体力不支，病倒在床。

昭明太子一听说母亲病了，立刻赶到永福省照料。他朝夕侍候，真正做到衣不解带，每一碗药都是他亲自端给丁贵嫔，扶着她的肩喂下去的。

但是，昭明太子的一切努力，并没能挽救丁贵嫔的性命。当丁贵嫔过世以后，昭明太子一连昏倒数次，出殡以后，他更是连水都不肯喝一口，每天哭得昏天黑地。

梁武帝知道这个消息，派了中书舍人顾协宣旨道："如果一个人不能忍

吴姐姐讲历史故事

受父母去世，以至于伤害了身体，这等于是不孝顺。你母亲去世了，但是我还健在，你这样做就是不孝顺。"

昭明太子接到命令，只好勉强进食，但也不过一天喝一碗麦粥而已。

梁武帝又再次下敕："听说你吃得很少，身体衰弱，我本来没有什么病痛，因为你如此，胸里仿佛塞了一块东西，也开始不舒服了。你赶快多吃一些，不要让我为你挂心。"

尽管梁武帝一再下诏，但是昭明太子过于悲痛，毫无胃口，吃不下任何东西。他本来体格壮健，腰带十围，如今却瘦得连一半都不到。他上朝时，臣子们看了都不禁为之落泪。

昭明太子会读书，却并不是书呆子。梁武帝曾经要昭明太子代为处理国家政务，各机关的公文奏章都送给昭明太子批阅。昭明太子不慌不忙，每天把堆满办公桌上的公文一一细阅批示。

如果公文有错误或不妥当之处，昭明太子会指出错误之所在，或者分析哪些地方不妥当，要求承办人改正，却从不责罚任何人。重大刑案判决送到昭明太子面前，昭明太子总是从轻处罚，所以，人们都称赞昭明太子仁慈。

梁昭明太子《文选》书影，明代闵凌刻套印本。

-124-

昭明太子在文学方面极有见地，为了纠正人们对纯文学的认识，特别搜集了有代表性的优良文章，编成一部书，共为三十卷，书名称为《文选》，后人则称之为《昭明文选》，表示这是昭明太子所编的。这部书是魏晋以后文章佳作的总汇，是中国古代文学的精华作品。

在梁武帝中大通三年（531年），昭明太子三十一岁时，正是江南采莲季节，他乘坐小船在湖上采莲，一不小心小船翻倒，遂溺于水中。后来，虽被打捞救起，他却因此染上了重病。

昭明太子唯恐梁武帝知道了会挂心，不准左右把消息呈报上去，一直到病情转恶，还是坚持不让父亲知道。他哭着说："你们怎么忍心让父王知道我快死了？"不久便与世长辞了。

听说昭明太子英年早逝，京师的男男女女道路相告，街上处处可见人们哭成一团。虽然昭明太子只活了短短的三十一年，但他的《昭明文选》却永垂不朽。

最昂贵的瞌睡

自从苻坚在淝水之战失败以后，北方陷于长期的分裂。到了南方的刘裕篡晋，建立宋，北方鲜卑种族的拓（tuò）跋氏也统一北方，成为南北对峙的局面。

鲜卑的拓跋氏本来是个游牧民族，因为中原大乱，边境空虚，拓跋部族便由漠北移民到了边疆，定都平城，建立宗庙，营造宫室，自称为魏，历史上称为北魏。拓跋部族慢慢地由游牧民族变为农耕民族。

拓跋魏统一北方是在太武帝时期，太武帝拓跋焘具有雄才大略，很能打仗。他的母亲杜氏是汉人，所以他是胡汉混血；可是拓跋焘从小受鲜卑教育，且前前后后娶的三个皇后又都是胡人，因此自认为是胡人。

为了适应中原的环境，拓跋焘在始光三年（426年）建太学，拜孔子，已开始有汉化的趋势。

前面说过，南北朝时期佛教盛行，而且是由北方往南方传的。拓跋焘初起兵时，对佛教十分尊敬，在他的军队经过佛寺时，他会大声地喊口令："敬礼！"所有的兵士都要向僧寺敬礼。但是后来他却排佛排得厉害。

为什么会有一百八十度的转变呢？原因之一，是许多人民借着出家逃避兵役，逃避赋税，反正当和尚不过念念经、扫扫地，十分轻松。如此一来，国家财政上少了赋税，军事上少了兵源。

其次，拓跋焘听了道士的话，道士尊称他为"承天应命的真君皇帝"，

意思是说，他天生应
该当皇帝，否则不合
天意。拓跋焘听了心
里很受用，也开始信
道教，其实他并不懂
道教的教义。

自从拓跋焘迷上
了道教以后，三天两
头召集诸子及朝臣集
会，说是"朕要为你
们说道教的教义"。

鲜卑人敕勒川狩猎图，乌盟和林格尔县北魏墓壁画。

拓跋焘每次一讲下来总是又臭又长，大家都听得很无趣，也不耐烦，
可是谁敢表现出不耐烦的样子，那可是大不敬啊。于是有一次拓跋焘正在
口沫横飞，讲得连自己都感动万分，却看见毗（pí）陵王拓跋顺竟然在打
瞌睡，伸懒腰。

拓跋焘气坏了，恶狠狠地瞪着拓跋顺，拓跋顺浑然不觉，口水流在嘴
边，还呼呼地打鼾（hān），看样子，睡得挺甜的，还伸长了一条腿哩。

听讲的朝臣们发现拓跋焘怒容满面，大家都望着拓跋顺，心里为他紧张，
却又不敢叫醒他。拓跋焘清一清喉咙，特地把嗓门提高，希望惊醒拓跋顺，
没有想到拓跋顺不但继续睡，嘴角的口水愈流愈长，似乎好梦正酣（hān）。

这下子，拓跋焘不能再忍耐了，他心想："这简直没有把我这个皇帝放
在眼里嘛。"大喝一声："拓跋顺，你睡醒没有？从现在开始，你已不再是
毗陵王了。"

就这样，毗陵王因一个瞌睡丢掉了王位，这恐怕是历史上最昂贵的一
个瞌睡。

拓跋焘不但自己信仰道教，还要强迫全国人都信。他尊奉嵩山道士寇
谦之为天师，并且在首都平城的东南设立了一个天师道场。道坛有五层之

高，里面养了一百二十个道士，由国家每个月供给衣食。拓跋焘又盖了一个"静轮天宫"，直插云霄，它高到听不见地面鸡犬之声，拓跋焘认为如此可以上接天神。后来，他更改年号为太平真君，说这是"顺应天意"。至于佛教，拓跋焘下令禁止，称之为"夷狄之教"。其实此时的道教只是讲一些符箓（lù）、咒水、化金、长生之术，没多大道理。可是道教投拓跋焘之所好，于是，拓跋焘成为道教的虔诚信徒。

到了太平真君五年（444年），拓跋焘听说王公贵族家里奉了不少和尚，借此逃避兵役。当然，也不纳税。拓跋焘大怒，下令："把这些和尚全部捉到官府里来，哪一个王公贵族敢抗命，朕要他的脑袋。"一时之间，许多和尚都遭殃。

到了太平真君七年（446年）时，关西地方胡人发生叛乱，拓跋焘派兵平乱。乱事平定以后，拓跋焘率军队经过西安，看见一座庙宇，他便走进去休息休息。

忽然间，拓跋焘在一个转角处，发现亮晃晃的金光。他走近一看，伸手一掏，赫然是一把利剑。拓跋焘奇怪道："咦，出家人不杀生，要这些武器干什么，莫非这庙里还有其他刀剑？"

拓跋焘一声令下："搜！"卫士们推开正在念经的和尚，在庙里大肆搜索，竟然

北魏佛像，敦煌莫高窟彩塑。

被他们找到了许多密室，每一间密室中都堆满了刀剑利刃，还有几大箱的黄金。

"这些是干什么用的？"拓跋焘气坏了，大声地指责和尚，"明明是准备造反，哼！幸亏被我发现了。"

他本来就对佛教抱有反感，如此一来更认定佛寺藏奸，和尚有造反嫌疑，所有和尚都不是好东西。拓跋焘下旨禁佛教、毁寺塔、焚经像，杀光天下和尚，先在长安实施，而后推行各地。幸而太子拓跋晃是个佛教徒，事先暗中通知各地和尚，趁早逃亡藏匿，收好佛像。然而魏境之中的佛塔，全部都被毁弃，这成为佛教的一场空前浩劫。拓跋焘的消灭佛教，佛教界视为"三武之祸"的第一件事，另外两位企图消灭佛教的皇帝，是北周武帝与唐武宗，正好这三位灭佛的皇帝，他们的称号上都有"武"字，所以被称为"三武之祸"。

在拓跋焘去世以后，佛教又重新抬头，而且复兴后的佛教比以前更为兴盛。

北魏孝文帝巧计迁都

前面说过，北魏太武帝信仰道教，把佛教贬为"夷狄之教"。但是到了他的孙子拓跋濬（jùn）时，不但恢复了佛教，而且亲自拿起剪刀，把五个人的头发剃个精光，送到庙里去当和尚。各地的庙宇纷纷修复，我国历史上最著名的云冈石窟就是在这段时期内兴建的。

以后又传了几代，到了北魏孝文帝。孝文帝的祖母冯太后是个汉人，所以他汉化很深，自小立志要当一个汉人皇帝，他也是个佛教徒。

北魏孝文帝从小喜欢亲近书本，手不释卷，诸子百家都读得十分透彻，尤其对庄子很有研究，诗赋铭颂都作得极好。他作文章不是自己写，而是忽然灵感来了，马上口授，旁人用笔记下，记完以后，就是一篇妙文，连一个字都不必改。以前说过的曹操父子、梁武帝父子，都是以才学著名的君主，但他们都是汉人，北魏孝文帝本是鲜卑人，有这种成绩更是不容易。

在北魏孝文帝亲自听政以后，首建明堂太庙，议订礼乐，祭祀尧、舜、禹、汤、周公，并且尊称孔子是"文圣尼父"。

因为北魏孝文帝仰慕中原文化，深深以为现在的首都平城位置过于偏僻，不适合作为首都，最好搬到有深厚文化气息的洛阳。

同时，平城的气候寒冷，又没法通漕（cáo）运，实在不适合作为政治中心。

如果北魏孝文帝只想统一北方，也就可以勉强凑合，但是他很想进攻南朝的齐，这样，洛阳就适合得多。

北魏孝文帝想要迁都的主意一提出，马上遭到大家的反对。老臣们都认为平城住得好好的，为什么要迁移？一般的老百姓也不赞成，他们交头接耳道："我们的财产、帐篷什么的，都很难搬动，还有牛啊，羊啊，长途跋涉下来，恐怕要死了一半。有钱人还好，穷苦人家怎么办？"再加上大多数的人都是恋旧怀乡，因此很舍不得远离平城。

北魏"传祚无穷"瓦当，山西大同云冈出土。为北魏迁都洛阳前的建筑遗物。

但是，孝文帝非常向往洛阳，洛阳是我国历史名都，文化水准高，且经济丰厚，便于经略四方。这时，又有臣子上奏说："以前在明元帝（太武帝的父亲）时期，曾经想把首都从平城搬到邺城，结果崔浩反对，因而作罢，皇帝难道忘了这件事吗？"

崔浩当时劝明元帝道："国家迁都邺城，可以拯救今年的饥荒，却并非长久之计。我们鲜卑人居住在广大的沙漠之中，号称牛毛之众，到底有多少人，多少牲畜，谁也没有算过。总之，人数并不多。如果搬到邺城去，以有限的人口，必定住不满，而且水土不服，死伤大半，老百姓一定沮丧万分。北方的敌国如蠕（rú）蠕，也会乘机攻打咱们。"

而且，崔浩还说："如今居住在北方，万一山东有什么变化，我们骑上快马，驱驰如飞，老百姓望尘震服，谁还会去计算到底有多少人马？这才是定国安邦之道。"

孝文帝知道此时如果宣布迁都，一定会遭到阻力。于是，他和拓跋宏、拓跋澄定下一个计谋，宣称要大举南征。

太和十七年（493年），北魏孝文帝亲自点了三十万兵骑，从平城出发南下。

吴姐姐讲历史故事

九月，军队开到了洛阳。将士们因为长久没有用兵，累得人仰马翻，对南征缺乏兴趣。

刚好这时洛阳天天大雨倾盆，军队开拔不得，窝在帐篷里又湿又烦，就更不愿意再前进了。于是一个个前来叩谏，央求孝文帝停止远征，回去算了。

北魏骑兵俑，陕西省西安市草厂村出土。

孝文帝正好利用这个机会宣谕道："兵行中途，哪里可以无功而还？如果不愿意南征，可以先迁都于此，以后再作平南之计。"

众人听到这个消息，拍手叫好，跪下来喊"万岁"。大伙实在懒得再动了，却不知中了孝文帝之计，就此定都洛阳。

孝文帝一面派人回平城告谕百姓，一面开始营建新都，自己则留在邺城指挥一切。到了第二年，北魏孝文帝把北魏的文武百官全部迁到了洛阳。

在这段时期，北魏有两个臣子穆泰、陆睿对迁都极不赞成。他们商议道："如今迁都洛阳似乎已成定局，此为不智之举，我们不如废掉皇帝，另外拥立阳平王当皇帝，一了百了。"于是他们准备发动政变，结果被孝文帝发现，两人都赔了老命。

迁都到洛阳以后，许多鲜卑人还是怀念老家平城。太子拓跋恂正是其中之一。

拓跋恂奉命驻守金墉。有一天，忽然间，他骑上快马直奔北方，说是"河南夏天太热，简直受不了"，结果被拦阻下来。北魏孝文帝就以太子私自逃亡为理由，把太子废为庶人（庶人是平常百姓之意），不久，更将太子赐死。

胡儿变汉人

北魏孝文帝为了实行汉化政策，假装说要出征，把大家骗到了洛阳，然后迁都于此。

他费了好久工夫完成迁都以后，开始一步步实行他的汉化计划。

首先，北魏孝文帝自己先换上了汉人皇帝穿的衣着，然后命令臣下穿戴一般汉人的衣冠。原先胡人衣狭而短，汉衣宽而长，大不相同。

有一次，北魏孝文帝出宫巡查，远远望见妇女们穿的仍是用夹领小袖的胡衣，非常不高兴。第二天上朝他就发脾气道："前次已下诏革衣服之制，你们为何违背前诏？"

朝臣们看到北魏孝文帝光火的神态，知道他不是说着玩儿的，回去后立刻彻底实行改衣服的命令。

换了衣服还不成，要接受汉人文化，首先得要懂汉文汉语。北魏孝文帝在太和十九年（495 年），禁止人民使用鲜卑语，一律改用汉语。

他也知道学习汉语不是一件简单的事，所以特别通融，"三十岁以上的人，年纪大了改不过来，可以原谅。三十岁以下的人，在朝廷为官者，如果再用鲜卑语，应当降爵黜（chù）官"。

这一招相当厉害，臣子们为了保持官位，不得不努力学习汉文汉语。在朝廷上朝时也彼此劝诫："小心啊，别漏了嘴说了鲜卑语。"

接着，北魏孝文帝又认为鲜卑姓不雅，不如汉姓好听。而且鲜卑人本

吴 姐 姐 讲 历 史 故 事

北魏着汉装妇女俑，河北省景县封氏墓群出土。

来是以自己所居的部落为姓，字数比较长，例如步六孤氏、勿忸氏等，一看便知是胡人。北魏孝文帝的目的是使胡人变为汉人，所以他把姓氏一齐改为单音。例如拓跋改为"元"，秃发改为"源"，以后胡人的姓氏与汉人变为同一个形式。

然后，北魏孝文帝又做了媒人，鼓励王室贵族和中原汉人的世家大族通婚。婚姻是血统融合最有效的方法。

他先以身作则，将许多汉人女子纳于后宫，像范阳卢氏、清河崔氏、荥阳郑氏、太原王氏四姓，为中原衣冠大族，北魏孝文帝特纳这四大家族的女子为妃。好在古来皇帝后宫的佳丽永远也不嫌多的。

在北魏孝文帝倡导娶汉女为妻的风气之下，他的弟弟咸阳王娶了颍川太守陇西李辅的女儿，另一个弟弟河南王娶了代郡魏明乐的女儿。以后胡汉通婚，就成为一件极为自然而普遍的事了。

虽然北魏孝文帝改衣冠、断北语、改姓氏、通婚姻，做了种种汉化的措施，然而，人心总是恋旧的，从前自北方迁来的胡人仍会想念老家；尤其北来之人，不习惯暑热，每到了酷热难熬的夏天，不免思念起一望无际的大漠，且有水土不服之苦。

同时，胡人也有落叶归根的观念。到了老去病死，仍要归葬在以前平城之地，总认为那儿才是他们的根之所在。

北魏孝文帝认为这种归葬老根的观念一日不除，汉化政策永远不能彻底实行。所以他在太和十九年（495 年）下诏："迁移到洛阳的北人，不必归葬。"于是在洛阳替鲜卑人建立坟场。中国人一向把自己的祖坟所在地看成自己的故乡。鲜卑人在洛阳既然有了坟场，世代葬在洛阳，所以南迁的鲜卑人，以后都成了河南洛阳人。

此外，北魏的种种政治制度，无不模仿汉人，例如依汉法改订度量衡，仿效汉人的五铢钱制定太和五铢等等；并且搜求大量的遗书，研究中国的学术思想、典章制度。

北魏孝文帝的积极倡导加速了中华民族血缘文化的融合，使北魏由野蛮进入了文明，各方面都有了明显的进步，这是汉化成功之处。

任何事通常都是有利有弊，汉化政策的本身虽然成功了，却使得鲜卑人失去了壮悍之气。尤其北魏的贵族迁都到洛阳以后，学习了汉人奢靡的风气，国势就一天天弱了。

关于这一点，北魏以前的君主就想到过了。以前在道武帝时代，他曾经派了一个叫贺狄干的人到后秦去。结果贺狄干被秦王姚兴扣留下来，命他在长安读书，学《尚书》《论语》。

后来贺狄干回到北魏，动作斯文，举止有礼。道武帝看着不顺眼，很生气道："这个家伙文绉绉的，像个读书人，说有多讨厌就有多讨厌。"然后把他杀了。

讲到这里，我们发现一个很有趣的现象，就是我们中国人一向认为"华夷之辨，辨在心"，这句话的意思是说，汉人和夷狄之分别不在于血统，而在于文化，只要有文化就是汉人，否则便是胡人。

北魏孝文帝汉化以后，这些在洛阳的鲜卑人受了文化的熏陶，变得知书达礼，由胡人变为汉人。而这时，还留在北方的胡人，依旧保持胡风。于是双方原先都是鲜卑人却彼此看不起，南人嫌北人野蛮，北人看南人文弱，这种文化上的冲突，便酿成了之后的六镇之乱。

北魏也有斗富的故事

在上一回《胡儿变汉人》之中，我们说到北魏孝文帝积极汉化，励精图治。很可惜，天不假年，北魏孝文帝还来不及进一步施展抱负，只活到三十三岁就去世了。由太子拓跋恪（kè）即位，是为北魏宣武帝。

宣武帝即位时才十四岁，不得不由他的叔父彭城王、北海王、咸阳王等共同辅政。这些王彼此不合，明争暗斗，都想要夺取更多的政权。

其中咸阳王的势力最大，位居群臣之上，是为上相，他不亲政务，骄奢贪淫，多为不法。宣武帝看到咸阳王就生气，而且咸阳王似乎也没有把小皇帝看在眼里。

有一次，咸阳王向领军于烈要求派些执兵翊（yì）卫给他，好跟着他进进出出，增加一些气派。

于烈说："我作为领军，责任是保卫皇宫的安全，没有皇帝下诏不可以将皇宫的卫队随便调派。"

咸阳王轻蔑地说："我，天子之叔父，身为上相，有些什么要求也是应该的，我的话与天子之诏有何不同？"

结果，于烈还是没有答应咸阳王，并且跑去告诉宣武帝："现在诸王专恣，难保以后会出什么差错，不如早日罢退诸王，自行亲政。"

同时，又有另一人对宣武帝说："听说彭城王很得人心，万一让他长久辅政，恐怕对皇上不利。"

于是，宣武帝接受了臣下们的建议，在一天上朝的时候，突然宣布亲政。咸阳王不服气，阴谋发动政变，宣武帝早料到他有这一招，很迅速地把乱事平定了。

糟糕的是把诸王罢退后，留在宣武帝左右的都是一些小人。他本人又没有多大才能，北魏国势一天比一天衰弱。其中有一个叫赵脩（xiū）的，尤其博得宣武帝的宠爱，在十天半月之中，一连升了好几次官，最后竟做到了光禄卿这样的大官。而每一次升官，宣武帝居然亲自到赵脩家中参加庆功宴，王公百官都跟在后头。

除了吏治不良，北魏的风气也日渐败坏。北魏本来是比较朴素的，一方面是胡人尚武而文化简陋，另外沦陷在胡地的汉人自然也比较刻苦。但是自从北魏迁都到了洛阳以后，国家富庶，一般鲜卑的王公贵族也染上了奢侈的风气。

当时，北魏的臣子们学到汉人贵族富豪比赛奢侈的坏风气。例如高阳王的财富冠于一国，他的宫室园囿，可以媲（pì）美皇宫禁苑，拥有六千僮仆，五百女伎。高阳王一出门，卫队塞满了道路，进退不得；一班歌伎通宵达旦地歌乐；吃一顿饭就花上几万钱。有人叹道："高阳一食，敌我千日。"意思是说高阳王吃一顿饭够他吃上一千日。

北魏骏马陶俑，河北省景县封氏墓群出土。

河间王最不服气高阳王，天天都在想办法斗倒高阳王。河间王养了十几匹难得一见的骏马，为了表示身价不凡，马槽竟然用银子打造，那比我们这儿有人夸马桶镶金更气派、更疯狂。此外，他家的窗户上面也嵌着金龙玉凤。

一次，河间王又邀请诸王宴饮，夸耀他的财富，酒席山珍海味，琳琅满目，那是不在话下，尤其他的那些个盛酒的酒壶酒杯真是稀世珍宝。

他缓缓站了起来，举起一个玲珑剔透的杯子道："这叫水晶杯，产在大秦国，各位曾经看过吗？"

在座没有一个人看过如此晶莹可爱的酒器，纷纷投以羡慕的眼光。

"嗯，这个叫玛瑙碗，玛瑙非石非玉，有红、白、黑三种颜色，生在西国玉石间，我手上拿着的是最名贵的。"众人的眼睛更圆了。

河间王得意地举起第三个杯子道："不过，最稀奇的还是赤玉卮（zhī），各位看，它红得像鸡冠吗？这种红色可不是调配得出来的。"

接着，大家都拥过来看，个个啧啧称奇，都说："这样精巧的东西可一辈子也没有见过。"每个人都把头伸得长长的，唯恐看不仔细，却又不敢动手去碰，万一砸坏了可赔不起。

鎏金镶嵌高足铜杯，山西大同市南郊北魏遗址出土。

吃完了饭，河间王又领着大家去看名马、珠宝，样样美不胜收。他叹口气对章武王说："我不恨我看不见石崇，只可惜石崇看不见我，否则他也要甘拜下风了。"

石崇是晋朝有名的奢侈的人，关于他和人家斗富的故事，我们前面已经讲过。

好，再说章武王听了这句话以后，回家就病倒了，脑子里翻来覆去想的都是水晶杯、玛瑙碗、赤玉卮，竟然为此失眠终日。

京兆王听说章武王病了，赶来看望，他安慰道："你的资财不比河间王少，为什么要如此想不开呢？"

"哎，你有所不知。"章武王勉强坐起来道，"我原以为这个世界上比我有钱的只有高阳王，谁晓得竟又冒出一个河间王，怎不叫我伤心呢？"

在王公贵族竞相斗富之下，做皇帝的自然也不能寒碜，宣武帝更是大手笔。他建造了历史上著名的伊阙石窟，里面有数不尽的佛像；又修了永明、闲居两座大寺庙，免费供三千名和尚居住；更在永平到延昌年间，在北魏境内盖了一万三千个寺庙，所耗费的金钱真是难以计算。

胡太后乱政

北魏自从北魏孝文帝去世，宣武帝即位，国势一天比一天衰弱；不过，北魏真正开始动乱不安，是在胡太后临朝的时期。

胡太后本来是绝对当不成太后的，这话怎么说呢？原来，北魏自从道武帝以后，仿效汉武帝杀钩弋夫人的故事，凡立太子则杀其母。

有一次汉武帝北巡，遇见一位非常奇怪的美丽少女，她两只手始终紧握着拳头，怎么也打不开。可是汉武帝一摸到这位少女的玉手，她手便自动张开，里面握着一支玉钩，汉武帝大为惊奇，把她带回京里，收为自己的妃子，封为钩弋夫人。

后来，钩弋夫人生下一个儿子刘弗陵，立为太子（就是汉昭帝）。然而有一天，汉武帝忽然以一个莫须有的罪名，把钩弋夫人处死了，理由是"主少母壮，是祸乱开始"。他唯恐自己去世之后，钩弋夫人当了皇太后，可以控制小皇帝，夺得政权，因此，狠心地把钩弋夫人杀了。

北魏道武帝认为汉武帝的顾虑很有道理。因此，他立下家法，任何一个妃嫔生下男孩，孩子被立为太子以后，立即将太子的母亲处死。

因为这个理由，北魏的后宫佳丽怀孕以后，无不焚香祈祷，但愿生一个女孩。这也是历史上后宫中少有的事，竟然不求一举得男。非但如此，她们万一生下一个男孩子，有的还会叫宫女偷偷抱出去杀了以后扔掉，以保全自己一条性命。

所以，宣武帝的宫中妃嫔极少有养男孩的；而且，非常不幸，已长成的皇子又一个一个死了。宣武帝担忧无后，终日烦恼不已。

不久，宣武帝最宠爱的妃子胡氏怀孕了，他非常希望这一回生个男孩。果然，天从人愿，真的是个男的，宣武帝大喜过望，立刻封为太子。

根据家法，胡氏生下男孩，又立为太子，她应该立刻处死。但是宣武帝看到她那娇艳如花的容貌，实在下不了手；加上宣武帝又是信佛的，更起了慈悲心肠。宣武帝非但没有送她上西天，反而立胡氏为贵嫔。

以后宣武帝去世，经过一场政变之后，竟然真如道武帝所料，胡太后的儿子孝明帝即位，年仅六岁，胡太后总摄朝政。

胡太后为人奢侈贪婪，她掌权时期，是北朝贵族生活最糜烂的时候。因为在上位者起了带头作用，下面的百姓自然跟着仿效。

北魏因为世世代代强盛，东夷、西夷贡奉不绝；又设立互市制度，所以北朝也有南方的珍奇宝货，府库里满得都要溢出来了。

有一天，胡太后忽然兴起，要去看珍藏的丝绢。她率领了王公嫔主从行一百多人，浩浩荡荡到了府库前。胡太后对大家说："到了里面，你们能拿多少，便拿多少，看你究竟能搬多少，全是自己的，入得宝山可别空手而返啊！"

于是一群人鼓着贪婪的眼睛，兴奋地往前冲，看到了光滑细致、美不胜收的丝绢，拼命地抢。每个人的手上、脖子上，到处都挂满了一匹匹的绢，搬得少的，也不下百余匹。

尚书令、仪同三司李崇背得太多了，"哎哟"一声，扭伤了腰，跌倒在地；无巧不成书，章武王融接着也脚踝扭了筋，动弹不得。

胡太后看到李崇、章武王融跌跤了，一个箭步向前，把他两人的绢都夺了过来。旁人看到胡太后这种贪心的样儿，都忍不住掩嘴暗笑。

一群人各自背负着上百匹绢，弯着腰、驼着背，万分吃力地从府库中出来。忽然，胡太后发现侍中崔光只拿了两匹，无怪走得十分轻快。

"你怎么只拿了两匹呢？"胡太后讶异地问，为崔光惋惜不已。

红地云珠日天锦，北朝。

"我只有两只手，只拿得动两匹。"崔光讽刺地回答。众人看看自己，不由得羞赧（nǎn）地低了头。

胡太后很爱漂亮，每次出去之前，都要修饰化妆半天。脸上擦得红红白白，身上穿得珠光宝气，加上她本来长得娇滴滴的，因此相当惹人非议。

有一回，胡太后又打扮得花枝招展出宫，一路上遭到无数注目的眼光。太后知道自己出风头，十分得意，把头抬得高高的。

大臣元顺老早就看胡太后不顺眼，这回忍不住当面上谏道："根据礼节，妇人在丈夫过世之后自称为未亡人，头上不簪珠玉，衣上不绣文彩。陛下母临天下，年届不惑（四十岁），修饰过分，何以对后世？"

这番话说得太后脸上挂不住，急急忙忙返回宫中。然后，胡太后把元顺叫来责骂："你为何要当众指出我的错，是不是存心要我当众出丑，居心何在？"

元顺不慌不忙道："陛下不畏天下人之笑，而耻于臣之一言乎？"

胡太后无言以对。

胡太后修宝塔

北魏孝明帝即位，由母亲胡太后主持政局。胡太后是个花花太后，私行不检，骄奢淫逸。可是，说也奇怪，她竟然信佛，而且信得相当深。

这是什么原因呢？原来佛教专讲因果报应，胡太后虽然坏事做得多，但天良未泯。她唯恐恶有恶报，害怕自己死后坠入地狱，所以转向慈悲的佛，求其怜悯。这也是当时佛教流行于上层阶级的原因。其实，当时的佛教教义很浅，不为知识分子所重视，高阳王甚且斥责佛教为"鬼教"。

北魏皇后礼佛浮雕，河南洛阳龙门石窟宾阳洞。

北魏的人除了喜欢造佛寺以外，还喜爱建筑宝塔表示对佛的尊敬，称宝塔为浮屠。

修建佛寺需要大笔经费，国家没有这一笔预算，胡太后为了达成心愿，竟然下了一道命令——"削减百官俸禄十分之一"，然后，她拿了这克扣下来的钱建造永宁寺。

永宁寺的规模极大，有一个高一丈八的金像，还有十个如真人一般高矮的金像，两个玉像。最奇特的是建造了一座九层高的宝塔，高达九十丈，在京师每个地方都能看得见；宝塔四周都是金宝瓶，瓶子下面垂着金光闪闪的金铃铎（duó），浮屠有九层高，角角均悬金铃铎。每当夜深人静，微风吹过，铃声叮叮当当，声闻数十里。

此外，永宁寺中建有僧房一千余间，每一间都雕梁粉壁，珠玉锦绣，布置得富丽堂皇；而且建筑形式参考的是西域和印度的样式，非但中国人以前没有见过，就是波斯的胡人，一见之下也吓得吐出舌头道："永宁寺的宏丽是世界上从来没有过的。"

虽然胡太后奢侈浪费，但在一千五百多年前，中国人已经能够建造如此伟大的工程，也证明了我们祖先的聪明才智。可惜这些华丽的塔寺，因为历经劫数，早已荡然无存。北魏的宝塔留到现在的只剩下嵩山嵩岳寺的一座十五层高的砖塔，供人凭吊了。

因为胡太后的好佛，她每次施舍僧侣财物，一出手就是数以万计。所以，许多人都剃发当和尚，一方面可享安逸，同时也逃去了兵役、赋税。其他王公贵族为了炫耀自己的财富，也都纷纷建庙造塔。还有人把个人的田宅捐出做寺庙。总之，胡太后当政的时代，是北朝佛教最盛的时候，也是贵族生活最为糜烂的时候。

当北魏朝政日益败坏之时，北方边疆的六镇也开始蠢蠢欲动。

六镇是北魏初为了防御柔然，在北方沿边设置的六个据点，屯驻重兵。柔然之所以叫柔然，说来很有意思，北魏太武帝仇视这支外患，轻视他们无知如虫，故命名为蠕蠕。所以柔然在《魏书》和《北史》上记载为蠕蠕，

北魏时期所建的嵩岳寺塔及结构图。

宋、齐、梁书中作芮（ruì）芮，《隋书》则作洑（luò）洑，反正都是虫子。柔然是鲜卑与匈奴混合的血统，过着游牧生活，文化十分落后。

北魏初，驻扎六镇、防守柔然的将士可神气万分，极难入选；能够入选者，朝廷并配以高门女子为婚，所以六镇非常叫人羡慕。

自从北魏孝文帝迁都到洛阳以来，许多鲜卑人都迁到洛阳，政治重心也转移到了洛阳。

洛阳距离六镇十分遥远，古代交通又不方便，更没有电话、电报之类的通信设备，于是，在洛阳的中央政权和在六镇的军人逐渐疏远。同时，北魏孝文帝迁都以后，还有一件事也令六镇将士们大感不满，从前建都平城之时，六镇的将士常可以调到朝廷任官，有很好的升迁机会，可是，迁都洛阳以后，六镇将士便不再有到朝廷任职的机会，这使得六镇将士满腹怨恨。

再经过北魏孝文帝的汉化，洛阳的胡人汉化日深，看不起北方六镇的胡人，认为他们野蛮无知。六镇的胡人依旧保存胡人习俗，也看不惯洛阳的胡人，讥笑他们数（shǔ）典忘祖。

以后，驻在六镇的人都娶不到高门的女子为妻。南北朝的人是最看重婚宦、门第的，心里愤怒不平。在六镇的人不论婚姻或仕途都不及京师的人。洛阳的人似乎成为清流，六镇的人成为浊流；洛阳的人愈变愈有钱，而六镇的人一天比一天穷苦。所以，虽然是同一种族，已分裂为二。

同时，六镇荒芜以后，许多流氓土匪都窜扰到这个地带；再加上地方发生饥荒，六镇响应作乱，在北魏的大地上掀起一场惊天动地的乱事。从东边到今天的河北，西边到关中一带，一连乱了许多年，称之为"六镇之乱"。

六镇之乱加速了北魏的败亡。那么，北魏孝文帝的汉化是不是错了呢？没有，但是他的计划不够周详，只注意京师，而不管边防镇戍，使得两地之别有如隔世。可见得凡事不能偏废。

后来，北魏分裂为东魏、西魏，又分别为北周、北齐所篡。最后统一天下者为隋文帝，结束了近三百年南北朝的混乱局面。

南朝门第的故事

在《胡太后修宝塔》之后，我们暂时放下北朝，回过头来说说南朝的故事。自从魏晋以后，高门大族利用兼并土地为基础，再加上以九品中正为工具，巩固在政治上的地位。到了南北朝，他们已成为一种特权阶级，尤其是南朝的宋朝、齐朝、梁朝、陈朝。

什么叫做"九品中正"？那是魏文帝曹丕时代，陈群建议的方法，把人分为九等来打操行分数，作为政府用人的标准。

因为操行分数的高低，要靠乡党里有名望的人来品评高下；久而久之，高门大族互相标榜，互相提携，于是形成"上品无寒门，下品无世族"的局面，就是说，分数高的可没有寒门的份儿，分数差的却也落不到世族子弟。

于是，世族与寒门地位相差很远，生活方式也不相同。世族的子弟什么事情都不做，也可以爬到公卿之类的大官，十几岁就可以出来做官，到了二十七八岁，在从政的资历上已经"很老很老了"，不管他是否有学问有能力。

例如大书法家王羲之的儿子王凝之，娶了才女谢道韫（yùn）为妻子。结婚以后，谢道韫发现凝之虽为名流之子，实则是个草包，非常的失望。

她叹气说："不意天壤之中，乃有王郎。"意思是说天下之间，怎么有王凝之这种笨蛋？偏偏王凝之后来平步青云，做到二千石的大官，很受人们尊敬。

贵妇出行，南朝画像砖，河南邓州市出土。

相反的，如果出身不好，即使再有学问，也被当时的人所瞧不起。

到溉（gài）是梁朝一个极有学问的读书人，很受梁武帝器重，做到了吏部尚书。到溉为人十分正直，经常有事和尚书令何敬容相执不下。

何敬容也不就事论事与到溉争论，他在私底下常对人说："到溉身上还有余臭，这小子竟然大模大样学着当起贵人来了。呸！"说着，掩着鼻子，皱着眉头，满脸恶心的样子。

旁人听了也哈哈大笑，讥笑到溉自不量力。原来，到溉的祖父曾经做过挑粪的。所以无论到溉如何优秀，人们总是看不起他。

再譬如章华，家中世世代代以农耕为生，他非常好学，对经史极有研究，在陈朝的时候，被任命为南海太守。

章华上任以后，本来想好好干一番事业。可是朝中臣子一打听："章华是什么门第？""他平日交往的是哪些个世家大族？"结果发现，章华家里原来仅仅是种田的。于是官员们十分轻视章华，处处排挤他，不与他合作。最后，章华只好托病辞官。

因为世族的力量太大，连当皇帝的也惹不起他们，所以万一皇帝要破格任用寒门为官，还要特别下一个诏令，以取得世族们的谅解。

在齐朝的时候，齐高帝萧道成就曾经下达过一个命令："寒上江谧，本来是没有资格与豪门一块竞争。但是江谧的确有才干，值得任用，可以派他做吏部的官。"

有时候，豪门大族硬是不肯赏皇帝这个颜面的话，皇帝也没可奈何。

在陈朝的时候，陈宣帝想任用钱肃作为黄门郎，又恐怕世族会排挤人家，就先找了蔡凝来商量商量。因为魏晋以后，大臣的子弟向来看不起郎中或中郎之类的小官，要做就是做黄门侍郎，或是散骑侍郎，两者并称为"黄散"。寒门可是沾不上边的。

陈宣帝和颜悦色地对世族出身的蔡凝说："我有意思用义兴王的女婿钱肃作为黄门郎，你的看法如何？"

蔡凝一听，正色地说："如果他是皇帝家乡的旧亲戚，圣旨颁下，特别开恩也就罢了。否则的话，像黄散这种职务，需要人地兼美。出身不佳，恐怕不太适合。"

陈宣帝说不出话来，也就只好打消了这个念头。可见得，帝王在当时的权势大减，对世家大族无可奈何。

当时的世族子弟爱好清谈，崇尚文学，自命风雅，以病弱的美男子相标榜，当然不乐于从军。然而，武力到底是政治上最重要的一环，谁握有军权，谁便掌有政权。世族既然不肯做军人，国家武事自然只有委托给寒门，所以，南朝四个朝代的四个创业的帝王——刘裕、萧道成、萧衍、陈霸先（即宋、齐、梁、陈的开国君王）都是出身寒贱，又都借着当兵打仗起家。所以他们当上皇帝以后，世族并不怎么看得起帝王。

这些帝王也不像其他朝代的帝王一般，说什么"王侯将相宁有种焉，好汉不怕出身低"，也不敢说自己"额头很高，鼻子很长，左边的大腿上有七十二颗痣，是天生的帝王之相"。

相反的，南朝的帝王似乎很自卑。宋武帝刘裕有一天在宴会中说："我本来是一布衣，开始时怎么也想不到会有今天。"齐高帝萧道成也说："我本来只是布衣素族，从来也没有把念头动到皇帝上面，只因为时来运转，才成立了大业。"自轻到如此地步。

总之，南朝重视门第的坏风气，使得社会不公平；做皇帝的非但不能改革，而且承认门第，自削权势。世族对皇帝既无恐惧之心，又缺乏尊敬之意，如此，造成政治上的混乱，所以南朝没有一个朝代国祚（zuò）长的。

贵贱不同坐

在上一回《南朝门第的故事》之中，我们说到，南北朝时期的人看重门第。当时的世族士人以身份与名位自豪，他们看不起寒门庶人（平民），也不屑与寒门庶人往来。反之，庶人则一心一意攀龙附凤，希望和士人沾到一点儿关系。

譬如当时有一个寒门出身的人蔡兴宗，发愤好学，做到了荆州刺史，很光荣地被征还都。到了京都，听说第二天晚上的宴席中有右军将军王道隆出席，兴奋得睡不着觉。

原来，当时王道隆掌管内政，权重一时，可说是朝廷里最有头有脸的人物。蔡兴宗想到可以当面拜见王道隆，在房间里一遍又一遍练习见面的应酬语，思考怎样才能把话说得漂亮、得体，让王道隆知道自己这些年来掌理荆、湘、雍、益、梁、宁、南秦、北秦八州军事的政绩。

等了又等，挨了又挨，终于熬到了晚宴的时刻。蔡兴宗欣然赴宴，到了那儿，冠（guān）盖云集，场面热闹非凡。经过一番推推让让的争执后，上坐的上坐，下坐的也下坐，当然，王道隆是高踞首席。

蔡兴宗站在一旁尴尬极了，没有人请他入座，他又不敢自己贸然坐上去，呆若木鸡，真不知如何才好。

蔡兴宗左顾右盼，希望有人注意到他，可是没有。其他的人坐下来以后，高谈阔论，好不开心，似乎根本没有注意到房间里还有他这个人。

南朝官员出行时的仪仗，画像砖，河南省邓州市出土。

"也罢，我上前走几步，也许他们就会看到我，请我坐下来。"蔡兴宗暗自盘算着，一小步、一小步，慢慢地，害怕地，踮着脚挪近了饭桌，几乎可以碰到王道隆了。

可是，桌上的人仍旧嘻嘻哈哈，好像蔡兴宗是个隐形人似的。最后，婢女们端着盘子要上菜了，蔡兴宗只好垂头丧气地走了。席上的人眼睁睁看着蔡兴宗远去，连喊都不喊一声，若无其事地开始大吃大喝。

再如南朝（宋朝）时，有一个中书舍人王宏，向来为宋武帝刘裕所宠爱。有一天，他向宋武帝禀报道："臣有一个心愿，希望能与士人交往。"因为王宏虽然备受宠幸，到底不是士人出身，总觉得差人一截，希望能借着宋武帝的帮忙，结交几个士人朋友，抬高身价。

宋武帝就介绍王宏认识王球，王球在士人中说话向来很有分量的。于是，王宏欢天喜地地去拜见王球。

王球当然知道王宏是皇帝介绍来的，却也没多理睬。到了晚宴入席以后，王宏大模大样地一坐下，却发现王球竟缓缓地把扇子举起，那个态度，那个眼神，分明是在下逐客令。

王宏愣住了，心想，我是皇帝介绍来的，非比寻常，总不能这样一走了之，却见满座的人都用鄙夷的眼光冷冷地瞅着自己。王球的手仍高高举着扇子，眼睛望着门外，好像觉得，对王宏这种人说一声"滚"都有辱门风似的。

最后，王宏被逼得不得不站起来，气呼呼地冲出了门外。他肚子里一团怒火熊熊地燃烧着，愈想愈不甘心，决定去找皇上告状去。

王宏到了皇宫，委屈万分地把所受的差辱陈述了一遍。他本想宋武帝应该有所处置的。

没有想到，宋武帝长长叹了一口气道："这件事，我也没可奈何啊。"

更过分的，甚且世族与寒门即使是同事，世族也不肯降低身份，与平民出身的同事坐在一起。

在宋朝时，狄当、周赳与张敷（fū）同为中书舍人，掌管要务。其中，张敷是新上任的，但他因为出身世族，显得格外神气。

狄当想邀请周赳去拜望张敷。周赳说："算了吧，他恐怕自以为了不起，不肯接待我们的。"

"这算什么话？"狄当胸有成竹地说，"我们现在和他一样，同样做中书舍人的官，难道你还怕他不肯和我们同坐？真是的！"

周赳想想这话也有道理，大家在办公室坐在一起做事，又有什么不能同坐的呢？于是，他们两人就通知张敷，某年某月的某一天，他二人将登门造访。

张敷没有说答应，也没有说不答应。在客人来临之前，他先摆了两张床榻，放在距离墙壁三四尺的地方。

等到狄当、周赳两位客人就席以后，张敷不跟他们谈话，仅仅淡淡地说了一句："把我这两位客人安排远一点。"意思是叫他两人坐到预先摆好的两张床榻上。吓得狄当、周赳两人大惊失色而去。

在当时，非但世族看不起一般平民，平民也看不起自己，具有很强烈的自卑感。

可是，当时的人并不认为王道隆、王球、张敷这些人矫（jiáo）情，反而认为世族们有风格、有原则，说他们不会为了权势，而与那低贱的平民同坐。

风气如此，南北朝又如何能不衰弱呢？

门不当户不对

　　中国古人论及婚姻，从来没有所谓"婚前恋爱"。婚后如果夫妻感情不和，男的反正可以置妾，娶小老婆，女的只有自怨命薄。当时人们最讲究的是门当户对，这种观念在南北朝时期尤其明显。

　　上一回说过，南北朝时期世族与平民不相往来，甚至到了贵贱不同坐的地步。当然要士庶（庶是平民之意）结发为夫妻，拜天地，入洞房，是一件不可能的事。

　　梁武帝时，大将侯景为了给梁武帝找麻烦，故意要梁武帝帮忙找王家或是谢家的女子为婚。梁武帝说："王谢门高非偶，可于朱张以下访之。"意思是说：王家、谢家的门第太高，并非理想的配偶，你如果有意思，不妨在姓张的、姓朱的以下人家寻访理想的对象，我还可以为你帮点忙。可见得贵贱不通婚的观念，连皇帝都没有法子打破。

　　南朝是如此，北朝也是如此。例如北魏崔巨伦有一个姐姐，叫做崔明惠，极为贤惠，可惜瞎了一只眼睛，所以没有媒人上门提亲。

　　古代讲究女子无才便是德，一个女人除了做家庭主妇外，根本没有别的地方贡献智慧才力。所以，出嫁成为一件最为重要的事。眼看着明惠年纪一天比一天大了，她的家人都着急不已。

　　"我看这样吧，既然在世族中找不到合适的对象，恐怕只有把明惠嫁给平民。这样对明惠虽然委屈一些，总比待在家里要好！"最后，崔家的人想出下嫁给庶族的计策。

明惠的姑妈听到这个消息，立刻放声大哭道："想我哥哥道德学问首屈一指，不幸很早就过世了，留下他的宝贝女儿，竟要去侍奉卑族，可怜噢……"于是，姑妈决定为儿子纳聘，自己把明惠娶进门，当儿媳妇。

明惠终于不必与寒族为婚，大家都称赞她姑妈有义气。在当时看来，即使世族残废，也还是比寒门高上一级。

当时有没有世族寒门通婚的呢？也有。这是当寒门特别有钱，而世族特别穷困时。因为世族徒有高门第，好家世，然而养尊处优，不事生产，因此许多世族家中的境况并不太好。

南朝贵族女子陶俑，南京西善桥出土，南京博物馆藏。

例如齐朝世族王源因为家中贫苦，把女儿嫁给庶人满氏，为的是贪图甚大的聘礼。王满联姻的消息传出后，不得了，人人谈论这件惊世骇俗的社会新闻。而有一个叫沈约的竟然上了奏章去弹劾王源，认为此人"破坏士风"。

不久，看在金钱的份上，也有不少世族与寒门结姻缘，很为世人所瞧不起，这种都可以称之为"财婚"。而从那时开始，凡是婚嫁无不斤斤计较聘礼多少。

有一个叫封述的人比较吝啬，当他为第一个儿子娶媳妇时，一直到要成礼之时，仍在为聘礼多少争来吵去。当他为老二娶媳妇时，更是闹到衙门里去了，他气咻咻地说："送骡乃嫌脚是跛的，送田又嫌田咸薄，送铜器又嫌古废。"可见得聘礼多少成为南北朝时争论的话题，这种无聊的风俗习惯相沿至今。

因为高门看在利的份上也开始与寒门通婚，北魏文成帝在和平四年（463年）十二月特别下了一个诏书："今制皇族师傅、王公侯伯及士民之家，不得与百工技巧卑姓为婚，犯者加罪。"

因为庶族以攀附高门为光荣，所以高门的女子吃香得很，甚至再嫁夫人都极受欢迎。

例如在北魏有个叫卢道虔的，他的女儿嫁给石衡将军郭琼的儿子，可说得上是门户相当，佳偶天成。后来，郭琼犯了罪，被判了死刑，他的儿子当然也被削了官，卢道虔的女儿就由朝廷做主，改嫁给陈元康为妻。

陈元康乃平民出身，听说可以娶一个世族的女儿，也不在乎她是否结过婚；事实上倘非如此，这种好事怎么会落到他陈某人头上？他兴奋得连话都说不出来。陈元康从未见过卢道虔的女儿，当然也谈不上感情。为了迎娶她，赶紧把原来的妻子李氏抛弃，真可谓标准的势利眼。

又如，有一个叫孙搴（qiān）的，出身寒微，然而作战有大功绩，皇帝特地将世族的女子韦氏嫁给孙搴，难得的是韦家也应允了。

韦氏非但没有缺手断腿，没有嫁过丈夫，而且长得相当秀丽动人，孙搴乐得快要疯了。当时的人也都羡慕万分叹息道："这小子真有福气，我怎么没有这个命？"

另外，我们再讲一点南北朝婚姻的奇异现象：第一是奢侈、浪费，许多穷人因为没法负担这个排场，竟然终身不娶。另外为敛财而成亲的买卖式婚姻也不少。当时南北朝许多皇帝，例如南朝的南齐武帝、北朝的北魏文成帝都曾下诏昭示婚礼节约，不过没多大用处。

此外，南北朝有早婚的习俗，北魏献文帝生孝文帝时才十三岁。后周武帝下诏，竟然明白规定男年十五、女年十三皆须以时嫁娶，那真是娃娃新郎、新娘了。

保家不保国

　　"忠臣不事二主"，向来是中国人最看重的道德观念，但是在南北朝时期，读书人缺乏气节，保家不保国，造成了一百五十年的纷扰不安。

　　南北朝时期的世族，地位崇高，他们自命风雅，不喜欢动刀耍枪，看不起武人。所以国家的军权完全掌握在寒门手中，甚至南朝四个创业开国的帝王——宋朝的刘裕、齐朝的萧道成、梁朝的萧衍、陈朝的陈霸先，都是出身寒门。虽然朝代屡次更换，许多世族依然保持极高的社会地位，因为他们没有中国传统的忠君观念，改朝换代之时，并没有殉国之臣。

　　例如有个宋朝的人王俭，他母亲是武康公主，自己又娶了阳羡公主，算得上是宋朝的外戚。王俭眼看当时宋相萧道成很有野心，又被小皇帝刘昱所捉弄。于是，有一天，王俭去看萧道成。

　　"自古以来，经常功劳大反而得不到奖赏；以萧公您今天的地位，怎么能够长久当人家的臣子呢？"王俭巴结地说。

　　"胡说，这种话不能乱讲。"萧道成嘴里呵斥着王俭，神色之间却十分开心。

　　王俭又接着道："这年头人情浇薄，以您的地位，万一有些什么小差错，不但权位丧失，恐怕这昂藏七尺之躯都难保啊。自古道，功劳太大了会使皇上不安的，所谓功高震主是也。"

　　"嗯，你这个话说得也有些道理。"萧道成笑眯眯地点点头。

当时，萧道成是辅政大臣，王俭建议不妨再加黄钺（yuè）（黄钺是一种仪仗队，古代权臣在篡位时常加黄钺，增加威望）。

有人说："这件大事，最好还应该让褚彦回知道。"

"褚彦回这个人恐怕不好对付吧！"萧道成沉吟着。

说起褚彦回的大名，在宋朝是谁人不知、无人不晓。他的家世很有来头，母亲是始安公主，继母是吴郡公主，娶的夫人又是巴西公主。

褚彦回生得十分俊美，一举一动，俯仰进退，都别有一番风采。当他上朝时，不但一般大臣对他频频注目，连西域使节也都对他行注目礼；一直到他离开了，人们的眼光仍然恋恋不舍盯着门外。

前面说过，南北朝时期的人非常重视容貌的，褚彦回的美，使得宋明帝叹口气道："就凭彦回这样迟行缓步，他就有当宰相的资格。"

因为褚彦回的英俊，挑起了山阴公主的兴趣，她常常偷看这位美男子。后来，山阴公主就央求皇帝把褚彦回召回。

山阴公主一连十天，天天想尽办法挑逗褚彦回，褚彦回一直是绷着脸不为所动。山阴公主屡试不成，气愤地说："看你，胡子倒长得像把小刀般锐利，怎么一点胆子都没有，还算是男子汉大丈夫吗？"

南朝人乘牛车出行，南朝画像砖，河南省邓州市学庄村南朝墓出土，中国历史博物馆藏。

　　褚彦回没有被激将法搅昏了头，他优雅地下拜道："我虽然不聪敏，却知道什么是该做的，什么是不该做的。"

　　后来，褚彦回的官位愈升愈高，做到了吏部尚书。一天夜晚，有个人鬼鬼祟祟来见褚彦回。

　　"一点点小意思，不成敬意。"这个人从宽大的衣袖中，掏出一个金饼塞到褚彦回的手里，黄澄澄的金光在晚上特别耀眼。

　　"这个我不能拿。"褚彦回生气地说。

　　"哎呀，反正没有人知道嘛。"来人不肯收回。

　　"什么叫做没有人知道。如果你本来应该做这个官，用不着拿来这个金饼。如果你非要送，那好，我马上禀报朝廷治你！"褚彦回斩钉截铁地说，把那个企图行贿的小人吓得落荒而逃。

　　因为褚彦回有柳下惠坐怀不乱的美德，再加上有不收红包的先例，所以萧道成认为要对付褚彦回十分困难，他一定不肯帮助自己夺取帝位。可是左右的人说："别急，褚彦回虽不爱财，但他要保妻子，爱性命，除非他有奇才异节，我不相信他敢违抗。"

　　结果，褚彦回还真是乖乖听萧道成的话，因为保家不保国，这是当时的风气。

　　再如齐朝有个叫马仙琕（pín）的人，当初梁武帝萧衍起兵讨伐齐朝时，他死命抵抗，一直到最后，慷慨激昂地对部将说："我受朝廷任命，在道义上说，不能投降，可是各位家中还有父母，你们去吧！去做一个孝子，不要再打仗了，我要当齐朝的忠臣。"

　　可是当梁武帝把他捉到了京城建康，他流着眼泪说："小的我像是丧家之犬，只要后来的主人肯饲养我，我会好好效忠的。"于是马仙琕又做了梁朝的将领。

　　南北朝时期的"忠臣"，就像马仙琕所说的："如失主犬，后主饲之，便复为用。"全然无廉耻之心，保家不保国，难怪当时宋、齐、梁、陈都是短命的朝代。

哭墓的报酬

　　在南北朝时期，任官有两种办法，一种是用九品中正来选举，另外一种是朝廷铨（quán）选。什么是九品中正，我们已一再解释过，那是把人分为九等来打操行分数，作为政府用人的标准。选举权完全被世族把持，所以并不公平。朝廷的铨选又如何呢？

　　在宋朝时，有一个人叫刘德愿，他粗鲁又莽撞，因为承袭了父亲的官爵才得以在朝廷任官。宋孝武帝看不起刘德愿，常常有意无意欺负他。

　　一次，宋孝武帝的宠妃殷贵妃不幸因病去世了。殷贵妃美丽又温柔，宋孝武帝最为宠爱她，因此非常伤心。

　　殷贵妃下葬以后，孝武帝带领群臣来到了墓地，想到娇艳的美人只成一抔黄土，心里酸酸的，转头对刘德愿说："贵妃死了，你怎不哭？哭得好，朕有赏。"

　　皇帝的话还没有说完，刘德愿已经一头栽倒在坟前，双手抱着墓碑，哭得惊天动地，不但用力地捶打自己的胸，而且又跳又叫，几度昏厥在墓前。那个光景，好像殷贵妃既然死了，我刘德愿活下去也没有意思了；其实他与殷贵妃非亲非故，连面都没有见过哩。

　　宋孝武帝看到刘德愿涕泗交流、唱作俱佳的表演，非常欣赏，当即任命刘德愿为豫州刺史。另外有一个叫羊志的，哭墓也哭得呼天抢地，以至于后来喉头哽住不能说话。孝武帝也相当欣赏他的表演。后来有人问羊志：

"你哪儿来这副急泪，说流就流了？"

羊志说："实不相瞒，我刚死了爱姬，心里头一酸，眼泪自然泉涌而下了。"

这是利用自来水龙头升官的妙法，此外还有更加荒唐的——利用博来谋取官位。南北朝最普遍的博是樗（chū）蒲。

什么是樗蒲？樗蒲又称为五木之戏，玩的时候用五个骰（tóu）子，骰子上面是黑色，下面是白色，如果一扔出去，五个子全是黑色，称之为"卢"，表示中了头彩，如果两个白的三个黑的是第二彩，以下类推。玩樗蒲的时候，人们常嘴里吆喝着"卢""雉"，所以俗称这种赌博为"呼卢喝雉"。在南北朝时期，无论君王贵族或是贩夫走卒，人人都爱好这种游戏，嗜（shì）之如狂。而且他们的赌注下得很大，经常一掷千金，因此后世也称掷骰赌博为"呼卢喝雉"。

在宋朝的时候，颜师伯家财万贯，他特别喜欢玩上两手樗蒲之戏。

有一天，颜师伯与宋孝武帝共玩一场。开始的时候，孝武帝的手气很顺，龙心大悦，笑逐颜开。

下面该轮到颜师伯掷了，他把五个骰子一甩出去，骰子在空中转了一会儿，面朝上的竟然全是黑的，也就是得到卢了。

这个时候，孝武帝的脸色一下阴暗了下来。颜师伯心想："糟了，怎么可以赢皇上呢？莫非不要命了。"顺手把骰子全收了回来，若无其事地说："哈，刚才差点儿作卢，可惜了。"

然后，颜师伯开始故意放水，存心让孝武帝赢个痛快。结果，一个游戏下来，颜师伯竟然足足输掉了一百万钱。不过，他这一场樗蒲之戏输得挺划得来，因为孝武帝一高兴，竟然把颜师伯迁为吏部尚书、右军将军。

南北朝时期不但朝廷选官如同儿戏，又因为政府财政困难，经常以出卖官职换取钱财。例如在北魏时期，官有定价，大郡的长官二千匹，次郡一千匹，下郡五百匹。但是到了后来，没有那么多州郡好卖，于是空立州郡，设置牧守。在太和年间，有官职而无事可干的官儿竟有一万多人。

什么人有钱买官职呢？一般百姓买不起，商人买得起。南北朝时期烽火遍地，通商困难，商人必须要靠地方官吏或将领的协助，官吏也刚好利用这个机会拿红包，官商勾结，无往不利。后来，商人自己花些银子买个官做，当然更加得心应手了。

捧奁侍女，南朝画像砖，江苏常州出土。

在这种政局不安、政风败坏的情况之下，最苦的当然是一般老百姓。中国以农立国，农民的生活一向辛苦，"乐岁终身饱，凶年不免于死亡"，再加上战乱屠杀以及连年饥荒，老百姓苦不堪言。为了缴纳重税，甚且有人卖妻卖子以纳税，真是"苛政猛于虎"。

从南北朝时奴婢特多，也可以显现人民的苦难，因为奴婢的产生主要是由于战争与贫穷。讲到这里，我们发现政治清明与否，与我们每个人的生活息息相关。

战争的俘虏成了奴婢，贫穷的人过不了日子也只好卖身为奴婢，奴婢愈多愈反映当时社会问题的严重。

高欢的奇骨异相

我们把南北朝的门第、婚姻、政风，做了一个简单的介绍之后，现在再回过头来看看，北魏自从胡太后荒淫乱政以后如何。

在《胡太后修宝塔》中说到，当北魏的朝政日益败坏，边疆为防御柔然而设置的六镇也开始造反。这场乱事出现了两位军事领袖，一是宇文泰，一是高欢，今天我们就要讲高欢的故事。

高欢是晋朝太守高隐的后代，传到他祖父高谧时，因为犯了法，充军到六镇，担任兵户。

前面说过，中国人分辨胡人、汉人，常是以文化为分野，而不是以血统为区别。高欢虽然是一个汉人，然而世代居住在北边，他的生活一切依照鲜卑的习俗，他为自己取了一个名字——贺六浑，完全是一个胡人的名字。

高欢长得长头高颧（quán）、齿白如玉、目有精光，一副厉害精干的模样。他小的时候家里很穷，后来因为娶了一个有钱的妻子才得到一匹马，得以在镇上当一名小小的队主。

因为北魏孝文帝迁都洛阳，洛阳到六镇距离遥远，需要许多信差传递公文。高欢得了一个机会就由队主转为函使。背着公文袋，由怀朔镇（六镇之一）到洛阳送公文，这一个工作他做了六年之久。

根据《北齐书》的记载，高欢担任函使的时候，一路上碰到许多奇怪的景象，而且好像有老天爷暗中庇佑他。最奇怪的是有一次：

高欢和一群朋友去打猎，在沃野这个地方看见一只赤兔。于是他们赶紧放出白鹰前去捕捉，谁知这只赤兔非常矫健，好几次几乎被他们给逮着了，却又一溜烟溜走了。

一群人跟着赤兔一路奔逐，到了一片沼泽地，沼泽的中央盖了一个破烂的茅屋。有只狗自茅屋中窜出，一下子就咬死了白鹰与赤兔。

看见自己的猎物竟然被该死的狗给咬了，高欢大怒，拿出鸣镝（dí）一箭射死了狗。这时，茅屋中有两个彪形大汉跑出来，揪住了高欢的衣襟，生气地说："你小子发什么神经？把我们的狗还回来！"

"孩儿，不得无礼。"正在此时，有个瞎眼的老婆婆拄着拐杖自屋中步出，她呵斥道，"不要为这件小事触怒大家。"

那两个彪形大汉虽然余怒未消，但碍于母命，也就不再和高欢争执了。

老婆婆道："来，到我家吃顿中饭吧，孩儿，把羊给宰了待客。"她转头命令两个儿子张罗菜肴，就牵着高欢的手来到了屋内。

老婆婆对这些访客似乎很感兴趣，不断问长问短，而且一一为他们摸骨看相。当她摸到高欢的脸时，不禁大呼："此乃贵人异相，世所罕见啊。"

吃完了饭，一行人告退。走了数里路，他们谈起老婆婆的看相，觉得挺有意思，再折回去寻访，竟然看不见茅屋，沼泽一带根本从来无人居住。看来他们不是见了鬼，便是遇到了神仙，因此对老婆婆的摸骨更加深信不疑，诸人对高欢不免另眼相看。

高欢究竟有没有遇到摸骨老婆婆，谁也不敢说。不过史书中对创业帝王总是有许多近乎神话的传说。这是因为想要推翻前代朝廷的统治，为了赢取民心，创业帝王经常编造一些神话，表示此乃天意也。

话说高欢在当了函使之后，每次从洛阳回到怀朔镇，总是拿出钱来大请特请，几乎是倾家荡产结交朋友。

高欢的亲友们看着奇怪，问他道："你这是干什么嘛？"

高欢笑笑道："自有道理。我当函使到了洛阳，看到了宿卫羽林相率焚烧领军张彝的住宅，朝廷害怕乱事扩大竟然不闻不问，可见得政治腐败到了什么地步了。"这句话隐含的意义是：高欢有野心夺取天下。

所以当六镇开始造反时，高欢毫不犹豫参加了拔陵的部队。拔陵失败，他又先后参加了杜洛周及葛荣的部队。当尔朱荣的势力抬头，高欢希望再转到尔朱荣手下。

尔朱荣起先看到高欢满脸风霜、面容憔悴，不怎么欣赏。

高欢回去后梳洗打扮一番，换上了新衣，再次求见尔朱荣。

尔朱荣一言不发，把高欢带到了马厩，牵出一匹恶马，冷言道："你骑骑看。"

原来这是一匹顶顽劣的奇马，没有谁能驯服它。高欢一跃而上，狠狠地踢了几下马肚子，说来也奇怪，那匹马竟乖乖地被高欢骑着转了一圈。高欢神气地说："御恶人亦如御恶马也。"然后，他从从容容、漂漂亮亮地转身下马。

尔朱荣大为佩服，把高欢请入密室商谈。

高欢说："听说公在十二个山谷分别养了十二群马，用颜色区别之，这用来做什么呢？"

尔朱荣不答，反问一句："依你的意思如何？"

高欢说："现在天子愚弱，太后淫乱，朝政不行；以公之雄武，乘时夺取天下，霸业可成，这是我贺六浑的意思。"

这句话，说到尔朱荣的心坎里。以后，高欢成为尔朱荣手下一等一的红人。

后来，尔朱荣讨平六镇之乱，进攻洛阳，杀掉了胡太后等二千余人，然而尔朱荣也被杀。高欢遂取代尔朱荣成为一方霸主。

杜弼冒冷汗

　　在上一篇《高欢的奇骨异相》中说到，高欢代替尔朱荣，平定了北魏的乱事。

　　高欢当权以后，相当跋扈，北魏的皇帝孝武帝受不了高欢的跋扈，逃出洛阳，投奔关中，依附镇守长安的鲜卑人宇文泰。

　　因此，当高欢进军洛阳的时候，皇帝已经逃走了，他只好再立一个新君——孝静帝。于是，统一不到一百年的北魏分为东西两部分，东魏由高欢控制，西魏由宇文泰控制。

　　高欢封自己为大丞相、太师、天柱大将军、定州刺史，将儿子高澄封为侍中，神气活现。

　　他为了控制国内的情势，一手拉着汉人，一手拉着鲜卑人，希望能够和衷共济，共同为他效命。

　　所以他对鲜卑人说："汉人是你们的奴隶，男的为你们耕田，女的为你们织布，让你们吃得饱、穿得暖，为什么还要老是欺负汉人呢？"

　　同时他又用汉语对汉人说："鲜卑人是你们的客人，拿你们的一斛粟、一匹绢，为你们抵御外侮，保护你们的安全，为什么还要痛恨鲜卑人呢？"

　　事实上，当时东魏胡人对汉人的确不太公平，鲜卑人十分轻视汉人，除了一个人——高敖曹，因为他很能打仗，连高欢对他都敬畏三分。高欢号令将士，一向是用鲜卑语，但是当高敖曹在列，高欢一定说汉语。其实高欢自己本来是个不折不扣的汉人，只是胡化了，成为一个胡化的汉人。

有一天，高敖曹与刘贵在闲坐谈天，忽然一个士兵进来通报："糟了，外头治水的役夫被溺死好多，情况凄惨。"

刘贵连眼皮也不翻，径自喝着酒："汉人一条命也不值一个钱，随他们去死，大惊小怪干什么？"

高敖曹是汉人，一听之下，怒气冲天，拔出尖刀就对准了刘贵的喉头。刘贵吓了一跳，连着退后几步："你要做什么？"然后溜出了营外。

高敖曹也来到营外，开始鸣鼓会兵。于是隶属高敖曹旗下的士兵纷纷携刀带剑前来会合。一时之间，杀气腾腾，好像马上要开战了。这个时候，侯景等人纷纷前来劝解，说了半天，高敖曹决定不出兵，然而还是余怒未消。他一个人踏着大步来到了高欢的丞相府，求见高欢。

来人通报之后，久久却不见请入。原来高欢知道高敖曹满肚子的怒火，很难对付，干脆来一个不见。

高敖曹左等右等等了半天，仍然不见动静，气得拿起弓箭，对准相府的门射去。高欢相府中的仆役着急地禀报："不得了，高敖曹竟然对着相府射箭。"

高欢知道了，也不责备高敖曹，因为胡汉不平等，本来是一个没法子解决的大麻烦。此外，汉人对胡人的贪污暴虐也十分不满。

曾经有一个行台郎中杜弼（bì）认为文官贪污太过严重，希望高欢严加惩治，以维系人心。

高欢对杜弼说："我告诉你，天下贪污这个习俗由来已久。我也不是不知道拿红包是一个陋习。但是目前督将的家属多半住在关西，西边的宇文黑獭（就是宇文泰）正在多方利用家属引诱我的将领。南朝又有萧衍（梁武帝）那老头儿，讲什么衣冠礼乐，使得中原士大夫纷纷以为梁朝的萧衍才是正朔所在。我如果采纳你的建议，急于整饬（chì）纲纪，铁面无私，那好啦，督将都跑到黑獭那边去了，士子全部投奔到萧衍手下。人才都走光了，还成什么国家？你的话我记在心里，不过恐怕还要过一段时间才能实行。"杜弼也不敢多言。

过了不久，高欢准备要出兵，正在紧锣密鼓之时，杜弼又来求见。

杜弼说："如果要出兵，必定得先除内贼。"

"谁是内贼？"高欢反问道。

"勋（xūn）贵掠夺百姓，无法无天，难道不是内贼？"杜弼痛心地说。

的确，那些个鲜卑将领们，仗势欺人，老百姓敢怒不敢言，相当悲惨。杜弼觉得十分奇怪，莫非高欢一点也不清楚外界的情形？

高欢不回答杜弼的问话，他"啪啪"一拍手，立刻之间，殿前聚集了许多军士，有的张着弓，有的举着矟（shuò），夹道罗列。然后，高欢命令杜弼从道间穿过。

一听此言，杜弼吓得满头大汗，但是他不敢违抗命令，只有硬着头皮往前走。

杜弼不敢抬头看那些亮晶晶的刀剑，又不知道高欢为什么要这样做，低着头，一步一步小心往前挪。稍不留神，臂膀碰到了冰凉的锋口，吓得他一哆嗦，这一惊又害得杜弼看到了这些军士的脸，个个目露凶光，实在怕人。

杜弼好容易走完了这一段路程，面色死白。高欢这才道："矢虽注不射，刀虽举不击，矟虽按不刺，瞧你吓得亡魂失胆。要知道这些军士冲锋陷阵，百死一生，就算有点贪污，也是情有可原，不可以与一般人相提并论。"

杜弼连忙叩头道："是是是，还是丞相高明。"

其实，高欢所讲的是不对的。每一个国家、社会，都有黑暗、错误的地方，如果一意姑息，为患更大。譬如说贪污，这当然不是一件好事，至少贪污者必受到适当的处罚。如果说像高欢一样，当政者对贪污行为不但不以为耻，而且想办法庇护贪污者，那将是什么样的情形呢？

高澄羞辱孝静帝

中国古代的皇帝享有绝对的权威，只要帝王自己愿意，他可以做任何他所要做的事，因此皇帝向来是人们所羡慕的对象。但是有的时候，皇帝的境遇也相当悲惨，譬如今天我们要讲的东魏孝静帝。

前面说过，高欢赶走孝武帝，另外立了一个傀儡皇帝孝静帝，高欢自己掌握一切政权。

孝静帝生得清秀文雅，爱好文学，当时的人认为他有魏孝文帝的风采。

因为高欢刚刚把孝武帝赶走，心中颇有几分惭愧，因此虽然大权在握，表面上对孝静帝还是客客气气，任何事情，无论大小，都要禀报孝静帝，听候他的旨意。

孝静帝信佛，经常举行法会。每次赴法会之时，高欢恭恭敬敬，捧着香炉，跟在孝静帝的车辇（辇，皇家坐的车子）旁边，鞠着躬，屏着气，小心翼翼地承望颜色。

其他的臣子看到高欢惶恐的样子，对孝静帝当然也是十分恭顺，生怕怠慢了孝静帝。

等到高欢去世，他的儿子高澄袭位，情况就大不相同了。高澄一向讨厌孝静帝，对孝静帝十分倨傲。他还派了中书黄门郎崔季舒，专门窥伺（sì）孝静帝的一举一动。

"那个痴人最近怎样了？""痴人的病如何啦？""你要小心看牢痴人！"

高澄时常向崔季舒叮咛着。孝静帝乃堂堂一国之君，竟然被臣子唤为痴人。

有一天，孝静帝到邺东地方去打猎，舒散身心；马鞭一挥驰逐如飞。这时，监卫都督赶紧骑了一匹快马自后面追来，一路赶，一路叫嚷着："天子莫走马，大将军会生气的。"

因为孝静帝万一骑马受了伤，有个三长两短，着实麻烦，所以孝静帝连骑马的权利也被剥夺了。

过了不久，高澄举行宴会，他举起酒杯对孝静帝说："臣澄劝陛下酒。"高澄的神情相当傲慢，完全不像一个臣子对待君王的态度。

孝静帝心里很不开心，冷冷地说："自古无不亡之国，又何必把朕摆在这儿？"

"呸，朕！朕！狗脚朕。"高澄怒斥道，然后命令崔季舒搂了孝静帝三拳，愤愤而出。

第二天，高澄又叫崔季舒去向孝静帝赔罪。孝静帝为着表示自己的大度，送给崔季舒四百匹彩。

回到后宫，孝静帝愈想愈觉得人生无趣，随口咏出谢灵运（南朝大诗人）的一首诗："韩亡子房奋，秦帝鲁连耻，本自江海人，忠义感君子。"他咏诗的含义是说，韩国灭亡了，张良（字子房）奋勇抗敌；秦朝称帝，鲁仲连觉得耻辱，他现在也正需要忠义君子来相助。

当孝静帝吟诗流涕的事情传出之后，有几个大臣合起来想帮助孝静帝。首先他们挖了一条地道从宫中通到千秋门。

看门的守卫觉得地下响动，好生奇怪，上告高澄，高澄派人把在地下挖地道者一网打尽。

然后，高澄带着一营兵，气冲冲地入宫道："陛下何必要造反？想我父子二人功在社稷，哪一点有负陛下？这一定是陛下左右嫔妃所干的好事，来人啊，快把胡夫人及李嫔给我绑起来！"

孝静帝气得脸孔涨得通红，他正色道："自古以来，只听说臣子造反，哪里有皇上造反的？你自己要造反，何必责备我？我杀掉你国家才能平安无事，不杀你则国家永无宁日。你如果要杀我，或早或晚看你的意思，何必怪罪于嫔妃？"

高澄一听，急忙跪下叩头，大呼谢罪。因为纵使他掌理一切权柄，但是在君臣伦理观念下，帝王仍然具有一种心理上的威力，使臣子战战兢兢。

东魏武定五年（547 年）间，梁朝有个将领兰钦的儿子兰京被东魏所俘虏，高澄把兰京派到厨房去当膳奴。兰钦屡次要求用钱把儿子赎回去，高澄总是不肯。

一次，兰京又前来恳求，把高澄惹烦了，他指着兰京的鼻子说道："你要再来啰嗦，我就把你给宰了！"

不久，高澄有一次在进食时，兰京捧着食物上来，高澄立刻把他赶走，并且对左右说："昨天晚上我梦到这个奴才拿刀砍我，我应该早点把他杀掉才好。"

兰京在门外听到这番话，偷偷把一把刀藏在盘子下面，再次走进来。

高澄一看到兰京，不由得发火道："我并没有要食物，你又来干什么，快快滚出去！"

"我啊，我来杀你！"说着兰京一刀挥过去，高澄吓得躲到床底下。然而兰京的同党把床搬开，杀掉了高澄。

高澄的死讯传出之后，孝静帝连忙拜天谢地，并且对左右说："大将军（指高澄）今日已死，这是天意，朝廷的威权又要收归皇帝了。"

孝静帝禅位

高澄被杀，高澄的弟弟高洋听到消息，很镇定地率领了一部分士兵，冲入高澄家中，把参与谋杀高澄的人一一灭口。然后他颜色不变地走了出来，对大家宣布："一个奴才造反，高澄大将军受了一点轻伤，没有什么关系。"其实这个时候，高澄早已死去，高洋唯恐人心不安，故意秘不发丧。

过了不久，高澄去世的消息渐渐传出，被高澄当成奴隶、随意打骂的孝静帝高兴地说："大将军今天已死，这是天意，哈！哈！"

孝静帝正在为高澄的死暗自欣喜之时，高洋已经率领八千武士，带着刀剑闯入宫中，神气地说："臣有家事，须到晋阳走一遭。"然后旋风一般，率领着武士昂然出宫。

留下孝静帝一个人愣在那儿，他自言自语道："又是一个不相容的角色，朕不知死在何日。"

高澄去世之后，高洋的表现可圈可点，他神采飞扬，言辞敏捷。臣子们都看呆了，因为在他们心目之中，高洋原是一个窝囊的小角色。高洋是高欢的第二个儿子，高澄的弟弟。当高欢尚未发达时，常常担心过不了寒冬，那个时候高洋年纪很小，还不会说话，忽然冒出一句"得活"，把家人吓了一大跳。因此，高欢很喜欢这个二儿子。因为这个，高澄对高洋心怀嫉恨。

吴姐姐讲历史故事

高洋知道哥哥高澄不喜欢他，高澄又大权在握，因此处处让着高澄。只要是高澄喜欢的漂亮衣服、精致摆设，他都送给高澄。

高澄因此十分轻视高洋，对人们说："像他这种人也能得到富贵，相书中也不知道怎么说的。"

其实，高洋是故意装傻，明哲保身，他聪明厉害着哪！

高澄去世的第二年的春天，一天早上，高洋对别人说："昨天我做了一个梦，梦到有个仙人拿了一支毛笔在我额头上点了一下，我就惊醒了，这是什么意思啊？"

有个会拍马屁的臣子一听此言，连忙跪下叩头道："恭喜大王，大王现在是齐王，王字上加一点，这不就是主吗？表示大王应该当皇帝啊。"

接着不停有人陆陆续续进言，建议高洋接受禅让，自己做皇帝。什么叫做禅让呢？我们曾说到，尧把帝位让给舜，舜把帝位让给禹，称之为"禅让政治"。因为禅让是表示前一个朝代的帝王，自己愿意放弃权力让位给新的一个王朝的创业帝王，因此后代许多想篡位的臣子便借"禅让"的美名逼前一朝皇帝让位，表示是你看我是圣贤心甘情愿让位给我的。

高洋听了臣下的劝告，告诉他母亲。他母亲板着脸教训高洋："你父亲高欢如龙，你哥哥高澄如虎，他二人一辈子侍候皇上。你是什么人，噢，竟然想效法尧舜的故事吗？"

听了母亲的教诲，高洋有些儿垂头丧气，徐之才劝告高洋说："正因为你的才能比不上父兄，你更是非篡位不可。譬如曹操老早就想自己当皇帝，但是曹操不篡位没有关系，到了他的儿子曹丕就非要篡位不可；因为曹丕没有曹操能干，他如果不当皇帝，他自己这个独揽大权的职位迟早会被别人抢走。"

于是高洋开始积极进行禅让的事，首先他派了魏收起草"九锡"。什么叫做"九锡"呢？古时候天子赐给有功的诸侯衣物等共有九样东西，以前，在王莽篡汉之前，先自己假借皇帝的名义，颁给自己九锡，并且让皇帝颁给一篇九锡文，里面盛称王莽的丰功伟业。从此想要篡位的臣子总要先准备一篇九锡文，歌功颂德一番。

高洋的篡位，有的臣下不见得赞同，高隆之有一次就明知故问道："这些东西是要干什么啊？"高洋很不高兴地回答："我自有道理，你何必多问？是不是想要我灭你的族？"高隆之吓得不敢再问。

一切就绪之后，侍中张亮求见孝静帝，孝静帝在昭阳殿接见他。

张亮道："朝代的转换，如同金木水火土有始有终，现在的齐王圣德钦明，万方归仰，愿陛下效法尧舜。"

该来的总是会来，孝静帝正色道："此事拖延已久，谨当逊避，应该写一个诏书告示天下。"

"诏书早已写好。"张亮道。

既然一切都准备妥当，孝静帝苦笑道："那么以后朕住在哪儿呢？"

底下有人接口道："北城有一座馆宇。"

孝静帝默默地走下御座，步入东廊，长叹一声："我想到后宫话别。"

高隆之道："今日天下还是陛下之天下，何况是六宫呢？"他还在说风凉话。

后宫的嫔妃已听说了这个消息，个个哭成一团，当孝静帝进入后宫，更是一片哭泣之声。李嫔诵陈思王的诗云："王其爱玉体，俱享黄发期。"陈思王指的曹植，意思是说，希望皇帝保重身体，得以长寿。

孝静帝抹着眼泪，缓缓地攀登上车。有个臣子，一步一步向前，抱着孝静帝把他塞入车中，孝静帝生气道："你是什么人，何必逼人太甚。"

就这样，孝静帝禅位，高洋即皇帝位，建立了齐朝，史称北齐，以别于南朝萧道成建立的齐。至于孝静帝，高洋还是不放心，不久派人将他毒死了。

高洋发酒疯

高洋逼着孝静帝让位给他，建立了北齐，是为北齐文宣帝。

高洋刚刚开始当皇帝的时候，十分留心政治，法律森严，内外肃然；而且亲身上前线，勇破契丹、山胡、柔然的军队。

不久，高洋自认为功大业大，渐渐开始骄狂，他心想："这么辛辛苦苦做什么，有机会应该多玩玩。"

前面说过，魏晋南北朝的人沉迷于奢侈享受，尤其酷爱饮酒。一般人因为受物质环境的限制，往往不能够畅所欲为。做皇帝的人可不一样了，要什么有什么，要多少有多少。但是也因为如此，一般人的享受在高洋看来，已经不够过瘾。

高洋的酒瘾一天比一天凶，喝醉了酒，他便摇摇摆摆，且歌且舞，或者披散着头发，或者裸露着身体，或者把脸上涂得红红绿绿的。他有的时候骑驴，有的时候骑牛，甚且有的时候骑着白象，而且不加鞍勒，随意乱走，旁人看着捏一把汗，却也不敢加以阻止。

高洋不止在宫中出洋相，还大模大样骑上街去，他在夏天把衣服剥光，这可能是怕热，但是在严寒的冬天，旁人都缩头哆嗦时，他也照样脱光，就不能不说有点举止异常了。

皇宫中在造房子，高有二十七丈，两栋房子之间距离有两百多尺，即使是工匠也非常惧怕，施工时得把绳子系在身上，攀牢木架。高洋半句话也不说就上了工地，然后在屋梁之间走来走去，下面的人都看傻了眼。谁知高洋竟然在屋脊中间跳起舞来，还不时转个圆圈，真把大家给吓坏了。

玩够之后，高洋走下来，拉着道上的一个妇人问："你看天子如何？"妇人顺口答道："癫癫痴痴，何成天子？"不一会儿，高洋把妇人给杀了。

高洋的母亲娄太后见他如此疯狂，气得拿起拐杖敲他道："怎么会生出这种儿子！"

"嘿，看来该把老母嫁给胡人算了，免得啰啰嗦嗦。"

听到儿子竟然说出这种忤逆的话，娄太后气得脸色铁青，一言不发。高洋大概也知道说错话了，连忙匍匐在地上，举起太后坐的胡床，想要引得太后一笑。没有想到，他用力过猛，反而把太后摔到地上。

酒醒之后，高洋也颇有悔意，他找来一堆木柴，把火烧得炽炽旺旺，然后准备往火中跳。太后吓坏了，赶快一步向前，阻止高洋，勉勉强强扮出一个苦得不能再苦的笑容："别放在心上，你刚才喝醉了酒讲酒话。"

于是，高洋把上衣脱掉，对高归彦说："你拿棍子打我，用力地打，如果打不出血，当心我斩了你。"

高归彦拿着棍子为难极了。娄太后一把抱住了高洋："好了，不必打了，你晓得自己犯了错就够了，打在儿身痛在娘心啊！"

吵了半天，高洋还是坚持自己要挨打，最后在脚上打了五十下。从此以后，高洋发誓戒酒，可惜只戒了十天，高洋又破戒了。

高洋趁着酒兴，到处寻找美女，不论是王公大臣的妻子，或是任何稍有姿色的女孩，凡是被他看中的终究难逃其掌握。反正他也没有真正动过感情，玩过便算。

因为世界所有好玩的东西都玩过了，然而这些玩乐都是刺激感官的，过久之后，原来刺激的东西变得不再有趣，高洋心灵感到空虚。久而久之，玩鸡斗狗已不足发泄他的兽性，他日渐更加倾向于暴力。

高洋自己设计了大镬（huò）、长锯、锉碓（cuò duì）等刑具放在宫廷之上，每次喝醉了酒，就在廷上试用刑具杀人，以为娱乐。他杀了人之后

供御囚，选自明刊本《帝鉴图说》。

把尸体丢到火中或投入水中，丞相杨愔（yīn）劝之不听，只有挑选监狱中的死刑犯当做"供御囚"，以免高洋伤害无辜。连丞相本人都曾经被高洋装入棺木之中，让丧车拖着走，高洋认为这样很好玩。

因为高洋已失去理智，所以丞相杨愔处理政事格外困难。有一次开府参军裴谓之上书极谏，劝高洋切勿再如此狂暴。

高洋很不开心地对杨愔说："这个愚蠢的家伙，他怎么敢这样上书！"

杨愔为着保全裴谓之一命，急中生智道："他啊！想要陛下杀掉他，借以成名于后世。"

"噢？小人我都不屑杀，我偏不杀他，看他如何能得名？"高洋得意地说。裴谓之的小命才算得以保全。

一次，高洋趁着酒兴，骑着快马跳下悬崖，在急湍中奔驰。随从的大臣前去追赶把马拉回，扫了高洋的兴致，他气得要杀那大臣。

那大臣沉着应道："臣死不恨，当于地下启奏先帝，谓此儿酗（xù）酒，不可教训。"

高洋不发一言，沉默地走了。

过了几天，高洋对那大臣说："我如果饮酒过量，你可以狠狠地打我。"

可见得，高洋自己也知道喝得太猛了，但是意志力不够坚强。最后，他终于在北齐天保十年（559年）因为酒精中毒而死，死时才三十四岁。

高洋虽然贵为天子，可是因为不知道节制，非但没有快乐，反而只有痛苦。这就是放纵的下场。

高洋有个不"肖"的儿子

北齐文宣帝高洋酒瘾极大，终日疯疯癫癫，喜怒无常。

高洋的弟弟，常山王高演，对此十分忧心。有一天，高洋在玩槊（槊，一种长一丈八尺的古兵器），他举着槊，往前一刺，都督尉子辉应手而毙。

"哈！"高洋高兴地一拍手，把槊放下，却一眼望见高演在旁边，皱着眉，叹着气，一脸哭相，忧伤与悲愤形于颜色。高洋也发觉了高演对自己的不满意，挑着眉毛道："只要有你在就够了，我为何不能享乐享乐？"

高演也不吭声，只是跪在地上，哭了又哭，满地都是泪水。

悲哀凄凉的哭声连高洋也被感染到了，他把杯子一摔道："哎，你是这样的嫌恶我。好，今后谁敢向我敬酒，我一定把他给斩了。"接着，他把御用的酒杯，一个一个摔在地上砸个稀烂。然而没有多久，高洋又故态复萌，大饮特饮。

不过，高洋对高演这个弟弟还是心存几分忌讳。譬如说，高洋在权贵亲戚家中，和大伙玩角力或是手击的游戏。每当高演来到，看到他那严肃的模样，高洋也就停止了嬉闹。

但是因为高洋到底是皇帝，古时候的皇帝具有生杀予夺之大权，高演的劝谏，经常为自己带来祸害。有一回，高演又因为上谏力争，被高洋派人毒打一顿。

回去之后，高演开始绝食，一粒饭也不肯吃。他的母亲，也正是高洋的母亲娄太后听说了，急得日夜哭泣。

高洋虽然昏醉如痴，却也还不能不顾母亲。他说："万一这个小儿死了，那我的老母怎么办？"于是高洋亲自去看了高演好几回，对他道："你努力勉强多吃一点东西，我把王晞还给你。"

王晞是高演的好朋友，也因为上谏之事被高洋关在大牢里，因而利用这次机会得以放出。两人相见，抱头痛哭。高演抱紧王晞说道："我的呼吸困难，气息衰弱，命若游丝，恐怕日后不能再相见了。"

王晞哭着说："天道神明啊，你怎么可以让殿下这样子死去。殿下啊！天子是你的哥哥，又是天下的皇帝，你怎么能够与他计较呢？你不肯食，弄得太后也不肯食，殿下就是不爱惜自己，也该为太后老人家着想啊。"

他的话还没有说完，高演已打起精神坐好，十分吃力又十分痛苦地和着眼泪把饭吞下。

过了没有多久，高演有一次又苦谏高洋，惹来高洋的不满。他把高演两只手抓住向后绑缚着，然后拿着刀抵住高演的喉咙道："你这个小子怎么知道？说，是谁叫你这么做的？"

高演长叹了一口气："现在天下闭口，除了臣，有谁敢多说。"

高洋气得拿棍子乱捶了高演数十下，方才消除心头之恨。

高洋和他的弟弟高演个性完全不同，甚且，高洋的儿子高殷也完全不"肖"其父。肖是像的意思，平常不肖之子是骂人的话，但这个不肖之子倒真可爱。

高洋的太子叫高殷，是李夫人所生的儿子。李夫人是汉人，当初高洋要立李夫人为皇后之时，曾经受到群臣的反对，说："汉妇人怎可为天下母？"高洋不顾一切，仍然立了李夫人为后。

高殷自小性情开朗温和，喜欢读书，虽然年纪很小，却已有人君的气度风范。他的进退应对流露出一股高贵的气质，是平常小孩身上所看不到的，博得众人的一致夸奖。

但是，高殷的父亲高洋却不喜欢这个儿子。高洋看不惯那文雅的风度，不止一次咆哮道："这个小子得汉家气质，不像我！"

为了使太子高殷像自己，高洋决心训练调教一番。有一天，高洋登上金凤台，就派人把九岁的高殷召来。前面一篇中说过，高洋有许多"供御囚"是监狱中的死囚，专门用来让高洋杀人取乐的。

这下子，前边就五花大绑了一个"供御囚"供人宰割。"哪，拿去。"高洋把刀子交给高殷，高殷迟疑了半天才接过刀子。

"发什么呆，快杀啊！"高洋很瞧不起这个没出息的长子。

九岁的高殷拿着刀子，望着绑在地上的犯人，实在不敢下手。他抬头望着父亲高洋正虎视眈眈地瞪着，为难极了。最后，高殷闭着眼睛，使出吃奶的力气，勉勉强强砍了一刀。犯人发出"嗯嗯"的呻吟声，原来没有击中要害，脖子上流着一片鲜血，看着好不吓人。

为着早点解除犯人痛苦，实在应该早些砍断脖子，但是高殷又不忍心再砍下去。如此反复再三，还是不能把头砍掉。高洋在旁边，看得火大极了，亲自拿着马鞭去抽垂死犯人的脖子，高殷看着几乎要昏倒。以后，九岁的小太子经常气喘，说话也结结巴巴，言语滞塞，精神也有一些受了刺激，恍恍惚惚。

高洋一语成谶

自从高洋教他九岁的太子高殷杀人，高殷一连砍了三次，都没有办法砍断犯人的脖子以后，高洋就很不开心。高洋每次喝酒喝得醉醺醺就开始嘟嘟囔囔："太子性情懦弱，社稷事重，皇位终当被常山王抢走。"常山王正是高洋的弟弟高演。

早在高洋命令邢邵为太子命名之时，高洋已经担心高演会夺高殷的皇位。原来高殷出生以后，高洋命邢邵为太子取名，邢邵奏请名殷，字正道。

高洋说："嗯，高殷，好。殷是殷商也，商朝人规定王位继承是兄终弟及，那表示说，我这个做哥哥的死掉了，就该轮到我弟弟高演当皇帝了。"

邢邵一听，面色如土。

高洋又继续道："字为正道，更妙，正是一个'一'字下面一个'止'字，表示我死了以后就完了，我的儿子当不成皇帝的。"

为太子命名的邢邵吓得在地上不断叩头，请求给一个机会，为太子更改名字。

高洋却不肯，他说："这是天命，改了也无用。"

从此以后，高洋每回见到高演就冷嘲热讽道："要夺皇位就尽管夺吧，但是你别把我儿子给杀了。"

没料到高洋一语成谶，后来，果然高演夺了高殷的皇位。

高洋虽然沉湎于酒，昏醉如痴，但清醒时，说些预言的话常常应验，所以当时人称之为神灵。譬如有一次，高洋问一个泰山道士："我能做几年天子？"泰山道士回答道："三十年。"高洋回宫以后，对李皇后说："那道士说我能做三十年天子，但是十年十月十日也是三十呀，那不是快到了吗？好可怕啊。"不幸，高洋又是一语成谶，在天保十年（559年）十月十日，他真的死了。

当时，高洋嗜酒荒淫，行为乖张，只亏得丞相杨愔英明，处处为他补缺弥缝，使得国家还能常保安宁，人们称之为"主昏于上，政清于下"。

杨愔看到高洋一天到晚说高演要夺位，实在不像话，禀告高洋道："太子是国家之根本，不可动摇，皇帝在喝了三杯酒以后，就会说要传位给常山王。如果是真要如此，就该彻底实行，这话不是儿戏，随便说说恐怕会引起国家的不安。"于是，高洋才不把高演会夺位的事挂在口上。

高洋最后因为酒精中毒暴崩，去世时只有三十四岁。十岁的高殷即位于宣德殿。

因为高殷的年纪很小，奏章等都先由叔叔高演决断。杨愔一向是忠于高洋的，他很担心高演会如同高洋生前所料，夺高殷的皇位。

高演也发觉杨愔对他心存猜忌，为了免除不必要的误会，他悄悄地搬出了皇宫，回到自己常山王的宅第。从此，奏章诏敕也渐渐管不到了。

高演自己并不在意，他的朋友王晞却上门对高演说："鸷（zhì）鸟离开了窝巢，必然担心鸟蛋被偷，你怎么可以自皇宫搬出呢？"

另外，中山太守求见高演，高演知道必定又是责备他不应该搬离皇宫的事，干脆不接见中山太守。

王晞又对高演说："以前周公一口气见七十个宾客还嫌不够，你有什么值得嫌恶疑惧的呢？真的怕人家说你要夺皇位吗？"

这个时候，刚好杨愔有鉴于天保八年（557年）以后，爵位赏赐发得太多太滥，有意加以整顿。首先他解除自己开府的职位，然后把王公之中，凡是不应该得到恩荣却又得到的，一律予以罢免。这样一来，他得罪了不少王侯，大家纷纷传言，皇帝年纪太轻，帝业恐怕会落入外人之手。

于是，一批王公贵族决意拥高演为皇帝，除掉杨愔的掌权。

其中长广王道："这样吧，我们请杨愔喝酒。我说一声'敬'，他一定不喝，我再说一遍'敬'，杨愔一定还是辞谢，我最后说：'你为什么不喝？'这个时候，你们便上前把杨愔给捆绑住。"

到了宴会的当晚，大家依计而行，在长广王一声怒喝"我敬你酒，你为什么不喝"之后，一大群人向前把杨愔给拉住。

杨愔十分愤怒道："诸王要造反，要陷害忠良吗？我杨愔尊天子，斥诸侯，赤心保国，何罪之有？"

话还没有说完，一阵拳杖乱殴，杨愔被打得头破血流，奄奄一息。

高演并不见得赞同这场政变，然而事已至此，也只有他出面收拾残局。他叩着头对母亲娄太皇太后（高洋去世，皇太后升为太皇太后）哭着说："臣与皇上，骨肉至亲，但是杨愔等独揽朝权，作威作福，王公大臣以下都不敢言，为着国家着想，臣把杨愔等绑来。"

太皇太后说："杨郎现在在哪里？"

下人答道："一只眼睛已经被挖出来了。"

"杨郎做了什么？你们要如此对待他？"太皇太后悲怆地说，然后转头问高殷，"皇帝，你怎么说？"

小皇帝也不敢多言，讷讷道："任凭叔父处分。"

于是，杨愔等统统被杀。

杨愔出丧的时候，太皇太后哭得最为伤心。她抽泣地说："杨郎忠心而被害。"于是她拿了一些金子，放在杨愔被挖出眼球的眼眶之中，伤心地说："表示我的一点点心意。"

高演也很后悔杀掉杨愔，因为杨愔的忠心耿耿是人人皆知的，只是因为政权斗争成为牺牲品。于是他下诏："罪止一身，家属不问。"意思是说罪过只限于杨愔一人，不牵连到家属。因为按照古时法律，凡犯重罪家属一并受罚。

接着，高演废去侄子高殷，自立为帝，是为北齐孝昭帝。

第二次"三武之祸"

六镇之乱以后，北魏分为西魏（由宇文泰控制）、东魏（由高欢控制）。关于高欢传到高洋，灭掉东魏建立北齐的故事，在上几篇中已经讲了不少，现在我们再看看西魏方面。

宇文泰拥立魏文帝以后，励精图治，创立府兵制，开始军事上的种种革新。到他的儿子宇文觉篡位，建立北周，是为北周孝闵帝。

宇文泰去世时，宇文觉仅有十五岁，政权都控制在他堂哥宇文护的手中。以后宇文护杀掉宇文觉，又杀掉宇文觉的哥哥宇文毓（yù）（北周明帝），最后轮到宇文泰第四个儿子——宇文邕即位，是为北周武帝。

武帝即位以后，仍旧由宇文护总揽大权，一切公文，非得要宇文护署名才算数。宇文护宅第中屯兵侍卫，简直比宫廷里还要多。他的儿子及僚属们个个都是贪残横暴，大家都敬而远之。

至于武帝心里头怎么想，因为他沉默寡言，面无表情，没有人猜得透他的心思。

有一天，宇文护请教大夫庾（yú）季才道："最近天道有什么新的征象吗？"

庾季才恭敬地回答："臣蒙恩深厚，不敢不尽言。从天象看起来，西近、文星两个星座最近有了变动。公应该归政天子，自己请求告老还家，如此才能如周公一般，享百年之高寿。同时，子孙也得以享有封邑，藩屏王室。否则的话，这个，臣就不敢预知了。"

宇文护听说此言，心中老大不高兴，却又不方便发脾气。他沉吟了半天才慢吞吞地说："我本来就不想再干下去了。只是一连上了几个辞呈都没有准，只好勉为其难。"

他这一番谎言连自个儿听了都心虚，于是，对庾季才说："你既为王官，以后只要注意天子的事，不必再为寡人担心。"从此，宇文护对庾季才日渐疏远，因为他讲的话不动听，不合宇文护的胃口。

表面上，武帝对宇文护还是恭恭谨谨，在宫里见到宇文护都是行家人

周武帝宇文邕，唐阎立本绘。

礼，也就是说，因为宇文护是武帝的堂哥，辈分比较长，所以武帝向他行弟礼，而不是依照君臣之礼。在宫里面，两人陪着太后聊天时，也是宇文护坐着，武帝在一旁站着侍候。

有一天，武帝对宇文护说："太后春秋已高，年岁已大。然而她非常爱喝酒，我屡次上谏，太后总是不肯接纳。兄今入朝，希望再劝一劝太后。"

说着，武帝自衣袖之中掏出一篇《酒诰》，说道："兄到朝上后，可以照着宣读。"《酒诰》

是古代《尚书》中的一篇，由周成王所写的，内容是劝他母亲戒酒，写得十分委婉动人。

到达宫中以后，宇文护开始聚精会神朗诵《酒诰》。《酒诰》写得极长，全部读完还相当花时间。

宇文护念到一半，忽然之间，武帝自后面拿起笏（笏，是一种手板，写事备忘用），往宇文护的脑袋瓜子一敲，宇文护应声而倒，然后武帝派人把宇文护给斩了。

这一下子除掉宇文护，武帝正式掌权，治理国事。此时，他发现国家有一个很大的问题，那就是和尚、尼姑多得吓人。

从五胡十六国时代开始，自汉朝时传入的佛教开始大为鼎盛，魏晋时代的人，天天过着悲惨的生活，他们悲观而绝望，渴求一种新的人生观来抚慰心灵。一方面因为寻求安慰，另一方面出家是逃避租税、兵役最好的方法，所以和尚尼姑愈来愈多。到北魏末年，僧尼人数有二百万，寺院有三万多所。

此时北周的卫元嵩向武帝建议：和尚应该分为有德及无德两种，没有德行的僧侣不能逃避兵役。他的理由是佛家最讲求平等的。僧侣过多，国家的税收不够，只得向一般百姓征收更多的税来贴补，实在太不公平。

到武帝亲政的第二年，关中闹灾荒，他下了一道命令："囤有粮食的富户，除了留下自己需要的口粮以外，其余的一律拿出来卖。"

结果，富裕的寺庙非但不听话，反而借这个机会放高利贷，剥削百姓，这下子把雄才大略的武帝惹火了。他想，要是如此下去，以后处处成寺，到处全是和尚还像话吗？于是下诏灭佛。

同时，佛教教人出家，内不能尽孝于父母，外不能尽忠于君国，也引起极大的争论。武帝认为这与我国传统的儒家学说抵触，加强了武帝灭佛的决心。

他将僧侣的庙产，一律充公。将两百万僧侣还俗，分别编为军民。三万多所庙寺，改建为民房。如此一来，北周政府平添不少的人力、财力、军资、兵源。

在我国历史上，将北魏太武帝、北周武帝及唐武宗毁佛称为三武之祸，是为佛教之浩劫。

此外，武帝下诏，凡因战役俘获充作官奴婢者，全部释放为民；又娶了突厥公主当皇后，拓展外交及实行种种富国强兵的政策。

武帝即位时，北齐国势渐衰，高洋已死，继位的废帝高殷、昭帝高演、武成帝高湛、后主高纬都不是有才能的君主，内政日益腐败。

南方的陈朝正是陈宣帝在位，陈承继宋、齐、梁各朝的风气，社会上弥漫着文弱、奢靡的习尚，没有什么新气象。陈宣帝本身好大喜功，才干不足，所以陈的国势也很弱。在这种情形之下，以北周武帝的英明有为，颇有统一全国的可能。

高睿死谏

北齐孝昭帝高演在位十一年去世，由他的弟弟高湛即位，是为北齐武成帝。

武成帝在当上皇帝以前，就和国子寺学生和士开的感情最好。和士开为人机警，有几分小聪明，他的琵琶弹得极佳，尤其会玩握槊（握槊是古代一种赌博的游戏）之戏。刚好武成帝最好此道，因此两人十分投缘。

和士开嘴巴甜，擅长拍马屁。齐孝昭帝在世时，不准武成帝与和士开走得太近，因为和士开过于轻薄，是个标准的小人。等到孝昭帝去世，武成帝做的第一件事就是把和士开唤回身边。

武成帝一会儿工夫都离不开和士开，有时候和士开从宫里回家，刚回去，武成帝又派人把他召回。和士开喜欢做出许多鄙陋猥亵（wěi xiè）的动作取悦武成帝，武成帝对他的宠爱日甚，前前后后的赏赐，不可胜计。两人一天到晚黏在一块，早已不再有君臣之礼。

古代皇帝的责任极重，不但从小要接受比一般平民更重的教育，登位后日理万机也是一件繁重的工作。武成帝好逸恶劳，追求贪乐，对于繁重的政务感到十分不耐烦。

和士开对武成帝道："自古帝王到今日尽为灰土，贤君尧舜、昏君桀纣在死了以后又有什么差别？陛下趁着少壮之年，应该极意为乐，一日取快，可敌千年！"

"对，好一个一日取快，可敌千年。"武成帝很激赏和士开的说法。他把政权交给左右的奸臣，自己日夜作乐，使得齐国的政治大坏。

因为不知道节制，武成帝在三十二岁便一命归天了。临终之前，他紧握着和士开的手道："勿负我也。"闭上了双眼。

和士开本来就是皇帝身边的红人，这下子武成帝临终托付于他，自然神气活现。朝廷里的臣子纷纷巴结他，自愿作为和士开的假子。

尤其和士开和武成帝的皇后胡后交情不错，胡后也喜欢握槊，和士开常陪着她玩，两人关系颇不寻常。因此，当武成帝去世，胡后升为胡太后以后，对和士开也是非常支持。

朝廷里面以高睿为首的一些忠臣看不过去，决定去向胡后建议，把和士开调离京城。

高睿是高欢的堂侄儿，由于父亲早死，从小由高欢抚养长大，高欢视高睿如同自己的儿子。高睿身长七尺，体貌宏伟，很有学识，又懂得治事之道，为人正直，受封为南赵郡王。他十七岁时就受命为定州刺史，他在任内，留心州内政治事务、整顿治安、注重农业和教育，政绩优良。

他曾率领数万士兵监筑万里长城。为表示与士兵同甘共苦，他不肯让别人帮他打扇，也拒绝饮用专车送来的冰水。

高睿说："三军之中，人人都喝温烫的热水，人人都受不了炎夏，我凭什么一个人饮用冰水？我喝不下去。"因此兵士都肯为其效命。现在看到朝廷日非，高睿率先面陈和士开的罪过，他说："士开是先帝弄臣，贪污纳贿，秽（huì）乱宫廷，臣冒死陈之。"

胡太后冷笑说："先帝在时，你们为何不说？今日莫不是要欺负我孤儿寡妇？不必多言。"

高睿等仍然据理力争，不肯让步。胡太后也摆下脸来下逐客令："改天再说吧，你们可以散去了。"高睿气得把乌纱帽丢在地上。

第二天，高睿又到云龙门求见胡太后。他请人通报三次，三次胡太后都不肯接见，最后派左丞相对高睿说："现在先帝的棺木还未出殡，朝廷正在办丧事，以后再说。"

如此一来，高睿只有暂时告退。

因为高睿等在朝廷中还有相当力量，胡太后也不能完全不理他，于是派人找和士开来商量。和士开装出一脸忠贞的模样说："先帝在群臣之中，待我最厚，我如果离开朝廷，不等于剪除陛下的羽翼，削弱王室的力量吗？"于是两人决定，谎称要派和士开为兖州刺史，只等丧事办完，立刻上任。

武成帝的葬礼一完，高睿马上要进宫，催促和士开上路。

宫内的宦官知道太后心意的，跑来对高睿说："你这是何苦呢？太后既然一意祖（tǎn）护和士开，你又何必自讨没趣？"

"不成，现在幼主年纪还小，岂可容许奸臣在侧。我如果不去说，我有何面目对天？"高睿还是怒气冲天地去找太后理论。

胡太后听完高睿一番说辞后，没发表任何意见，只是命人为高睿斟酒。

高睿站起来正色道："我今天是来论国家大事，不是来喝酒的。"说完话，高睿便离开了。

当天晚上，高睿做了一个噩梦。他梦到一个长一丈五尺的巨人，巨人的手臂有一丈长，直直地对高睿袭来，他吓得惊醒道："恐怕是太后要杀我的预兆。"

第二天早上起来，高睿又要上朝劝太后。他的妻子哭着拉着他，不放他走。高睿甩开妻子的手说："自古以来，忠臣都是不顾身家性命的，我不能容许胡太后危害朝廷，我宁可死着去见先帝。"

他走到殿门，旁人看着他又来送死，好心地扯着他的衣袖道："希望殿下不要进去，恐怕会有危险。"

高睿还是不顾一切地往前冲道："我上不负天，死亦无恨。"

高睿进了宫，又向胡太后力陈和士开的劣迹，要求除掉和士开。胡太后不听，命高睿出宫，高睿无奈，只好离开，还没有走出皇宫，在半途上便被埋伏在路旁的武士擒住杀了。高睿死时才三十六岁。高睿死后连续三天，京师大雾，这是少有的现象，人们都说这是老天爷痛惜高睿冤死。

无愁天子齐后主

　　高睿死后，琅玡王高俨（yǎn）更加厌恶和士开，便和领军库狄伏连、御史王子宜、都督冯永裕等合谋，设计杀了和士开。

　　大权归于北齐后主高纬。齐后主说起话来滞涩迟钝，结结巴巴。所以他十分不喜欢接见大臣，除非是他特别宠爱亲私、昵近狎（xiá）习的，否则一概不与之交谈。

　　同时，齐后主个性非常懦弱胆小，被人一看就害羞得满脸通红，因此他不准臣子看着他。哪怕是尚书令有事要禀奏，也不可以仰视他，只能够匆匆忙忙讲一个大概，然后快速地离开，不然他就要生气。

　　比起他的父亲武成帝，齐后主更加奢侈浪费。他的后宫姬妾，都是宝衣玉食，做一条裙子所花的费用，往往就值一万匹布的价钱。在他看来，这是理所当然之事。

　　齐后主很喜欢盖宫殿，可是却喜新厌旧，常常刚刚盖好，没有两天，觉得不满意，马上下令"拆掉"。于是辛辛苦苦造起来的宫殿被夷为平地，然后，他又要盖一座新的宫殿，并且催得十万火急。

　　在这种情况之下，百工土木，没有一时一刻休息的时候。白天固然是赶工，连夜晚也点着火照样工作，冬天寒冷，泥土都结冻了，竟然用热水搅拌泥土照常赶工。

　　中国古代认为君主是全国人民的大家长，君主常称其百姓为"子民"，但是君主要受天意的监督。所以古时候有了天灾、寇盗，当皇帝的常要责备自己，并且加以节制。但是齐后主却没有因为灾荒贬损自己，又为着求取良心上的安宁，开凿晋阳西山的大石雕刻成为大佛像。为着这个巨大的工程，一个晚上要用一万盆油照明，齐后主又到处设素斋，认为如此菩萨就会保佑他。

齐后主喜爱弹琵琶，而且自己作了一首《无愁曲》，命令臣子唱和。民间暗地里为他取了一个外号"无愁天子"。

无愁天子因为太快乐了，没有什么忧愁的事。他荣华富贵享受已极，一天突发奇想道："当个乞丐多有意思呢！"于是他在华林园建立了一座贫儿村。齐后主换上破烂的衣服，携着篮子带着棍子，哭丧着脸跪在地上对着宫女哀求："好心的太太啊，请你施舍一点儿吧，我已经三天三夜没有吃东西了。"他觉得有趣极了。西方有部文学名著《乞丐王子》，讲的是一个王子想当乞丐，与乞丐交换身份的一段故事。看来皇帝当久了，换个口味当乞丐的心理不足为奇。

在他主持之下的朝政，官吏爵位都是用钱买来的，衙门里判案子也是看受贿多少断其轻重。因为齐后主糊涂昏庸，不但他的一个旧仆人刘桃枝可以当上开府仪同三司（类似今天部长级官位），其他宦官、歌舞人、官奴婢也可以封王。

北齐后主高纬在华林弹唱《无愁曲》，选自明刊本《帝鉴图说》。

有一个人叫薛荣宗，自称能看到鬼，十分稀奇，人们称之为"见鬼人"，也当了官。

最为荒唐的是，当齐后主斗鸡走马玩得开心时，他随口就替这些狗啊，马啊，加上仪同、郎君的封号。所谓"赤彪仪同""逍遥郎君""凌霄郎君"都是非鹰即马，还有一只很可爱的波斯狗被封为"仪同郎君"，不但有封号，竟然还享有一份俸禄哩。

当他任性地挥霍之时，一些个佞臣小人也在旁陪着玩儿，动辄（zhé）数万。没有多久国家的府藏被掏光了，齐后主便用卖官的方式谋取金钱。当然买得起官位的，不会是穷读书人，有操守的读书人也不屑买官。富商大贾（gǔ）们一旦得到官位以后，当然贪污枉法，要在老百姓身上捞回成本，因此处处民不聊生。

齐后主自小养尊处优，要什么有什么，因此，养成他极为不耐烦的性格，脾气急躁。有一天晚上大家都快睡觉了，他忽然想要蝎子，说要就立刻要。

蝎子，是一种节足动物，和蜘蛛同类，尾巴弯曲有毒钩，会蜇人注毒，现在用"蛇蝎"比喻狠毒的人，可见蝎子性毒。齐后主不晓得要拿蝎子去害哪个倒霉鬼，反正他急着想要。

三更半夜到哪儿去找毒蝎？但是皇帝有令，不得不办。整个宫中上上下下忙成一团，齐后主又不断在发脾气："怎么还不快一点！"到了黎明，终于有人给后主弄来了毒蝎。

齐后主有一个毛病，什么东西不好找，他就偏偏要这个东西，而且性子急得不得了，早上才有此念头，晚上就非要到手不可。譬如说他在夏天要冬天的水果，到哪儿去找呢？却也只能上天下地为他找了来，经常把地方上的百姓搅得人仰马翻。

在齐后主的统治之下，北齐政治的败坏可想而知。相对地，这时正是北周武帝在位，他奋发图强，当时长江以北是北齐和北周两雄对峙，强弱对比，明眼人很容易看出来历史的发展几乎注定是北周灭亡北齐。

冯小怜观战

在《无愁天子齐后主》中，我们说到齐后主荒唐昏庸，使得民不聊生。于是，精干的周武帝大举伐齐。齐兵大败，八千甲士被俘。

这个紧急的当儿，北齐后主正拥着冯淑妃在天池游玩，快活似神仙。

冯淑妃，本名叫小怜，长得确是楚楚可怜的动人模样儿。她原先是穆后的侍婢，因为能弹琵琶，刚好与擅长琵琶的后主兴趣相投，小怜又会轻歌妙舞，益发能讨后主欢心。因此，他二人坐则坐在一张席上，出则共骑一匹马，而且两人发誓要同生共死。

这一会儿，北周大军围攻晋州，晋州告急，从早上到中午，一连有三次驿马传来紧急快报（在古代，没有电话或电报，都是利用驿卒，骑着快马传递消息），说是前线告急，请朝廷赶快救援。

右丞相淡淡地说："天子正在作乐，边境小小的交兵，不算一回事，何必急急忙忙奏闻。"

到了傍晚时刻，驿卒带来一个坏消息："平阳已陷。"这个消息非同小可，丞相赶紧呈报上去。

听说平阳失陷之后，冯小怜还舍不得离开天池，她正与后主打猎，正玩在兴头上。于是她娇媚地对后主说："不急嘛，再杀一围嘛。"后主也正不想走，连忙答应："好。"

旁边的人都不敢相信自己的耳朵，却也没有办法。还有人说，后主名字叫高纬，纬与围同音，再杀一"围"，太不吉利了。

北齐的将领还算争气，平阳城陷之后，极力反攻，想要收复失地。他们暗地挖了一个地道，地道挖成之后，果然平阳城垣崩颓倒了一大段。

北齐的士兵高声欢呼："冲啊！冲啊！城破了。"北齐军队正要冲锋，忽然，前来督战的北齐后主站在远远的高地大声一喊："且慢，且慢。"

原来，齐后主认为这是难得一见的精彩镜头，连忙派人去叫冯小怜前来观战。小怜接到消息，也不马上赶来，换衣服，梳头发，然后慢吞吞地上粉，抹胭脂，折腾了老半天才袅袅婷婷地出来。

等冯小怜到来，北周人老早用木头塞住了北齐人挖的地道。北齐的军队眼睁睁看着辛辛苦苦挖的地道被毁，却又没有办法阻止，因为冯小怜的妆还没有化好，一个个都快气疯了，因此，士气大为低落。

冯小怜，选自《马骀画宝》。

北齐军队失去了收复城池的机会，北周军队也感到很意外，不敢轻举妄动，于是双方僵持着，冯小怜来到高地，并没有看到双方作战。

冯小怜不但不因此感到抱歉，反而气呼呼地埋怨："把人家找了来，什么也看不到，真是扫兴极了。"

后主也觉得没有让小怜看到攻城十分抱歉，因此当小怜提议："我听说晋州城的西边有块石头，上面有神仙来过的遗迹，我们去看一看吧。"后主一口便答应了。

但是，后主转念一想："不好，不好，那儿靠近战区，万一被弓矢射中怎么办呢？还是别去吧。"

小怜仍然不死心，苦苦地央求

着。齐后主认为，难得有这个机会，若不寻幽访胜也是可惜。左思右想了半天，最后，齐后主灵机一动："不如另外造一个桥，通往神仙遗迹，如此岂不妙哉？"他好像忘记了现在正在打仗，还以为是在观光。

齐后主的脾气向来是想要就要，他立刻传令造桥。下面的人回答："没有木头怎么造桥？"

"谁说没有木头的？那儿不是摆了一大堆？"齐后主指着地下一堆堆圆滚滚的木头，怒声地指责着。

"可是，可是，这些是拿来准备撞击城门进攻之用的啊！"手下的人无限委屈又愤慨地抗辩。可是，后主说要挪用，谁也没有办法，而且，后主有一个毛病，性情急躁，说办就办。他不但传令赶工，而且亲自监工，把战争抛到一旁，还不断地威胁："快点，快点，不然就要受罚！"

天下许多事都是急不来的，譬如造桥便是，泥土还没有干，后主已经迫不及待牵着小怜去看神仙遗迹了；两人的车马刚一上桥，桥立刻就垮了，跌得人仰马翻，一塌糊涂。直到半夜两人方才狼狈地回来。

但是，这些似乎没有给齐后主带来任何教训。不久，两军开战，他又拉着冯小怜前去观战。

小怜原来以为打仗挺有趣、挺新鲜的，等到真的上了战地，听到杀声震天，吓得花容失色。她忽然发现，东边的阵容似乎稍退，尖叫一声："败了，败了。"旁边穆提婆跟着一喊："大家退，大家退！"

其实，部队半进半退是作战中常有的现象。冯小怜一嚷嚷，拉着齐后主撤退，人情汹汹，一败不可收拾。仗也没打，军资器械扔了几百里之远，北齐整个溃败。

当北齐后主与冯小怜逃到洪洞，小怜还不知道自己闯下大祸，拿着镜子，施粉添妆，顾影自怜。一直到殿后的军士高喊："贼兵来了！"才依依不舍放下镜子。

在这种一面倒的情况之下，周人以秋风扫落叶之势，在两年之内完全消灭了北齐。

周武帝管教太子

在上一篇《冯小怜观战》中，说到北周武帝大破北齐军队，威风极了。然而，武帝虽然文治武功都可称道，他却有一个大隐忧，武帝的太子宇文赟（yūn）不成材。他很担心太子没有承嗣皇位的能力。

因为这个，武帝管教太子十分严格。他不愿意太子有虚骄之气，所以对太子的态度和一般大臣相同，哪怕是隆寒盛暑，太子也同样上朝，不得偷懒。

太子没事时喜欢喝上两杯酒，武帝对他这种嗜好深恶痛绝，下了一道命令，禁止将酒运往东宫（东宫是古代太子所居住之地）。

有一次，太子又犯了过错，引得武帝大发雷霆。他拿起棍子狠狠地对太子抽来，一边用力地打，一边痛心地说："你啊，别以为你这个太子的位置是坐定了，从古以来太子被废的不晓得有多少，难道除你之外，我其他的儿子都不能做太子吗？"

太子最怕他的父亲，捂着屁股一句话也不敢说，转过身去，又照样吃喝玩乐。武帝国事忙，而且与太子也不住在一起，因此特别命令，把太子的一言一行、言语动作照实记录下来，每个月报告一次。太子竟买通了左右，所以送给武帝看的报告倒是表现成绩不坏。

但是，江山易改，本性难移，太子是块什么样的材料，武帝心里最为清楚不过。

有一日，武帝到同州考察，召见万年县丞乐运。武帝问乐运道："卿近来见过了太子，你觉得，太子是一个怎么样的人啊？"

"中人。"乐运简短地回答。

"哈哈。"武帝自我解嘲地干笑了几声，然后，回过头来对齐王宇文宪等人说，"那些个百官佞臣为着讨我欢心，都说太子聪明睿智，只有乐运一个人说太子是中人，这可证明乐运这个人是忠贞正直的。"

接着，武帝又问乐运道："你倒是说说看，什么样叫中人？"

乐运回答道："在《汉书》之中，作者班固批评古代的齐桓公为中人。因为当他任用管仲时，天下大治，成为春秋五霸之一；以后管仲去世了，齐桓公任用竖貂，一败涂地。所以中人就是可以为善，也可以为恶的人。"

乐运这话说得十分婉转，他不便直接批评太子，只点出了如果太子没有人好好辅佐，必定会造成国破家亡的悲剧。

聪明如武帝，当然听得出乐运话中的含义。回去后，他便有意在东宫中多找几个贤人好好教一教太子。

太子知道这件事，相当的恼火，他不但恨乐运，尤其痛恨齐王宇文宪。宇文宪是他的叔叔，常在武帝面前说他的缺点。

另外有一人，名叫宇文孝伯，他和武帝是同一天生日，长大以后又与武帝一块读书。

宇文孝伯的学问很好，因此，武帝派他伴太子读书。宇文孝伯眼看着太子一天天长大，既无德行，又好亲近小人，就对武帝禀告："皇太子四海所属，然而未闻德声。臣为东宫官属，理应受责。然而太子年纪尚小，志业未成，请妙选正人君子作为太子的师友。"

武帝笑嘻嘻地回答："哪有其他正人君子比得上你？"于是仍然用宇文孝伯为左宫正。

其实，宇文孝伯是有苦说不出，他早就不想担任教导太子的工作了。因为太子不能打也不能骂，完全不准体罚。太子不肯学好，做老师的实在一筹莫展。

但是，说也奇怪，自此以后，武帝每回问道："我那个不肖的儿子，近来有点儿长进没有？"

宇文孝伯总是回答说："太子畏惧天威，不再嗜酒，也没有什么重大的过失。"

"噢？"武帝高兴极了，他心想，也许太子真的痛改前非了。

可是，一次在宴会中，有个叫王轨的忠臣，凑近了武帝，捋（lǚ）着武帝的胡须，半开玩笑地说："可爱的老公公，可惜后代太弱了。"

武帝很不高兴，吃完了酒，把宇文孝伯找来责备道："你每次都告诉我说，太子无过，今天有王轨这番话，可见得你是在骗我。"

宇文孝伯也不申辩，他恭恭敬敬地下拜道："我听说父子之间的事，外人是很难说什么的。臣知道陛下不肯割情忍爱，舍不得不让他当太子，我只好把舌头打个结，不敢多说。"

可不是吗？虽然太子无才，但太子的弟弟更糟，其他的儿子又太小。自古以来的皇帝，又没有舍得把皇位拱手让人的。武帝一时之间答不出话，沉默了好半天，对宇文孝伯道："朕已经委托你管教太子，希望你勉力为之。"

武帝的意思是叫宇文孝伯把死马当活马医，希望能把太子引到正途上来。宇文孝伯能成功吗？

周宣帝诛杀忠良

中国人常说："虎父无犬子。"雄才大略的周武帝却有一个不成材的太子，真违背了这句话。虽然武帝严加管教，太子的老师宇文孝伯及叔父齐王宇文宪苦心教导，仍不能使太子改邪归正。

周武帝建德七年（578年），武帝率领大队人马进攻突厥。走到一半，武帝忽然感觉身体不舒服，留在云阳宫休养。

过了几天，武帝病情仍旧没有好转，正式下诏军队暂停前进，而且快马召来宇文孝伯。

宇文孝伯与武帝同年同月同日生，两人自小感情很好，而且宇文孝伯又接受武帝的重托，管教太子，交情非比寻常。宇文孝伯匆匆赶到行在所，发现强壮的武帝一下子变得满脸憔悴。

武帝用虚弱的手拉着宇文孝伯说："我自己知道没有痊愈的希望了，以后的事请多费心。"

当晚，武帝授宇文孝伯司卫上大夫的官职，总领皇帝身边的禁卫卫兵，又派人入京镇守，免得敌人利用这个机会挑衅（xìn）。可见得武帝的英明能干，直到垂危，仍然如此果断。

过了不到一个月，武帝愈来愈不行了，勉强回到长安，当天晚上与世长辞，享年只有三十六岁。他做了十八年的皇帝，可以说是南北朝最有作为的君主，可惜天不假年，否则，他可能创造一段辉煌的历史。

北周彩绘重装骑兵陶俑,陕西咸阳北周孝武帝陵出土。

武帝一死,太子宇文赟即位,是为北周宣帝。武帝是明主,英年早逝,全国都一片悲哀,宫中更是一片嘤泣之声,只有宣帝没有一点儿忧伤。他摸着身上一条红一道紫的杖痕,想着武帝生前教训他的情景,破口大骂道:"老东西,死晚了。"

然后,他一跳而起,直奔武帝后宫,挑选美丽的宫人纳为己有,以宣泄对武帝的不满。

宣帝心想,好不容易终于让我当上皇帝,那些以前对不起我的,现在要他们好看。宣帝一思索,立刻想到了叔父齐王宇文宪一天到晚在武帝面前打小报告,说他这个不是,那个不是,害得他挨了不少鞭子,此仇不报非君子。而且宇文宪德高望重,为朝廷中人敬重,这也是叫人生气的事。

于是,宣帝把宇文孝伯找来,就对他说:"你若能为朕除去齐王,朕当把官位给你。"

宇文孝伯叩头道:"先帝留有遗诏,不许滥诛骨肉。齐王乃陛下叔父,功高德茂,社稷重臣。陛下若无故害之,则臣为不忠之臣,陛下为不孝之子矣。"反而把宣帝教训一番。

宣帝听了,心里很不高兴,从此与宇文孝伯逐渐疏远,秘密地与小人们商量谋害宇文宪。

首先,宣帝派宇文孝伯去告诉宇文宪,说是要以他为太师,宇文宪一再辞让不肯担任。

然后，又叫宇文孝伯通知宇文宪："今天晚上诸王们都请入宫。"

到了晚上，诸王们会集，只有宇文宪一人单独被请入内宫。他一进宫，立刻被两旁窜出的壮士捉住，他们一口咬定宇文宪叛变。因为是入宫，所以既没有随侍，又不能带武器，宇文宪只有乖乖被捆住。

接着，宣帝派宇智与宇文宪对质。宇智说，他偷偷在宇文宪家中看到的奇怪景象，桩桩都表示有异谋。却被宇文宪一一驳斥回去，而且宇文宪气壮如山，目光如炬，直直盯着宇智。宇智到后来辩得哑口无言，蛮不讲理道："以王今日的地位，是不是有异谋，还用得着多说吗？"

既然欲加之罪，何患无辞，宇文宪气得把朝用的象笏往地上一摔，沉痛地说："生死有命，我也不想活了。只是老母在堂，我害得她也要受牵连了，唉！"

就这样，宇文宪被吊死；没多久，宇文孝伯也步其后尘。朝廷里的忠臣，宣帝一概没法子相容。

不久，宣帝立皇子鲁王宇文阐为太子，并且传位太子，自称为天元皇帝，对臣下不称朕而称天。他每天戴着一个"通天冠"，到处去玩，羽仪仗卫跟随在后，晨出夜还。随侍的官吏，个个苦不堪言，对着月亮想打哈欠。

宣帝既然自称天，表示他自以为高高在上，非常的了不起。所以规定凡是要来看他的，得先吃三天斋，洁身沐浴而后前来。他看到"天、高、上、大"这几个字就有反感，认为是大不敬，所以官名中没有此四字。有人姓高怎么办呢？一律改为姓姜。同时他又禁止天下妇人抹粉擦胭脂，认为这是宫人的专利，此也是历史上所少见的规矩。

因为宣帝少时嗜酒，被武帝打过不少板子，怀恨在心，意图报复，所以自公卿以下的官吏都常常挨打，每次打板子至少要打一百二十板，称为天杖，苍天所制定之杖数也。后来他又把天杖提高为二百四十下，真是够受的。

不但公卿要挨打，连他所宠爱的后妃嫔御也是说打就打，而且狠狠地打在背上，痛彻心扉。宫中里里外外，人心不安。